D1239469

LA FEMME DE BERLIN

DE LA MÊME AUTEURE

L'Imposture. Roman.
Montréal : Libre Expression, 1995 (épuisé).

La Femme de Berlin. Roman.
Montréal : Libre Expression, 2004 (épuisé).
Lévis : Alire, Romans 182, 2017 (version révisée).

LA FEMME DE BERLIN

PAULINE VINCENT

ALIRE

Illustration de couverture : BERNARD DUCHESNE
Photographie : COLOMBINE DROUIN

Distributeurs exclusifs :

Canada et États-Unis :
Messageries ADP
2315, rue de la Province
Longueuil (Québec) Canada
J4G 1G4
Téléphone : 450-640-1237
Télécopieur : 450-674-6237

France et autres pays :
Interforum Editis
Immeuble Paryseine
3, Allée de la Seine, 94854 Ivry Cedex
Tél. : 33 1 49 59 11 56/91
Télécopieur : 33 1 49 59 11 33
Service commande France Métropolitaine
Téléphone : 33 2 38 32 71 00
Télécopieur : 33 2 38 32 71 28
Service commandes Export-DOM-TOM
Télécopieur : 33 2 38 32 78 86
Internet : www.interforum.fr
Courriel : cdes-export@interforum.fr

Suisse :
Diffuseur : **Interforum Suisse S.A.**
Route André-Piller 33 A
Case postale 1701 Fribourg – Suisse
Téléphone : 41 26 460 80 60
Télécopieur : 41 26 460 80 68
Internet : www.interforumsuisse.ch
Courriel : office@interforumsuisse.ch
Distributeur : **OLF**
Z.I.3, Corminbœuf
P. O. Box 1152, CH-1701 Fribourg
Commandes :
Téléphone : 41 26 467 51 11
Télécopieur : 41 26 467 54 66
Courriel : information@olf.ch

Belgique et Luxembourg :
Interforum Editis S.A.
Fond Jean-Pâques, 4 1348 Louvain-la-Neuve
Téléphone : 32 10 42 03 20
Télécopieur : 32 10 41 20 24
Courriel : info@interforum.be

Pour toute information supplémentaire
LES ÉDITIONS ALIRE INC.
120, côte du Passage, Lévis (Qc) Canada G6V 5S9
Tél. : 418-835-4441   Télécopieur : 418-838-4443
Courriel : info@alire.com
Internet : www.alire.com

Les Éditions Alire inc. bénéficient des programmes d'aide à
l'édition du Conseil des arts du Canada (CAC), du Fonds du
Livre du Canada (FLC) pour leurs activités d'édition, et du
Programme national de traduction pour l'édition du livre, une
initiative de la *Feuille de route pour les langues officielles du Canada 2013-2018 :
éducation, immigration, communautés*, pour nos activités de traduction.
Les Éditions Alire inc. bénéficient aussi de l'aide de la Société de développement
des entreprises culturelles du Québec (SODEC) et du Gouvernement du Québec –
Programme de crédit d'impôt pour l'édition de livres – Gestion Sodec.

1

Indifférente à la morosité de ce premier Noël de guerre, une fine neige dansait au gré du vent sur un Westmount endormi. Dans cette banlieue cossue de Montréal, accrochée à flanc de montagne, un manoir d'influence Tudor s'éveillait. Une horloge grand-père égrena les sept coups de son carillon, dont la mélodie reprenait un air de la célèbre abbaye de Westminster.

Au même moment, on sonna à la porte.

— Maman, pouvez-vous répondre? Je baigne Pierre, cria Lydia de la salle de bain.

« Quelle impudence! se dit Claire. Nous déranger à une heure aussi indue! Un lendemain de réveillon! Et personne pour répondre. J'aurais dû garder Anita pour le congé des fêtes. Je suis trop généreuse avec le personnel. »

En général, cette femme de trente-neuf ans détestait les imprévus et contrôlait les situations avec sang-froid. Toutefois, une pointe d'appréhension la parcourut. D'instinct, elle flairait la mauvaise nouvelle. Les gens bien élevés ne rendaient pas visite à leurs amis à une heure aussi matinale. Et si le messager de la mauvaise nouvelle était un attaché du consulat suisse? Depuis l'entrée en guerre de l'Angleterre contre l'Allemagne, quatre mois auparavant, elle appréhendait chaque jour une telle visite.

« Oh Hanz, mon amour, pourvu qu'il ne te soit rien arrivé ! »

Son corps se contracta lorsqu'elle imagina son mari gisant sur un champ de bataille, quelque part en Europe. Elle secoua la tête pour en chasser la vision apocalyptique.

Rapidement, elle enfila son peignoir préféré, celui de satin rose surpiqué de papillons blancs que son homme aimait tant déboutonner. D'un pas volontaire, elle traversa la loggia circulaire qui dominait le hall d'entrée. Arrivée à l'escalier, encore baigné dans l'obscurité fragile du lever du jour, elle poussa l'interrupteur. L'orgie de lumière qui jaillit du lustre baroque la força à cligner des yeux. Que ce lustre clinquant pouvait l'agacer !

D'ailleurs, elle l'avait pris en aversion dès l'instant où elle avait posé le pied dans ce manoir où se mêlaient plusieurs styles architecturaux. Cette ostentation de parvenu était aux antipodes du raffinement dans lequel elle vivait depuis une vingtaine d'années. En mars, lors de son emménagement en catastrophe à Montréal, avec sa fille, elle ne s'était pas attardée à ce genre de détails. Il lui avait fallu trouver une résidence meublée pouvant répondre aux exigences de leur mode de vie et leur procurer la plus grande discrétion pendant leur séjour dans la métropole canadienne. Et, grâce à une connaissance d'un ami de son mari, elle avait loué cette maison, la seule inoccupée, à l'époque, dans ce beau quartier. Aujourd'hui, toutes ces considérations oiseuses ne lui importaient plus.

En s'engageant dans l'escalier de marbre ambré, elle fut secouée par des spasmes à l'estomac, suivis d'une douleur violente au côté. Ses jambes flanchèrent et sa vue s'embrouilla. Elle s'agrippa à la rampe de fer forgé et attribua son malaise au délicieux pâté de foie de canard en croûte de la veille. Sans doute un léger problème d'acidité gastrique. « Aurais-je dû résister à ce plaisir si exceptionnel en cette période de restrictions ? » se demanda-t-elle. Puis, refusant de se culpabiliser, elle descendit plus lentement en se promettant un jeûne de deux jours. « Rien de mieux pour retrouver la forme », pensa-t-elle.

Le gong de l'entrée retentit de nouveau.

Arrivée dans le hall en rotonde soutenu par deux colonnes corinthiennes, Claire s'arrêta. Par réflexe plus que par coquetterie, elle lissa ses cheveux. Sa main tremblait. Quand elle ouvrit la porte, elle avait retrouvé un semblant de contenance. Dans la froideur matinale de l'hiver, balayée par la poudrerie naissante, deux policiers en uniforme de la RCMP[1] la fixaient d'un air autoritaire.

— Messieurs ?

— Madame von Ems ?

— Comtesse von Ems !

— De votre nom de fille, Grenier ?

Chaque mot prononcé projetait une buée blanche. Agacée par le ton officiel de l'agent, elle braqua sur lui un regard de faucon.

— En vertu de la loi sur les mesures de guerre en vigueur au Canada et dans l'Empire britannique, vous êtes en état d'arrestation. Vous et votre fille Lydia. Est-elle ici ?

— Mais… mais… Qu'est-ce que cela signifie ?

— On vous a posé une question. Votre fille est là ? lança, dans un franglais laborieux, le second homme, aux pommettes rougeaudes et à l'embonpoint qui mettait en danger les boutons de son paletot.

---

[1] RCMP : Royal Canadian Mounted Police, traduit en 1920 par Royale Gendarmerie à cheval du Canada (RGCC), nom peu utilisé cependant. Depuis 1949, l'appellation française de ce corps policier est Gendarmerie royale du Canada (GRC).

— Qui êtes-vous ?

— Agent Tremblay et agent Stanley, de la RCMP, dit le Canadien français en exhibant sa carte d'identité.

Claire von Ems la lui arracha des mains.

— Faites venir votre fille !

Sur ces entrefaites, Lydia cria de l'étage :

— Mère, qu'est-ce que c'est ?

— Reste dans ta chambre ! J'arrive, ma chérie.

Cachant à peine sa nervosité, Claire jeta un regard bref sur la carte d'identité avant de la rendre au policier d'un geste sec.

Ne comprenant toujours pas ce qui lui arrivait, elle demanda :

— Pourquoi ?

— Vous avez cinq minutes pour préparer vos valises, lui répondit l'agent Stanley.

— Nos valises ? Vous avez l'intention de nous garder en détention ? Mais pourquoi ? C'est de la folie ! Répondez à la fin !

Grelottant, les policiers piétinaient, en cadence, la neige entassée sur le perron. Le petit se hasarda à demander :

— Pouvons-nous entrer ?

Le froid nordique s'engouffrait par la porte entrouverte et la neige s'accumulait sur le marbre du plancher en fondant aussitôt.

Claire ouvrit la porte de chêne sculptée. Sans autre invitation, ils entrèrent. Après s'être débarrassés de leur couvre-chef en castor, ils se secouèrent comme des oiseaux mouillés.

« Les hyènes entrent dans la bergerie », pensa Claire. Elle haussa le ton :

— Répondez-moi à la fin. Pourquoi nous arrêtez-vous ? dit-elle en appuyant sur chaque mot.

— Dépêchez-vous !

Toisant les deux policiers, elle ajouta, vindicative :

— Vous commettez une grossière erreur, messieurs. Vous regretterez cet affront. Vous ne savez pas à qui vous vous adressez !

— À une Allemande, si je ne m'abuse, lança Tremblay avec un rien de cynisme.

Jugeant qu'il était inutile d'insister, elle se montra plus conciliante.

— Je vais chercher ma fille.

— Faites vite. On a d'autres chats à fouetter…

Croyant les laisser en plan, Claire s'élança dans l'escalier, bientôt talonnée par l'agent Tremblay. Décontenancée, elle s'arrêta si brusquement qu'il la bouscula involontairement. Elle lui lança :

— Vous n'allez tout de même pas me suivre jusqu'au petit coin ?

D'un ton qui n'invitait pas à la réplique, le petit homme rétorqua :

— Devoir oblige, madame la comtesse. Nous vous escorterons partout où vous irez. Si ça peut vous rassurer, je resterai à la porte de votre chambre.

Au même moment, Lydia surgit dans le couloir, bébé Pierre dans ses bras.

— Maman… Qui est cet homme ? Que fait-il ici ?

— Entre dans ma chambre et ne pose pas de questions, lui enjoignit sa mère.

Claire claqua la porte derrière elle et un pan de son peignoir resta coincé. Furieuse, elle tira avec force, mais dut rouvrir pour se libérer. Imperturbable, le policier la dévisageait. Du coup, sa fureur céda la place à une rage sourde.

— Maman, allez-vous m'expliquer à la fin ? dit Lydia en déposant son fils sur le lit.

Claire arpenta la pièce comme un automate. Elle n'arrivait pas à faire le point et marmonnait : « Ce n'est qu'un mauvais rêve, ma Claire ! Ne t'inquiète pas ! Ça passera ! »

Lydia l'enlaça. La chaleur du contact l'apaisa. Après un court silence, Lydia lui chuchota :

— Je ne peux pas vous aider si je ne sais pas ce qui se passe !

Claire se dégagea de l'étreinte de sa fille.

— Nous sommes en état d'arrestation. Ce sont des agents de la RCMP. Ils doivent nous emmener je ne sais où et j'en ignore autant la raison ! Nous avons cinq minutes pour boucler nos valises.

Lydia allait demander « Pourquoi ? » mais elle jugea la question superflue. Elle connaissait la réponse. Même si depuis le déclenchement des hostilités entre les grandes puissances, en septembre dernier, ce sujet tabou n'était jamais abordé à la maison, elle s'était préparée mentalement à ce moment. Surtout depuis la mise en application de la loi sur les mesures de guerre. Comme des centaines de ressortissants d'origine allemande ou en possession d'un passeport germanique, elles pouvaient être considérées comme des ennemies selon la loi du Dominion du Canada et de l'Empire britannique, et internées dans un camp.

Toutefois, elles estimaient leur cas différent de celui des autres. En dépit de leurs passeports allemands, elles étaient nées au Canada et cela leur conférait des droits, s'obstinaient-elles à penser. Enfin, voilà que l'inévitable se produisait, au plus grand soulagement de Lydia. L'expectative de leur arrestation la minait depuis si longtemps.

Pour sa part, Claire n'était pas dupe. Elle aussi en connaissait le motif. Dans une dernière tentative pour protéger sa fille et son petit-fils, elle se terrait encore derrière un rempart de non-dits et d'omissions volontaires.

— Mon amour pour ton beau-père nous a placées dans le camp ennemi. En fait, tout bien considéré, nous ne sommes ni entièrement canadiennes ni entièrement allemandes.

— Les circonstances et les apparences nous condamnent d'avance. Ce n'était qu'une question de temps avant qu'ils ne nous arrêtent. Quelle ironie ! Selon le point de vue où l'on se place, on nous considère soit comme des citoyennes loyales, soit comme des ennemies à neutraliser. C'est la guerre… même ici, conclut Lydia.

L'agent cogna à la porte.

— Pressez-vous, mesdames !

Dans un sursaut de révolte, Claire lança :

— Nous sommes canadiennes avant tout ! Qui peut en douter et s'imaginer que… ? Ce n'est pas parce que j'ai épousé… un All…

La gorge serrée, Claire ne put terminer sa phrase. L'éventualité de leur arrestation la privait de sommeil depuis des semaines. Réalisant son impuissance, elle fondit en larmes et s'allongea aux côtés de son petit-fils.

— Nous allons trouver une solution, affirma Lydia pour l'encourager.

Elle essuya les larmes sur les joues fiévreuses de sa mère, puis l'embrassa sur le front.

Claire von Ems caressa le crâne duveteux du petit Pierre.

— Et ce cher enfant, à peine né et déjà plongé dans une pure folie. Qu'est-ce que tu vas devenir, mon ange ? Qu'est-ce que nous allons devenir ?

— Réfléchissons ! Soyons pragmatiques !

— C'est vrai ! D'abord, il faut à tout prix communiquer avec le consul de Suisse… suggéra Claire sans lever les yeux du poupon.

— Bonne idée ! Il pourrait certainement nous tirer de ce mauvais pas.

— Mais il y a ce gringalet de policier devant la porte.

— Je m'occupe de lui. Puis, j'appellerai monsieur Mueller. La RCMP comprendra vite que c'est une grossière erreur ! mentit Lydia.

Se sentant investie d'un rôle de protectrice, Lydia endossa cette responsabilité sans réfléchir et la mutation se produisit naturellement. Sa mère ne devait plus souffrir des conséquences de sa décision. Leur présence à Montréal, c'était sa faute ! Coupable, elle l'était. Pour obtenir son pardon, elle se devait d'alléger le fardeau des tracas dont elle était la cause.

Calme, Lydia sortit sur le palier. Le policier l'interpella :

— Où allez-vous ?

— Je dois téléphoner.

— Aucune communication avec l'extérieur n'est permise.

— J'insiste. Je dois joindre sans faute le consul de Suisse. C'est lui qui représente le gouvernement allemand au Canada. Il vous expliquera que tout ceci n'est qu'une vilaine méprise.

— Il n'en est pas question ! Habillez-vous et préparez vos valises. Nous n'avons pas que ça à faire !

— C'est de l'abus de pouvoir. Nous sommes dans un pays libre ! Nous avons des droits !

— Oui, madame, nous vivons dans un pays libre. Mais un pays en guerre. Pressez-vous !

— Et mon bébé ? Notre personnel a congé. Je n'ai personne pour s'occuper de lui.

— Il vient avec nous.

— Mais c'est ridicule… Alors, vous avez l'intention de nous garder longtemps ?

— Ce n'est pas moi qui décide, répondit l'agent Tremblay.

Elle lui claqua la porte au nez.

Lydia trouva sa mère pliant des chandails comme si elle partait aux sports d'hiver. Malgré ses yeux rougis, elle s'était ressaisie. Avec aplomb, elle lui suggéra :

— Apporte des vêtements chauds… Et, surtout, n'oublie pas tes bijoux. Je vais prendre tout notre argent liquide. On ne sait pas où on va aboutir… Que t'a conseillé le consul ?

Lydia prit Pierre qui gazouillait.

— Le policier a refusé que je téléphone.

— D'ailleurs, le consul de Suisse pourrait-il vraiment nous aider ? Il doit en avoir déjà plein les bras, commenta Claire.

Réfléchissant tout haut, elle ajouta :

— Qui sait ? Par solidarité avec ton beau-père ? Il sera peut-être plus enclin à porter secours à la famille d'un collègue. C'est l'occasion ou jamais de vérifier la qualité de la soi-disant considération de son gouvernement à notre égard.

Lydia lui jeta un regard attendri. Sa mère caressait le coffret de cuir marron estampillé aux armoiries des von Ems. Gage de son amour éternel que lui avait remis son mari lors de leurs adieux sur le quai de la gare à Berlin. Le coffret contenait trois singes miniatures en bronze, dont le premier se cachait les oreilles, le deuxième, les yeux et le dernier, la bouche. Avec précaution, Claire le déposa dans sa valise Louis Vuitton et ses yeux croisèrent ceux de sa fille. Pour se justifier, Claire dit, songeuse :

— Je ne m'en séparerai jamais ! Hanz m'accompagnera partout et toujours.

Lydia alla dans sa chambre et s'empressa d'empiler quelques vêtements et des objets personnels, dont un album de photos de ses années d'insouciance. D'un cadre en argent, elle retira une photo où elle et son demi-frère Karl, alors à peine âgé de trois ans, imitaient le vol d'un oiseau dans un champ de marguerites, en Bavière.

— Je t'aimais tellement, à cette époque-là !

Avant de fermer sa valise, elle y déposa le roman à la mode : *Autant en emporte le vent*. Dans un sac de voyage, elle rangea des vêtements de Pierre et tout ce dont il avait besoin pour un déplacement de quelques heures.

La crise de larmes de son fils l'amena à se hâter. La jeune mère décoda le message. Pour éviter que la tension des dernières minutes ne réduise son débit de lait, elle prit de longues respirations pour s'obliger à se détendre. Dans la berceuse, elle offrit le sein à son bébé. L'âme de la mère et du fils fusionnaient. Le temps n'existait plus et rien ne pouvait les séparer. Pas même l'entrée inopinée du policier que le silence soudain avait intrigué.

Une heure après leur arrestation, Claire, une valise dans chaque main, et Lydia, portant Pierre sur une hanche et un large sac de voyage en bandoulière, déposaient leurs bagages dans l'entrée.

En entendant des bruits étranges dans le salon bleu, elles s'y hasardèrent. Quelle ne fut pas leur surprise de constater le désordre de la pièce ! Papiers, bibelots, photos et le contenu des tiroirs des guéridons jonchaient l'Aubusson blanc, bleu et rose de dizaines de livres grands ouverts et de coussins de toutes grandeurs. Agenouillé, l'acolyte de Tremblay enfouissait des documents dans des sacs de papier.

C'en était trop.

— Vous auriez pu avoir la décence de me demander ce que vous cherchiez… Ne touchez pas à ça, cria Claire en lui arrachant sa photo de noces.

Pour esquiver une gifle qu'il anticipait, le policier se releva tant bien que mal, ralenti par son embonpoint.

— Madame la comtesse, un pays en guerre a tous les droits, intervint calmement Tremblay, qui avait pris le parti de radoucir le ton.

« Pourquoi provoquer ces deux lionnes ? pensa-t-il. Je ne m'attirerais que des problèmes, si jamais cette arrestation s'avérait une erreur. »

— Je vous en prie, reprit-il, ne faites pas d'histoires et il ne vous arrivera rien. Remettez-moi cette photo et vos passeports.

Les veines du cou gonflées de fureur, Claire s'abstint toutefois de rétorquer. Comme pour garder un contact tactile avec son mari, elle retira la photo du cadre et allait la remettre au policier, lorsque Lydia intervint :

— Laissez-lui au moins ce souvenir. S'il vous plaît… une photo, c'est inoffensif. Par simple humanité. Je vous en prie !

Avec hésitation, l'homme signifia à Claire de la garder, en précisant :

— Je n'ai rien vu !

Et il poursuivit sa fouille.

Lydia scruta brièvement les policiers, puis, dans un mouvement imprévisible, déposa son fils dans les bras de Tremblay. Pris au dépourvu, celui-ci s'immobilisa au moment où il allait s'élancer à sa poursuite. Lydia grimpait déjà l'escalier deux marches à la fois.

— J'ai laissé mon passeport dans ma chambre, cria-t-elle.

— Stanley, suis-la ! *Come on, move !*

Doucement, Tremblay remit l'enfant à la comtesse pendant que son collègue s'engageait laborieusement dans l'escalier.

Dans sa chambre, Lydia courut au secrétaire et griffonna quelques mots à l'intention d'Anita, la servante : *Avons été arrêtées par la RCMP. Contactez consul Mueller, consulat de Suisse. Lydia.*

Elle déposa le feuillet, bien en vue, sur un ourson de peluche. Puis elle courut à sa commode, ouvrit le premier tiroir et en sortit son passeport. Au moment où elle refermait la porte de sa chambre, le policier, le visage suintant, posait le pied sur le palier. Elle lui tendit le document.

Pour savourer chaque minute de liberté qui leur restait et malgré l'impatience qui se lisait sur le visage des policiers, les von Ems se préparèrent à partir avec une lenteur désespérante. En silence, elles chaussèrent leurs bottillons garnis de fourrure puis enfilèrent leurs lourds manteaux de mouton rasé noir. Devant le miroir, elles ajustèrent leur feutre avec coquetterie, reprenant plusieurs fois l'angle du rabat avant de se ganter. La mère et la fille, toutes deux si semblables dans leur façon de parler, de se mouvoir, de s'habiller, auraient pu confondre n'importe qui tellement elles se ressemblaient.

Quand Claire von Ems verrouilla la porte d'entrée, un vent violent souleva la neige en volutes cinglantes.

Guidé par l'agent Tremblay, le cortège se fraya un chemin dans plus de deux pieds de neige. À la file indienne, têtes baissées et à demi courbées, les femmes foncèrent dans la tempête, en empruntant les empreintes du policier de tête. Stanley fermait la marche forcée. Difficilement, Lydia s'engouffra la première dans la Ford noire banalisée, coincée entre deux bancs de neige.

Quand Claire et Lydia eurent pris place sur la banquette arrière, la peur les rattrapa et le silence devint menaçant. Emmitouflé au creux des bras de sa mère, Pierre gazouillait en suçant son poing.

Le soleil blanc d'hiver venait à peine de se lever. Les nuages gonflés d'humidité filtraient la lumière du matin. Dans le froid et la poudrerie, la ville s'éveillerait bientôt, mystérieuse, en demi-teintes fusain.

D'une beauté frappante, Lydia von Ems portait ses dix-neuf ans avec charme et distinction. Ses cheveux, courts et ondulés sur la tempe, brillaient de reflets auburn qui donnaient une rare intensité à l'émeraude de ses yeux. Le nez droit, les joues saillantes et les lèvres bien dessinées s'harmonisaient à sa silhouette svelte. Sa démarche révélait un tempérament fort. Toutefois, ce qui fascinait les hommes n'était pas tant son intelligence mordante que la volupté chantante de sa voix, qu'elle utilisait d'instinct pour charmer.

La voiture de police zigzaguait tant bien que mal entre les congères de deux et parfois trois pieds de hauteur. La poudrerie balayait les toits et les rues par rafales violentes.

Étreignant son fils plus que nécessaire, Lydia ne put s'empêcher de se remémorer les événements qui avaient provoqué leur venue à Montréal. Ce jour fatidique où elle avait annoncé à sa mère qu'elle attendait un enfant. Ce douloureux souvenir lui parut du coup bien lointain, mais elle en frémissait encore.

Ce soir de février, sa mère, assise à sa coiffeuse, brossait ses longs cheveux blonds, un rituel quotidien sacré, mille fois répété, auquel Lydia assistait religieusement dans sa soif d'amour et d'attention. Moment privilégié où chacune se soudait à l'autre par des gestes et des secrets dévoilés. Facilités par leur faible écart d'âge, leurs rapports s'étaient transformés d'une relation mère-fille à celle de grandes amies.

Et là, la vie de Lydia avait basculé en entraînant sa mère dans son sillage. Bercée jusque-là par l'insouciance et une existence facile, Lydia avait été poussée dans sa vie d'adulte par la porte de service.

Interloquée, sa mère s'était vite ressaisie et avait exigé le nom du père.

Mal à l'aise, Lydia avait baissé les yeux, sans répondre.

— J'insiste ! Qui est le père ?

— Maman, je ne peux pas. Pardonnez-moi !

— Tu as jusqu'au petit déjeuner, demain, pour me dévoiler son nom. Tu m'as bien comprise ? Je suis très sérieuse.

— Ce n'est pas le moment de me donner un ultimatum. Je ne dirai rien !

— Cet homme doit payer… Comment toi, ma fille, as-tu pu…

En refusant de s'ouvrir à sa confidente de toujours, Lydia avait voulu la préserver de la cruelle vérité. Très consciente des répercussions de sa décision, la jeune femme s'était juré d'affronter son avenir seule et contre tous. Devant le désarroi et la colère de sa mère, elle avait été plongée dans une profonde tristesse. Et un profond sentiment de culpabilité l'avait déchirée, amplifié par la douleur insidieuse des milliers d'aiguilles qui s'étaient incrustées dans chaque pore de son être.

Lydia avait été violée.

Depuis, elle vivait dans la peur que son agresseur ne mette ses menaces de mort à exécution si elle le dénonçait. Jeune homme brutal et sans scrupule, il avait profité de l'amour inconditionnel qu'elle lui vouait. Même avec les meilleures explications à sa décharge, tous la jugeraient coupable. Aux yeux de la société, les filles-mères n'étaient-elles pas considérées comme les seules responsables de leur état ? C'était une cause perdue d'avance, s'était-elle convaincue.

Dès lors, pour protéger sa fille, Claire avait rompu leur relation amicale pour mieux asseoir son autorité maternelle. Ses valeurs morales, fortement influencées par sa pratique fervente de la religion catholique, exigeaient une tenue irréprochable d'elle-même et des siens. Lydia assuma la volte-face avec résignation.

Le choc passé, sa mère lui prodigua une attention et un soutien moral à toute épreuve, surtout lorsqu'elle dut affronter les foudres de son beau-père. Pour sauver l'honneur des von Ems, le comte avait ordonné à Claire d'éloigner sa fille loin des commérages de la haute société berlinoise jusqu'à la naissance de l'enfant. Prise à contrecœur, cette décision implacable cachait, en réalité, un autre motif. Leur sécurité. En les éloignant d'Allemagne, où l'imminence d'une guerre devenait de plus en plus probable, il leur sauvait peut-être la vie.

Quelques semaines plus tard, les deux femmes quittaient l'Europe en emportant avec elles l'espoir d'un retour rapide.

◆

Depuis leur départ de la ville de Québec, en juillet 1920, la vie des femmes Labelle avait subi bien des bouleversements. Le père de bébé Lydia, Robert Labelle, ingénieur de haut calibre, avait été recruté par le comte Hanz von Ems pour exercer ses talents à Berlin. Malheureusement, six mois après son arrivée, il succombait à un infarctus.

Après un court veuvage, Claire acceptait la demande en mariage du comte, veuf lui aussi. Dès le premier jour où elle l'avait rencontré, elle avait été conquise par ce bel Allemand athlétique, au sourire franc et aux manières raffinées. La venue de la petite famille Labelle à Berlin n'avait fait qu'attiser cette attirance qui la rongeait tant du vivant de son mari.

Dans sa corbeille de noces, Claire reçut le titre de comtesse von Ems. Et Hanz, qui adorait Lydia, l'adopta, l'anoblissant elle aussi du même coup. Sans heurts, Claire s'était adaptée au rythme de la vie trépidante et mondaine de la capitale allemande.

Aristocrate et diplomate de métier, le comte Hanz von Ems possédait une fortune de famille avant de s'imposer comme ingénieur spécialisé dans la fabrication du béton armé. Dans l'entre-deux-guerres, alors que l'Allemagne voulait marquer sa présence en Amérique du Nord, son expertise l'avait amené au Québec, plus précisément à l'île d'Orléans. Chargé par son gouvernement d'implanter une usine de béton sur cette île du fleuve Saint-Laurent, juste en aval de la ville de Québec, il avait eu pour mission de construire une plateforme pouvant supporter des canons… comme la Grosse Bertha, chuchotait-on à l'époque.

À la fin des années vingt, il fut nommé attaché de l'ambassade d'Allemagne à Buenos Aires, où les von Ems résidèrent pendant quatre ans. Puis, il fut muté à Madrid, où ils vécurent jusqu'en 1938. Sous le couvert d'attaché économique, il avait la responsabilité des services de sécurité et de renseignement. En réalité, c'était un espion.

En juin 1922, à peine âgée de deux ans, Lydia, encore peu solide sur ses jambes, avait bercé dans ses bras, pour la première fois, son petit frère Karl. Les von Ems formaient un clan tissé serré où régnait la joie de vivre dans un quotidien privilégié, au sein d'une aristocratie qui vivait repliée sur elle-même.

◆

Toutefois, un matin d'août 1927, à son corps défendant, Claire avait dû rendre les armes et se plier aux exigences d'une tradition familiale vieille de plusieurs générations de von Ems. Son fils, tout juste âgé de cinq ans, partait étudier dans un collège huppé de Bavière où on le préparerait à devenir un des leaders de son pays. Il n'en sortirait qu'à son entrée dans un collège d'officiers. Combien de fois avait-elle imploré son mari de le garder ! Elle était convaincue que l'éloignement, l'environnement spartiate de l'ancienne forteresse et surtout le manque d'amour le stigmatiseraient à jamais. Tant de caresses, de fous rires, de complicité, tant de petits bonheurs perdus, qui, en temps normal, nourrissent la mémoire et forgent la personnalité. La vie et l'amour ne s'apprennent pas dans les livres, avait-elle si souvent répété à son mari.

Son petit Karl, si fragile et émotif, comment s'en sortirait-il ?

Avec ce triste avenir qu'elle entrevoyait pour lui, Claire ne pourrait panser son manque d'amour qu'au moment des trop rares semaines de vacances qu'octroyait le collège chaque année. Même si Hanz aimait sa femme, rien de toutes ces considérations n'avait réussi à vaincre son intransigeance. Noblesse oblige ! avait-il lancé, coupant court à toute protestation.

Et, vers dix heures ce jour-là, le chauffeur, dans son uniforme des grands jours et au garde-à-vous, avait attendu près de la Rolls-Royce, l'air chagriné, l'arrivée de monsieur Karl. Il allait assister aux adieux du prochain maître du château comme il avait assisté à ceux de Monsieur le comte, au même âge, quelques décennies plus tôt. Après tant d'années au service de la famille, il ne comprenait toujours pas ce sacrifice que les von Ems exigeaient de leurs héritiers mâles.

Serrant contre lui son fils en larmes, le comte avait tenté de le consoler avec des mots qu'il voulait affectueux mais qui résonnaient comme une sommation de faire honneur à la famille. Il lui avait ensuite effleuré la joue en guise de dernier baiser, puis donné une poignée de main d'homme à homme. La voix imprégnée de fierté, il avait dit :

— Essuie tes larmes, mon fils. Tu es un von Ems. Ne l'oublie jamais. Bonne route.

Au même moment, Lydia s'était précipitée vers son frère pour l'embrasser avec tout l'amour de ses sept ans. Sachant qu'elle ne le reverrait que plusieurs mois plus tard, elle avait voulu lui laisser un peu d'elle-même en lui offrant Toto, son ourson préféré, qu'elle n'avait jamais accepté de partager avec lui.

— Si tu t'ennuies, parle à Toto et tu sauras que je suis là, près de toi.

Claire, étouffée par les sanglots, avait regardé la scène complètement figée. On kidnappait son fils sous ses yeux et elle n'y pouvait rien.

Karl s'était glissé à l'arrière de la voiture en ravalant des sanglots, puis le chauffeur avait refermé la porte avec une douceur attentionnée.

— Maman ! Maman !

L'appel avait retenti dans la cour intérieure du château dans un écho déchirant.

Accablée, Claire s'était élancée vers son fils qui lui tendait désespérément les bras par la fenêtre de la voiture. Dans l'étreinte qui suivit, elle chuchota à son oreille :

— Je t'aime. Ne m'oublie pas. Je serai toujours ta maman !

Répondant au signe du comte, le chauffeur démarra lentement.

Sans trop savoir ce qui lui arrivait, le bambin avait pris le chemin de son nouvel univers.

Première séparation. Première cicatrice. Première rancœur envers sa famille.

Une fois franchie l'enceinte du château, la poussière soulevée par la voiture était retombée sur la route de campagne. Le cœur serré, les membres du personnel étaient retournés à leurs activités.

Pour apaiser leur peine, les von Ems s'étaient réfugiés dans leur jardin d'hiver. Hanz avait servi un cognac à sa femme et, après s'être préparé un martini bien corsé, il s'était assis dans son vieux fauteuil de cuir grinçant.

Malgré sa théorie sur l'importance d'une éducation stricte, cette séparation trop hâtive le bouleversait, lui aussi. Il perdait son unique fils. Jamais il ne connaîtrait la complicité naturelle d'un père avec son fils. Mais en tant que chef de famille, il ne pouvait extérioriser sa peine.

Pour se consoler, Lydia, qui avait eu besoin de la chaleur paternelle, s'était assise sur ses genoux et avait posé sa tête sur sa poitrine.

Hanz avait rompu le silence.

— Claire, je partage ta souffrance. Crois-moi, cette séparation m'est aussi difficile. Nous devons nous oublier pour lui offrir un avenir solide.

— Il n'a pas le tempérament qu'il faut, lui avait-elle répondu en réprimant un sanglot. C'est un enfant trop sensible.

— Justement, il aura l'occasion de s'endurcir. À la fin de ses études, je le vois très bien prendre une place importante dans la lignée des von Ems.

— Tu me donnes la chair de poule avec ton raisonnement si… germanique.

— Notre Karl s'en sortira. Après tout, c'est un von Ems ! Regarde, je ne m'en suis pas trop mal tiré… Et pourtant, j'ai reçu la même éducation.

— Oui, mais toi, tu n'es pas aussi fragile…

Cette triste journée s'était terminée dans la salle à manger lambrissée de bois précieux et parée de gravures du XVIIᵉ siècle, une pièce qui avait vu défiler des grands de ce monde. Mais, en cette fin de soirée morne, elle s'offrait l'unique luxe d'une ambiance privée des cris de joie de Karl.

À partir de ce jour, Claire et sa fille Lydia devinrent inséparables.

◆

Il fallut plus d'une heure de slalom hasardeux entre les bancs de neige pour atteindre le quartier général de la RCMP et de l'armée en périphérie de Montréal.

Arrivée à la barrière du camp, la Ford stoppa. Carabine en bandoulière, un militaire surgit de la guérite et interrogea l'agent Tremblay sur l'identité des passagers. Après avoir vérifié sa liste, il fit lever la barrière.

La voiture s'engagea dans la cour comme une fourmi dans sa fourmilière. Il régnait une telle agitation que Lydia ouvrit grand les yeux devant le spectacle hétéroclite. Pierre somnolait sur ses genoux et sa mère se mordillait les lèvres d'inquiétude. Son visage collé à la fenêtre, Claire essuya machinalement la buée déposée par son souffle. Tamisée par un voile de neige, la scène tenait du surréalisme. Des militaires armés, en tenue de combat, s'affairaient dans tous les sens. Des dizaines de miliciens pelletaient sans trop de succès la neige folle. D'autres installaient des barbelés aux limites du terrain. Devant une baraque de bois sommairement peinte à la chaux, une dizaine d'hommes et de femmes attendaient en file ordonnée, valise à la main, la tête engoncée dans leurs manteaux. D'autres, qui avaient pris le parti de tourner le dos aux éléments, sautillaient sur place pour mieux se réchauffer.

Lentement, la voiture roula devant une tente en toile affichant un panneau sur lequel Lydia lut *Cantine*. Une colonne de fumée émergeait au centre de sa toiture. Plus loin, des militaires dressaient les charpentes de deux longues baraques rectangulaires. Ici et là, attroupés autour de feux improvisés dans des barils de tôle, des hommes discutaient tout en se frottant les mains. La Ford noire s'immobilisa devant le seul édifice de briques rouges, sur lequel flottait l'Union Jack.

◆

Suivant les deux policiers, les von Ems se frayèrent un chemin dans le couloir étroit du rez-de-chaussée de cette école désaffectée, transformée en quartiers militaires. Hommes, femmes et enfants s'entassaient dans un murmure rompu que par des pleurs de bébés. Les relents d'humidité des vêtements mouillés chatouillèrent l'odorat fin de Lydia. Elle couvrit le visage de son fils d'un pan de la couverture qui l'enveloppait.

Tremblay les fit entrer dans une pièce sinistre, faiblement éclairée par la lumière grise du jour qui filtrait d'une minuscule fenêtre grillagée. Pour tout mobilier, deux chaises et une table.

— Mettez-vous à l'aise. On viendra vous chercher quand ce sera le temps, lança Tremblay.

— Le temps de quoi ? répliqua sèchement Lydia en confiant son fils à sa mère.

— Patience, ma petite dame. Enlevez plutôt vos manteaux, ça peut être long.

Le ton condescendant, à la limite insultant, n'échappa pas à Lydia, mais elle se contrôla. Si elle réagissait à chaque intonation qui lui déplaisait, elle s'empoisonnerait la vie sans améliorer leur sort.

Sans plus d'explications, le policier sortit. Lydia se précipita pour le suivre, tourna la poignée de la porte qui lui résista. Elles étaient enfermées ! Collant l'oreille contre la vitre, elle entendit une voix qui ordonnait à une sentinelle de faire le guet.

— On nous garde comme si nous étions de dangereuses criminelles !

— Que peuvent-ils nous reprocher de si grave pour prendre tant de précautions ? s'inquiéta Claire en déshabillant son petit-fils, étendu sur la table.

— Nos passeports allemands font de nous de parfaites suspectes !

— Dans leur étroitesse d'esprit, on ne peut être que de sales collabos.

Au fil des cinq heures d'attente, elles évaluèrent plusieurs options possibles pour se sortir de l'impasse. Puis, épuisées, elles laissèrent la conversation s'étioler, chacune s'enfermant dans ses pensées moroses.

Toutefois la vie continuait et Pierre eut droit à sa tétée. Lydia s'inquiétait pour sa santé fragile. Prématurée de deux mois, sa naissance avait été provoquée par le choc de l'annonce de l'entrée en guerre du Canada contre l'Allemagne, le 9 septembre 1939. En deux mois, il s'était remplumé et, maintenant, il atteignait un poids respectable. Toutefois, le moindre virus pouvait lui être nuisible. Voilà pourquoi elle redoutait tout changement à son rythme de vie.

Pour ajouter à cette préoccupation, Lydia imaginait déjà le pire. Elle se voyait derrière les barreaux d'une prison en compagnie de vraies criminelles, séparée de sa mère et de son fils, eux-mêmes soumis à des sévices et à des privations de toutes sortes.

N'ayant jamais été confrontée à la réalité du commun des mortels, elle avait jusque-là vécu dans un monde féerique d'enfant riche, surprotégée. Maintenant précaire, son univers s'apprêtait à s'écrouler. Et elle n'y pouvait rien !

Il était quinze heures trente quand un militaire interpella sa mère.

— Veuillez me suivre, madame.

— Où l'emmenez-vous ? lança Lydia.

Sa question resta sans réponse.

Claire l'embrassa en la serrant très fort.

— Ne t'inquiète pas pour moi. Tout ira bien.

En guise de protestation, Pierre lança un cri perçant vite transformé en pleurs frénétiques. Sa grand-mère le posa sur son épaule et lui caressa le dos pour s'imprégner de son odeur laiteuse. Un instant de bonheur volé à l'absurdité du moment.

— Je t'aime, mon petit bonhomme !

Avec une douceur presque cérémoniale, elle le remit à sa fille et disparut dans le couloir. De nouveau, le soldat verrouilla la porte derrière lui.

Lydia ne parvint pas à faire taire sa culpabilité. Du fait qu'elle admettait ne pouvoir rien changer, elle se devait de composer avec la situation et d'en tirer profit ! Mais comment ? En attendant qu'elle trouve une réponse, la vie continuait…

« Dodo, l'enfant do, l'enfant dormira bientôt », chantonna-t-elle en se laissant gagner peu à peu par la douce sensation de chaleur qui se dégageait de son fils.

Deux heures plus tard, livide et chancelante, Claire von Ems réapparut dans la grisaille de la pièce. Alarmée, Lydia se précipita vers sa mère et la soutint jusqu'à la chaise.

— Que lui avez-vous fait ? lança-t-elle au militaire en s'agenouillant devant sa mère.

Elle frotta ses mains glacées avant de les appliquer avec tendresse sur le visage exsangue de sa mère.

— Mademoiselle, c'est votre tour. Suivez-moi. Et le bébé reste ici.

— Vous voyez dans quel état vous avez mis ma mère ? J'exige un médecin, une infirmière… quelqu'un pour l'aider !

Reportant son attention sur sa mère, elle lui dit :

— Maman, ma petite maman, parlez-moi ! Je vous en prie ! Pour l'amour du ciel, qu'est-ce qu'ils vous ont fait ?

Nullement attendri par la scène, le jeune militaire l'empoigna pour les séparer. Lydia se dégagea brusquement.

— Venez, mademoiselle, vous ne devez pas vous parler, dit-il.

Lydia se raidit et riposta.

— Ne me touchez pas, espèce de brute !

Finalement, le militaire perdit patience et, sans ménagement, l'arracha des bras de sa mère.

— Et mon fils ? Qui va prendre soin de lui ? C'est au-dessus des forces de ma mère.

— On s'en occupe ! répondit-il en la poussant dans le couloir où le va-et-vient s'était accéléré depuis leur arrivée.

Deux escaliers plus bas, ils s'engagèrent dans un étroit corridor du sous-sol, à peine éclairé par des veilleuses de sécurité. Près de la chaufferie, dans une cacophonie de vibrations de tôles, de gargouillements de tuyaux et de soufflerie, le militaire frappa trois coups à une porte d'acier. L'écho traîna dans la tuyauterie qui longeait les murs. Lydia en eut froid dans le dos. Malgré ses jambes flageolantes et son cœur qui s'emballait, elle se répéta plusieurs fois : « Ils ne m'auront pas, ces salauds ! Pour l'amour de ma mère ! Pour l'amour de mon fils ! »

La porte s'ouvrit dans un grincement de gonds. La pièce au plafond bas baignait dans une pénombre enfumée. Résistant à la poussée du militaire, Lydia se cabra comme un cheval sauvage avant de s'immobiliser. Un militaire et un civil épluchaient des dossiers, assis derrière une table couverte de papiers. Constatant sa méfiance, l'homme habillé en civil se fit courtois et l'invita à entrer.

— Venez, mademoiselle von Ems. N'ayez crainte, tout ceci n'est qu'une simple formalité.

Le regard rempli de fureur, elle rétorqua sans moduler son irritation :

— Une formalité ! Vraiment ? Ce que vous avez infligé à ma mère, vous appelez ça une formalité ?

Elle fit une pause. Devant le mutisme des deux hommes, elle monta le ton d'un cran.

— Pourquoi tout ce cirque ? Vous nous arrêtez sans motif. Avec mon bébé, en plus. Le jour de Noël !… Vous nous interdisez de communiquer avec le consul de Suisse. Vous imposez à ma mère je ne sais quoi. Qu'avons-nous fait pour mériter un tel traitement ?… Ce n'est pas digne d'un pays civilisé, même en temps de guerre. C'est totalement inacceptable !

— Je vois que nous avons affaire à une femme de caractère qui aime l'affrontement, répliqua l'homme en arborant un sourire malicieux.

Il se leva de la table de travail et, tout en la fixant, s'approcha d'un pas mesuré. Son bras lui enserra l'épaule et il inclina la tête en lui frôlant la joue.

Malgré les mauvaises odeurs qu'il dégageait, l'odorat fin de la prisonnière n'en était pas affecté. La peur lui jouait un tour.

L'homme infléchit sa voix en un murmure.

— Nous ne vous voulons aucun mal. Nous aimerions seulement que vous répondiez à quelques questions.

Elle tenta de se libérer mais il raffermit sa poigne tout en la guidant vers la chaise de chêne face au bureau. Il l'obligea à s'asseoir. De la pénombre, le bruit d'un briquet la surprit. Une autre personne assisterait à l'interrogatoire. Les gonds de la porte grincèrent à nouveau et elle se referma d'un bruit sec. Une ampoule grillagée se balançait mollement au-dessus de sa tête comme dans les films de gangsters américains.

Situation irréelle, pensa-t-elle.

Se reprochant son impétuosité, elle s'efforça de recouvrer son calme.

L'homme retourna s'asseoir près du militaire dont les yeux n'avaient pas quitté son dossier depuis le début.

— Mademoiselle von Ems, je me présente : Paul Descôteaux de la RCMP, Service des enquêtes spéciales. Et voici le major James Henley, des Forces armées canadiennes. Veuillez donner votre nom.

— Pourquoi cette question ? Vous le connaissez, mon nom, se rebiffa-t-elle.

— *Miss*, si vous ne collaborez pas, je me verrai dans l'obligation d'employer des moyens qui pourraient vous déplaire. *Understand ?* lança brusquement le major, sans lever les yeux de la feuille jaune qu'il griffonnait.

Le silence qu'il imposa lui donna la chair de poule.

— Alors reprenons ! Votre nom, s'il vous plaît ? dit-il sur un ton redevenu neutre.

Un silence lourd envahit la pièce. Lydia réfléchissait à vitesse grand V. Elle conclut qu'en se braquant elle ne réussirait qu'à envenimer la situation.

Mais c'était plus fort qu'elle. Une sorte de pulsion viscérale aussi puissante qu'un ressort trop remonté. Cependant, il fallait jouer leur jeu même s'il était dangereux. « Montre-leur de quel bois tu te chauffes, petite Lydia. Tu as tout à gagner », pensa-t-elle.

Elle prit une profonde respiration qui l'aida à évacuer les démons qui l'assaillaient de l'intérieur.

— Lydia von Ems.

— Vos date et lieu de naissance ?

— Le 26 octobre 1920, à Sillery, près de Québec.

— Votre adresse actuelle ?

— 122, Sunnyside, Westmount.

— Depuis quand habitez-vous à cette adresse ?

— Depuis mars dernier.

— À qui appartient cette maison ?

— À des amis de mes parents.

— Où habitiez-vous auparavant ?

— À Berlin, en Allemagne.

Le policier s'arrêta pour échanger un regard lourd de sens avec son collègue, regard que saisit Lydia.

— Depuis quand ?

— Sporadiquement depuis mon enfance.

— Vous n'avez donc pas toujours habité Berlin ?

— J'ai vécu à Buenos Aires et à Madrid.

— Dans des pensions pour jeunes filles, je suppose ?

— Non. Dans ma famille. Nous voyagions beaucoup. Mon beau-père est diplomate.

— Quel est le nom de votre père ?

— Robert Labelle.

— Où habite-t-il actuellement ?

— Papa est décédé.

— De quoi est-il mort ?

— D'un infarctus.

— Pourquoi portez-vous un nom de famille allemand ?

— Ma mère s'est remariée avec le comte Hanz von Ems. Il m'a adoptée et donné son nom.

— Vous parlez plusieurs langues, paraît-il ?

— En plus du français et de l'anglais, je parle l'allemand, l'italien, l'espagnol et le portugais.

— Vous voyez, jusqu'à maintenant ce n'est pas trop difficile.

— Je me passerais volontiers de cet exercice futile !

— Continuons. Quelle est la profession du comte von Ems ?

— Avant d'être diplomate, il était ingénieur comme mon père.

— Est-il membre du parti nazi ?

— Bien…

— Ne me faites pas répéter la question ! lança l'homme avec impatience.

— Il n'a pas le choix. C'est un général de l'armée allemande.

— Vous devez être consciente qu'il est notre ennemi. Par conséquent, vous et votre mère représentez une menace à la sécurité du Canada et de ses alliés.

— Tout cela est ridicule. Nous sommes revenues ici en toute confiance et surtout en toute bonne foi. Et voilà que nous devenons la cible de votre paranoïa pour avoir vécu au sein d'une famille allemande.

— Des Boches… Vous êtes des Boches, cracha le militaire. Qui nous dit que, sous votre apparence de jeune fille de la haute, vous n'êtes pas une espionne ?… Avec un beau-père comme le vôtre, c'est tout à fait plausible.

— Voyons ! C'est un homme honnête et juste. Malgré son rang, il n'aime pas Hitler et n'approuve pas ses méthodes. À la maison, il n'hésitait pas à le condamner. Il le décrivait comme un homme petit à l'*ego* énorme dont le peuple allemand devait se méfier. Que sa mégalomanie vouerait l'Allemagne à sa perte, affirmait-il.

— Avez-vous des frères et des sœurs ? demanda l'homme en civil, qui n'avait accordé aucun crédit à sa dernière réponse.

— Un demi-frère, Karl.

— Quand avez-vous eu de ses nouvelles pour la dernière fois ?

— Au mois d'août, je crois.

— Et votre mère ? A-t-elle reçu du courrier de son mari récemment ?

— Non, la dernière lettre remonte à la fin de septembre. La censure était passée par là. La lettre ressemblait à du fromage suisse. C'était illisible.

— Comment assurez-vous votre subsistance ?

— Jusqu'en octobre, maman recevait des traites bancaires tous les mois. Depuis, plus rien. Il faut avouer que nos liquidités diminuent à vue d'œil. Bientôt, il faudra emménager dans une plus petite demeure.

— Pourquoi êtes-vous revenue au Canada ?

Lydia ravala sa salive. Inutile de mentir. Ils connaissaient certainement la vérité. En baissant les yeux, elle murmura :

— Je… J'étais enceinte… Je voulais accoucher ici.

— Vous n'aviez pas de bonnes maternités dans votre pays ?

— Ce n'est pas ça…

— Alors, pourquoi ?

Les mots s'entrechoquaient dans sa gorge.

— Pour… éviter d'humilier ma famille.

Elle ajouta faiblement :

— Je ne suis pas mariée.

— Qui est le père ?

Lydia ne répondit pas.

Devant son mutisme, le policier en civil répéta la question d'un ton acrimonieux.

Lydia se sentit aspirer dans un trou noir. Au bout d'un moment, elle releva la tête dignement.

— Je ne vois pas en quoi cela vous concerne !

— Nous connaissons la vérité. Mais nous préférons l'entendre de votre bouche.

— Vous ne la tenez certes pas de ma mère.

— Qui sait, mademoiselle… les mères en savent souvent plus qu'elles ne veulent bien le dire.

— Impossible. Elle n'en sait rien.

— Allez, un peu de courage…

Lydia resta de glace. Il ne fallait pas céder… Mais à quoi bon, s'ils savaient déjà ? Résister, toujours résister… Pourquoi? Après tant de mois à refouler la vérité, partager mon secret éliminerait un poids de sur mes épaules déjà bien chargées. Et si cela peut les amadouer et aider notre cause.

Elle lâcha prise et ses lèvres s'ouvrirent malgré elle.

— C'est… c'est Karl.

Leur bluff avait réussi. Ces deux hommes qui en avaient pourtant vu d'autres dans leur carrière avalèrent de travers. Ils ne s'attendaient pas à une telle réponse.

— Votre demi-frère!

Mortifiée, elle acquiesça d'un signe de tête et s'empressa d'ajouter:

— Je vous en prie, n'en dites rien à ma mère. Elle en mourrait de chagrin.

— Vous avez de drôles de mœurs dans votre pays. L'aimez-vous au moins? demanda le civil en esquissant un rictus amusé. L'aimez-vous, Lydia? répéta-t-il d'un ton plus doux.

Les larmes embrouillèrent la vue de la jeune femme.

— Je l'aimais comme un frère.

D'un filet de voix, elle ajouta:

— Il m'a… violée.

Le civil de la RCMP se tourna vers le représentant de l'armée pour lui offrir la parole. Toujours absorbé par ses documents, celui-ci prit son temps avant de poursuivre l'interrogatoire. Mal à l'aise, il commença à lui parler sans toutefois la regarder.

— Revenons à ce qui nous intéresse. Si je comprends bien, vous avez reçu une éducation de jeune fille allemande de bonne famille. Vous avez donc été membre des Jeunesses hitlériennes à un moment ou à un autre, entre les missions de votre beau-père?

— Oui, admit-elle.

— Êtes-vous membre du parti nazi?

— Non!

— Pourquoi?

— Parce que je n'en voyais pas la nécessité.

— Votre beau-père ne vous a-t-il pas encouragée à vous inscrire ?

— Non !

— Et votre frère ?

— C'est un nazi inconditionnel et grand disciple du Führer. Quant à moi, au fond de mon cœur, je suis toujours demeurée sur mes positions. À vrai dire, j'avais peur d'eux !

— Que fait-il dans la vie ?

— Lorsque nous avons quitté l'Allemagne, Karl terminait ses sciences humaines.

— Et maintenant ?

— Je n'en ai aucune idée.

Lentement, le militaire déposa son stylo plume sur ses notes. Après un temps d'arrêt, dans un silence inquisiteur, il la fixa sans sourciller.

— Ce sera tout pour aujourd'hui. Nous allons vous garder ici quelque temps, jusqu'à ce que nous décidions de votre sort. Comme vous le voyez, ce ne fut pas trop pénible.

S'adressant au milicien de faction, il lui ordonna de la reconduire auprès de sa mère.

Le milicien s'approcha.

Frustrée de ce simulacre d'interrogatoire, Lydia sentit monter en elle une bouffée d'adrénaline. Tous ses muscles se crispèrent, prêts à affronter le militaire. Dans les circonstances, elle n'avait rien à perdre. D'un mouvement rapide, elle s'approcha du bureau. L'agacement de l'officier se lisait sur son visage.

S'efforçant d'employer un ton convaincant dénué d'agressivité, elle lui dit calmement :

— Monsieur, comprenez que je suis née au Québec. Ma mère aussi. Nous sommes canadiennes. Nous n'avons rien à voir, ni avec les nazis, ni avec la guerre. Nous ne sommes ni des espionnes ni des ennemies de

l'Empire britannique et encore moins du Canada, notre
mère patrie.

— Pourquoi devrions-nous vous croire? Vous revenez au pays à peine quelques mois avant la déclaration de la guerre, votre beau-père est un haut gradé de
l'armée ennemie, vous étiez membre des Jeunesses
hitlériennes… Mettez-vous à notre place. Tout joue
contre vous.

— Tout ce que nous voulons, ma mère et moi,
c'est de vivre en paix. Vous n'avez pas le droit de nous
traiter de la sorte. Nous ne sommes pas des criminelles.

Sur un signe de l'officier, le milicien l'entraîna de
force vers la porte en contrant sa résistance.

— C'est étonnant. Tout le monde se dit innocent et
pourtant la gangrène nazie s'étend jusqu'ici, lança le
militaire d'un air dégoûté.

Et le civil de la RCMP conclut:

— Profitez de notre hospitalité, mademoiselle von
Ems, ou dois-je vous appeler mademoiselle la comtesse?

Elle eut juste le temps de répliquer assez fort avant
que la porte ne se referme sur elle:

— Pour vous, ce sera toujours mademoiselle la
comtesse!

2

De retour auprès des siens, Lydia fut assaillie par une odeur nauséabonde. Sa mère, agenouillée dans un coin, se libérait le foie d'une bile jaune qui jaillissait par spasmes irréguliers.

— Maman, s'écria-t-elle en s'élançant vers elle.

Elle lui tendit son mouchoir, puis, se tournant vers la porte, appela au secours. Son appel resta sans écho.

Le poids de la tension des dernières heures s'abattit sur elle tel un coup de massue. Une vague de sanglots la secoua. L'accumulation des événements tragiques dépassait tout ce qu'elle avait vécu jusque-là.

Elle jeta un œil à Pierre. Sur le bureau, entre les deux valises qui lui servaient de garde-fou, il somnolait. Refoulant son anxiété, Lydia se précipita à la porte et apostropha le militaire qui avait ignoré son cri de détresse :

— Aidez-moi, ma mère est malade. Allez chercher un médecin !

Le militaire lui lança un regard indifférent. Ce n'était pas la première fois que des détenus tentaient de le distraire de son poste de garde en invoquant le même prétexte. Toutefois, l'odeur fétide attira son attention. Sans trop de conviction, il allongea le cou et grimaça.

— Je vais chercher quelqu'un.

— Tandis que vous y êtes, apportez quelque chose pour nettoyer et désinfecter la pièce.

Affaiblie, sa mère s'appuya au mur dans un effort pour se relever. Lydia la soutint jusqu'à une chaise :

— Laissez-moi essuyer votre visage. Vous pourrez vous rafraîchir dans quelques minutes.

Une demi-heure plus tard, ni médecin ni infirmière ne s'étaient présentés. Pourtant, Lydia entrevoyait, derrière la vitre givrée de la porte, la silhouette de la sentinelle. Elle jugea inutile de l'interpeller de nouveau. « L'aide n'arrivera pas plus vite, se dit-elle. Plus j'insisterai, plus on nous ignorera. »

La nuit enveloppait la ville depuis quelques heures et les deux femmes restaient confinées dans la pièce malodorante. On les avait sans doute oubliées. Pas de secours, pas de nourriture. Rien. On agissait comme si elles n'existaient pas.

Durant cette journée en dents de scie, Pierre avait tété plus que d'habitude. Lydia avait eu les nerfs à vif. Ses montées de lait en avaient été affectées. L'idée de manquer de lait la terrorisait.

Progressivement, sa mère sortit de sa torpeur.

— J'ai soif… gémit-elle en glissant sa langue sur ses lèvres.

Ses paupières s'entrouvraient lourdement.

Pour la troisième fois, Lydia interpella la sentinelle. Un milicien à peine sorti de l'adolescence remplaçait le garde à la mine rébarbative. N'étant pas d'humeur à provoquer un affrontement, elle prit un ton neutre et lui demanda de l'eau, de la nourriture et une vadrouille. Le jeune soldat lui répondit qu'il s'en occupait immédiatement.

Lentement, Claire retira sa veste souillée et la porta à ses narines.

— Quelle odeur ! s'exclama-t-elle… Il faut que je fasse un brin de toilette. Je ne suis pas présentable, énonça-t-elle d'un filet de voix.

Même dans les moments difficiles, il fallait être bien mis et garder la tête haute.

Avant de fouiller dans sa valise sur laquelle était adossé son petit-fils, Claire le déplaça à bout de bras pour éviter tout contact avec lui et le déposer sur les genoux de sa fille.

Admirative, Lydia observait la tentative de retour à la vie de sa mère.

« Quelle femme forte ! » se dit-elle.

À sa montre, il était dix-neuf heures vingt. Près de douze heures de chaos et d'angoisse venaient de s'écouler. Douze heures durant lesquelles sa vie s'était engagée dans un virage infernal et irréversible.

Perdue dans ses pensées, elle changea la couche de son fils et l'essuya tant bien que mal avec son mouchoir garni de dentelle. La main potelée de Pierre s'ancra à son majeur. La douce sensation la fit sourire. Ce tout petit plaisir lui rendit son énergie. Son fils s'appropriait déjà certains traits de son père, pensa-t-elle. L'image de Karl s'imposa. Son ventre se contracta de rancœur. Avec un pincement au cœur, elle cria intérieurement : « Un jour tu paieras pour ce que tu m'as fait ! »

— Lydia ?…

Elle sursauta.

— Tu pensais au père de ton fils, n'est-ce pas ?

Sa mère avait enfilé un cachemire beige à col roulé et une veste de lainage dans les mêmes tons. D'un geste lent et gracieux, elle lissa ses cheveux défaits.

— Tu as le droit d'aimer cet homme. Mais pourquoi persistes-tu à cacher son identité ?

Elle fronça les sourcils comme si un violent mal de tête l'assaillait, puis poursuivit :

— Porter seule les conséquences d'un acte que vous avez commis à deux, c'est une honte pour lui et un poids d'une inutilité accablante pour toi ! Tu n'es pas seule dans cette épreuve, je suis là.

Lydia se mordit la lèvre au sang. Jamais elle ne partagerait avec sa mère le moment de sauvagerie qu'elle avait vécu. Un frisson de répulsion la traversa. Le spectre de Karl en cet après-midi nuageux remontait à la surface. L'agression, totalement inattendue, avait eu lieu au cours d'une de leurs fréquentes marches en forêt. De toutes ses forces, elle s'était débattue. Cris, larmes, suppliques, rien n'avait eu raison de Karl, qui s'était transformé en une bête cruelle. Ses yeux vitreux et son odeur d'animal en rut lui semblèrent soudain si réels qu'elle tourna le dos à sa mère pour éviter de l'inquiéter. Elle ressentait encore les coups de poing qu'elle avait reçus dans les côtes et les morsures aux seins. Elle entendait le râle glouton de Karl s'intensifier avant que son sexe énorme la défonce et la laboure. Lydia tressaillit de dégoût et de haine.

— Cet homme n'est pas digne de toi, continua sa mère. C'est un lâche de ne pas assumer ses responsabilités. Ça me fait tellement mal de penser que tu gâches ta vie de la sorte.

Pour la première fois, sa mère lui livrait sa douleur à nu. Considérant qu'elle l'avait mérité, Lydia n'en prit pas ombrage. Pour ne pas tourner le fer dans la plaie plus longtemps, elle voulut dévier la conversation sur ce qui l'avait tant bouleversée durant l'interrogatoire. Toutefois, s'interrogeant sur la pertinence d'aborder le sujet, elle fut prise d'un doute et se ravisa. Par délicatesse, elle décida d'attendre le moment opportun, mais n'eut pas longtemps à attendre.

— En a-t-il été question avec ces messieurs de l'armée ? lança Claire, en s'asseyant près sa fille.

— Que voulez-vous dire ?

— Je parle de ta relation avec cet homme.

Lydia répondit par un oui laconique. Sa mère poursuivit :

— Ils m'ont questionnée sur lui, toi et ton bébé et, évidemment, sur ton beau-père. Je suis restée le plus vague possible. Ça n'a pas été facile. D'ailleurs, je ne leur ai rien appris; ils étaient au courant de tous les détails de notre vie comme s'ils nous avaient suivies à la trace depuis notre arrivée à Montréal. Comment pouvaient-ils savoir?

— Peut-être par le courrier… les lettres d'amour de votre mari. Je suppose qu'ils lisent tout et montent des dossiers.

— T'ont-ils posé des questions sur ton beau-père?

— Oui…

— T'ont-ils parlé du télé…

Claire laissa échapper un long soupir. La souffrance s'imprima sur son visage. Les yeux gonflés de larmes, elle porta son attention sur ses mains. Nerveusement, ses doigts roulaient et déroulaient un bout de papier qui ne l'avait pas quittée depuis son retour. Malgré ses hoquets entremêlés de pleurs, elle continua sans perdre le fil de sa pensée.

— Il est mort!

— Qui est mort?

Les sanglots s'intensifièrent. Bouleversée, Lydia s'empressa de déposer Pierre sur le bureau servant de berceau et, avec fébrilité, s'approcha de sa mère.

— Mère, mère! Répondez-moi!

— Il est mort… mo… murmura sa mère dans un souffle à peine audible.

— Qui est mort, maman? Dites-le-moi! Est-ce Karl ou père?

Le teint de Claire vira couleur de craie. Ses yeux éteints fixèrent sa fille sans la voir. Son visage se contracta.

Après quelques soubresauts, elle s'affaissa sur la chaise.

— On a des problèmes, mesdames?

Toute souriante, une infirmière de la Croix-Rouge franchissait le pas de la porte.

— Vite ! Ma mère vient de perdre connaissance.

Avec dextérité, l'infirmière examina rapidement la malade et ordonna aussitôt au milicien de s'activer :

— Appelez un brancardier. C'est une crise cardiaque. Il n'y a pas de temps à perdre.

Les deux femmes allongèrent Claire sur le plancher. La main de celle-ci s'ouvrit et le bout de papier chiffonné roula près d'elle. Lydia l'attrapa et le glissa dans la poche de sa veste de tailleur.

L'infirmière massa le cœur jusqu'à l'arrivée des secours.

Ensuite, tout se passa très vite. Claire se retrouva à l'infirmerie où un médecin diagnostiqua un accident vasculaire cérébral qui l'avait laissée presque complètement paralysée. Quant à Lydia, malgré ses véhémentes protestations, on ne lui permit pas d'accompagner sa mère.

Cette séparation brutale la révolta et la braqua encore plus contre les autorités. Apatride, suspectée d'espionnage et maintenant endeuillée, sa vie basculait une deuxième fois en un an. Dans l'attente de la confirmation de la mort de son frère ou de son beau-père, elle oscillerait entre la peine profonde de la perte de son presque père et le soulagement d'être débarrassé de son bourreau.

Toutefois, un coin de son cœur se déroba à ces déchirements. Elle réalisait que sa seule force résidait dans son fils et dans la lutte à finir qu'elle allait devoir engager pour leur survie. En arpentant frénétiquement la pièce, Lydia se jura de sortir les siens de ce guêpier.

Elle glissa la main dans la poche de son tailleur pour récupérer le papier chiffonné qui appartenait à sa mère. C'était un télégramme impossible à déchiffrer. C'est le moment que Pierre choisit pour lui rappeler l'heure de sa tétée, qui accusait un retard impardonnable. Elle remit donc à plus tard la lecture du télégramme.

Dans les heures qui suivirent, les autorités s'activèrent à prendre les empreintes digitales des deux femmes et ajoutèrent leurs noms à la liste des ennemis du Dominion. Elles payaient cher leur entêtement à refuser de s'inscrire sur la liste des ressortissants étrangers, refus qui avait fourni le prétexte à leur arrestation.

Au cours de la nuit, on transféra Lydia et son fils dans une cellule d'un sous-sol au remugle de moisissure. Vraisemblablement, cet endroit allait devenir leur *home* pour quelque temps. Meublée de façon monacale de deux lits de camp, d'une table, d'une chaise et d'un lavabo, la pièce n'avait qu'un soupirail grillagé. La neige accumulée empêchait la lumière naturelle d'entrer. Allumée une bonne partie de la journée, une ampoule projetait des rayons anémiques qui renforçaient l'aspect lugubre des murs de sa prison.

Le grincement métallique des portes des cellules, les plaintes et les cris de révolte des autres détenus accentuaient la frustration et la colère de Lydia. Pour contrer l'état dépressif qui en résultait, elle se réfugia dans sa bulle. Sans trop d'efforts, elle se glissa dans la peau d'une jeune veuve qui vivait dans un charmant appartement parisien et s'astreignait à recréer un monde à son image. Dans son imagination, les murs délavés se couvraient de velours sombres, sur lesquels se côtoyaient des Monet, Dufy, Cézanne. Le plafond s'offrait des airs de palace avec ses voûtes et ses pourtours de plâtres ciselés. Son imagination transformait l'ampoule dénudée en un lustre de cristal de Bohême qui réfléchissait une lumière dorée. Le lit de camp de Pierre devenait un lit moelleux, recouvert d'un duvet chaud, au milieu d'une chambre emplie de jouets.

Chaque jour, elle reprenait la même routine salvatrice : rangement, balayage, lavage des vêtements, les siens et ceux de sa mère, jeux avec son fils et lecture de *Autant en emporte le vent*. Elle défaisait et refaisait les valises de sa mère, pliait et dépliait ses vêtements imprégnés de son parfum. L'illusion de sa présence brisait son isolement. Ainsi, dans des moments plus noirs, elle monologuait devant ses tailleurs, qu'elle déposait avec respect sur le lit comme s'ils pouvaient lui répondre. À d'autres moments, elle sortait les petits singes de bronze de leur précieux boîtier en cuir. Dans ces instants de ravissement, elle racontait à son fils la belle histoire d'amour de sa grand-maman.

Un jour, par inadvertance, elle retrouva le télégramme. Avec minutie, elle le déposa sur la table et replaça les morceaux qui s'en détachaient. Défraîchi par les nombreuses manipulations et troué par la censure, le papier se déchirait facilement. Les lignes de pliure usées parcouraient le message dans tous les sens et, à certains endroits, en avaient fait disparaître l'encre. Le texte du télégramme de la Canadian Pacific Telegram se résumait à peu de mots lisibles et il manquait la provenance et la date. Adressé à madame la comtesse Claire von Ems, il se lisait comme suit:

REGRETS DE VOUS ANNONCER DÉCÈS   VON EMS À BERLIN – STOP – SIGNÉ : CONSULAT DE SUISSE

Avant de tenter de déchiffrer la clé du casse-tête, Lydia laissa dormir les lambeaux du télégramme sur la table. Les mots manquants ne laissaient guère de choix. Il ne pouvait s'agir que de Karl ou de Hanz, son beau-père. Plus elle réfléchissait, plus elle voulait se convaincre de la mort de son frère. Impossible pour elle d'envisager une autre possibilité. La simple idée qu'il pût être encore vivant la rendait malade. Cette fixation s'installa dans son esprit et elle se refusa à toute autre éventualité.

Au début de son incarcération, ses contacts avec l'extérieur se limitaient à ceux qu'elle avait avec les gardiens, à l'heure des repas. La plupart du temps, ceux-ci n'affichaient qu'indifférence et ignoraient ses demandes. Sa seule source de joie, elle la trouvait dans l'heure de la promenade quotidienne. Surtout quand le soleil brillait sur la neige en des traînées de poussière de diamants. Dans la cour ceinturée de barbelés et surveillée par des soldats à l'abri des intempéries dans des miradors improvisés, elle s'amusait avec son fils comme elle l'aurait fait dans une vie normale.

Pierre s'accommodait mal de l'humidité de la cellule. Hurlant dès le réveil, il éprouvait la patience de sa mère et des autres détenus. Il ne s'apaisait qu'au moment de la tétée. En petites rasades saccadées, il aspirait le lait tiède avec ténacité, au son des comptines de sa mère. Ayant bu tout son soûl, il caressait de sa main potelée la peau veloutée du sein de Lydia pour s'endormir comme un bienheureux. Une merveilleuse plénitude envahissait alors la jeune maman. Nourrir son fils, c'était le meilleur antidote à l'angoisse.

La nuit, dans une course effrénée pour confirmer la mort de Karl, les cauchemars de Lydia l'entraînaient dans un voyage au centre de l'enfer. Dans une chemise de nuit diaphane, elle flottait dans un ciel d'été, baigné d'un soleil orangé, au-dessus d'une mer de cadavres. Elle se penchait sur chacun et tournait du bout de ses doigts lumineux les têtes déchiquetées. Plus elle s'obstinait à poursuivre ce périple macabre, plus son corps se métamorphosait en une plaie sanglante. Toutefois, au petit jour, le visage épouvanté de sa mère et le corps inerte de Karl se superposaient. Trempée, elle s'extirpait de cet Érèbe en hurlant.

La deuxième semaine prit une tournure différente. Après la promenade, une bénévole de la Croix-Rouge se chargea de son fils pendant qu'on la soumettait à un interrogatoire, qui, par la suite, devint quotidien. Ainsi s'amorça la ronde incessante des mêmes questions qui ouvraient le chemin aux mêmes réponses, cent fois répétées, et chaque fois devant des policiers différents. La vérité toute nue et pourtant si insignifiante pour elle ne semblait pas les satisfaire. Sur le qui-vive, elle commençait à s'inquiéter de la présence de l'inconnu dans l'ombre. Elle le surnommait monsieur X. Son anonymat la minait plus que les interrogatoires. Qui était-il ? Que lui voulait-il à la fin ?

Lydia, croyant n'avoir rien d'intéressant à leur apprendre sur l'Allemagne en dehors de sa vie de jeune fille plus portée sur le be-bop, les bals et les chasses à courre, s'en tenait toujours à la même histoire : l'importance de son beau-père dans le Reich qui ouvrait toutes les portes à sa famille ; le bonheur des séjours dans leur château sur le Danube ou dans l'une de leurs villas de la Forêt-Noire ; les cocktails diplomatiques et les invitations aux grands rassemblements dans les gradins réservés aux VIP... Elle avoua s'être fermée aux pressions politiques de son entourage, plus par instinct que par conviction, et avec la bénédiction de sa mère. Il s'agissait de jeux trop sérieux pour elle. On la taxait de frivole. Oui, certes, elle l'était ! Et elle en était fière !

Suspecte aux yeux de ses amies embrigadées, on l'avait peu à peu ostracisée, rejetée du groupe, l'obligeant à s'isoler. Son caractère indépendant se renforçait au gré de ces aléas. Elle s'était forgé un monde à elle, un refuge dans les moments difficiles.

Ces interrogatoires – qu'elle vint à considérer comme un exercice de maîtrise d'elle-même – aiguisaient son attrait pour le danger. Se frotter à plus forts l'excitait. La fébrilité créée par la peur la stimulait. La vie se devait d'être dévorée avec appétit comme on croque dans une pomme juteuse. Toutefois, dans la réalité actuelle, elle ne pouvait pas jouer impunément à cache-cache. La guerre n'était pas un jeu.

Ainsi, on la prenait pour une espionne, une ennemie de l'Empire. Au fil des interrogatoires, Lydia apprit qu'elle et sa mère avaient toutes deux été mises sous surveillance peu de temps après leur arrivée au pays. Était-ce simple routine pour les autorités ou le résultat d'une délation ? On n'avait pas satisfait à sa curiosité. Un délateur rôdait-il dans leur entourage ? Qui pouvait-il être ? Certes pas les domestiques ! Elle conclut qu'un familier des dîners intimes de sa mère jouait double jeu. Et pourquoi ? Leur cercle d'amis montréalais réunissait pourtant une brochette de relations triées sur le volet et soi-disant fiables du monde diplomatique et des affaires.

◆

Le couteau glissa entre deux côtes de l'espionne polonaise. Le cri de son orgasme camoufla sa stupeur. Dans une tentative pour se défendre, elle tendit le poing vers le visage de son amant. Mais la lame vrilla plus profondément et la traversa. Une dernière convulsion, et la jeune fille s'affaissa sur le lit défait. En une lente marée rouge, le sang s'infiltra dans le tissage des draps. L'homme qui la chevauchait essuya machinalement son arme sur son épaisse chevelure dorée en désordre sur l'oreiller. Avec une attention morbide, il l'examina longuement. Avec la pointe du couteau, il effleura les yeux bleus qui le fixaient, puis il bifurqua vers les oreilles avant de s'arrêter aux lèvres figées, encore pulpeuses. Le costaud se pencha et l'embrassa avec une férocité animale.

— Tu ne m'échapperas plus, sale pute… marmonna-t-il.

Pour l'espion, ce meurtre tenait plus du symbole et du sacrifice que d'une exécution sur commande. Dans son esprit déviant, c'était son offrande à lui-même, son cadeau de Noël 1939.

Repu, il se laissa tomber aux côtés de sa victime pour s'endormir comme un bébé en pensant à sa mère et à sa sœur.

Les plans de la jeune patriote avaient été déjoués par son pseudo-amoureux. Pour les résistants polonais, l'espion allemand était connu sous le nom de code de Phoenix. Pour Éléna, à qui on avait confié la mission de l'éliminer, c'était Gunther. Seul l'Abwehr connaissait la véritable identité du comte Karl von Ems.

◆

Les cloches de la centaine d'églises de Montréal carillonnaient à l'unisson pour annoncer la messe dominicale de onze heures.

Assise dans la salle des interrogatoires, devant un militaire et deux policiers en civil de la RCMP, Lydia perçut de nouveau la présence de l'inconnu, tapi dans l'ombre.

L'heure s'annonçait encore pénible. Lydia se sentit lasse. Les cernes noirs des nuits sans sommeil intensifiaient sa pâleur. Vêtue d'un tailleur froissé, elle faisait peine à voir. Depuis quelques jours, elle évitait de se regarder dans le minuscule miroir de son sac à main.

Lydia sentit un léger déplacement d'air derrière elle. L'odeur des cigarettes fortes qui la prenait à la gorge devint plus présente. Les regards des trois policiers qui se tournaient vers la pénombre confirmèrent sa perception. En claudiquant, monsieur X entra dans le rayon de lumière. Au lieu d'aller rejoindre ses confrères derrière la table de travail, il se planta devant elle en s'appuyant contre le bureau. L'homme ne ressemblait pas à l'image qu'elle s'en était faite. Dans la jeune quarantaine, il était plutôt grand, mince et élégant dans un costume de lainage cintré qu'elle jugea, par l'ajustement parfait, taillé sur mesure. Il dégageait assurance et auto-rité. Ses traits fins, son menton saillant, sa moustache soyeuse, ses cheveux châtains gominés lui conféraient un charme fou.

Laissant pendre sa cigarette à ses lèvres, monsieur X la fixa d'un regard pénétrant. Dans un silence inquiétant, il souffla la fumée dans sa direction. Le défiant, elle ne broncha pas et lui renvoya le même regard. La tactique d'intimidation l'ébranla. L'affrontement se déroulait sur le terrain de la volonté. « Voilà le vrai chef. Le petit jeu est terminé », se dit-elle.

Sans changer de position, monsieur X jeta son mégot par terre et l'écrasa consciencieusement avec sa semelle. Son expression sévère se relâcha. D'une voix neutre qui détonnait dans son comportement, il lui dit :

— Mademoiselle la comtesse – en appuyant sur le titre par déférence ou ironie –, vous vous demandez certainement à quoi riment cette nouvelle entrevue et ma présence ici.

Il s'exprimait avec un accent tout à fait londonien coloré d'une certaine préciosité qui renforçait l'image du parfait gentleman.

À l'aise dans les deux langues, Lydia ne fut nul-lement incommodée lorsqu'il passa du français à l'anglais. Sans lui laisser le temps de réagir, il en-chaîna :

— Il est temps pour nous de répondre à vos interro-gations. Mais avant de commencer, j'ai une bonne et une moins bonne nouvelle à vous annoncer. Commençons par la bonne : nous allons vous libérer aujourd'hui.

Une bouffée d'énergie nouvelle le fouetta.

Un flot d'adrénaline envahit Lydia. D'instinct, elle tempéra son excitation gagnée par l'appréhension.

— La mauvaise ou la moins bonne, maintenant, continua-t-il. Vous resterez sous étroite surveillance, le temps que les autorités décident de votre sort. Vous êtes une ressortissante allemande, par conséquent une ennemie de l'Empire. C'est pourquoi vous avez perdu tous vos droits de citoyenne du Dominion. Vos antécédents familiaux, ajoutés à votre choix d'omettre de vous inscrire aux registres de l'État, laissent planer des doutes sur votre intégrité. Rien de ce que vous nous avez dit ne nous a convaincus de votre bonne foi. Vous êtes une personne dangereuse, une menace à la sécurité de notre pays.

Il s'arrêta. Avec des gestes d'une lenteur infinie, il alluma une autre cigarette. Lydia l'étudia. Elle n'allait pas satisfaire à la vanité de l'inconnu en tombant dans son piège. Personne, derrière le bureau, n'osait respirer. Leurs fortes personnalités se heurtaient de front. Finalement, monsieur X esquissa un rictus de repli et s'éloigna. Longeant le mur grisâtre, il finit par se poster derrière ses confrères.

— Toutefois, par mesure humanitaire, nous ne voudrions pas vous séparer de votre fils, qui ne semble pas s'accommoder de notre hospitalité. Comptez-vous chanceuse, on ne vous réserve ni la prison ni le camp d'internement.

Il marqua une pause, puis…

— Nous vous envoyons chez les sœurs hospitalières de la Miséricorde. Elles consacrent leur vie à sauver les filles-mères de leur déchéance.

Sarcastique, il s'empressa d'ajouter :

— Vous voyez, mademoiselle la comtesse, nous les Anglais, nous avons du cœur !

Lydia en eut le souffle coupé. Monsieur X s'érigeait déjà en juge et partie. Quelle arrogance, ces Brits ! S'il avait voulu l'humilier, il n'aurait pas choisi pire insulte, pensa-t-elle.

— Vous vivrez à leur rythme et obéirez à leurs règles, poursuivit-il. Elles répondront de vous devant les autorités de Sa Majesté.

Lydia ravala sa salive. Elle l'avait tout de même échappé belle.

— Ne vous réjouissez pas trop vite. Votre liberté aura ses limites. Comme toutes leurs pensionnaires, vous ne pourrez communiquer avec l'extérieur sans permission. Cette interdiction comprend tout contact avec des ressortissants étrangers et s'applique aussi à votre courrier et aux appels téléphoniques. Une religieuse vous accompagnera dans tous vos déplacements en dehors de l'hôpital. Pour rembourser votre pension, vous accomplirez les tâches qui vous seront assignées.

— Mais j'ai de l'argent. Je peux payer, riposta-t-elle.

— Votre cas sort de l'ordinaire et, par conséquent, cela ne s'applique pas à vous. À moins que vous ne préfériez la prison ?

Lydia n'osa pas insister.

— De plus, vous devrez vous présenter toutes les semaines à mon bureau pour d'autres interrogatoires. Enfin, ne vous étonnez pas de recevoir la visite inopinée de policiers.

Il abandonna son ton monocorde et, sans transition, les traits de son visage se durcirent. L'œil du prédateur annonça sa charge.

— S'il vous arrivait d'enfreindre une de ces règles, nous prendrions des mesures draconiennes. Votre fils et votre mère seraient expulsés illico. Et vous vous retrouveriez derrière les barreaux. Est-ce assez clair ?

Lydia ne broncha pas.

Sans autre conclusion, monsieur X traîna son pied handicapé jusqu'à la porte. Bouche bée, elle le suivit du regard, puis l'interpella.

— Je veux voir ma mère !

— J'oubliais. Vous avez droit à une visite de quinze minutes par semaine. En temps et lieu, je vous ferai part de notre décision au sujet de son statut. L'avenir de votre famille est entre vos mains. À vous maintenant de prouver votre loyauté envers votre pays d'origine.

La porte se referma sur le silence lourd de la pièce. Lydia retint son souffle de peur qu'il ne revienne avec un changement de sentence.

Tête baissée, les trois policiers s'affairaient à déplacer leurs dossiers comme si, par une agitation soudaine, ils pouvaient dissiper la tension. Un des agents de la RCMP toussa trop fort et le militaire fit grincer son stylo plume sur le papier. Tout le monde avait hâte d'en finir avec elle. Depuis le temps qu'elle les narguait avec ses airs de grande dame. Ils jubilaient. Enfin, un des leurs avait maté la lionne allemande.

Lydia restait circonspecte. Que lui réservait l'avenir ? Pourquoi lui infligeait-on une peine semblable et, surtout, si humiliante ? Elle, un danger pour la sécurité de l'État ? Quelle ineptie !

Une question émergeait de ses réflexions. D'une voix ingénue, elle se hasarda à demander :

— Qui est cet homme ?

Les policiers se regardèrent d'un air complice. L'un d'eux prit finalement la parole en affichant un air vainqueur :

— Disons que c'est un homme informé !

— Que voulez-vous dire ? Ce n'est tout de même pas un journaliste ! répliqua-t-elle d'un ton corrosif.

Leur satisfaction d'avoir réussi à l'irriter se lisait sur leurs visages.

— Au moins, donnez-moi son nom ; ce sera plus facile pour l'identifier.

Imitant sa bravade du premier interrogatoire, le gradé de la RCMP lui lança ironiquement :

— Pour vous, mademoiselle la comtesse, ce sera monsieur Smith !

— J'ai mieux, rétorqua-t-elle, ce sera monsieur X.

3

Lydia détestait chaque recoin de l'hôpital catholique de la Maternité de Montréal. Château fort des jeunes filles qui avaient péché, l'hôpital de la honte vivait replié sur lui-même, au rythme de ses propres lois. La grisaille des murs de pierre de l'institution de la rue Dorchester donnait le ton à ce qui se vivait à l'intérieur. Ne laissant échapper que des murmures feutrés, ses larges couloirs sombres, tapissés de prières de pardon au Seigneur, ne s'égayaient qu'aux clignements furtifs d'un rayon de soleil sur les parquets gris.

Toute la vie dans son enceinte contribuait à intensifier le sentiment de mortification qui accablait ses jeunes pensionnaires, appelées les pénitentes. Le poids du déshonneur et de l'humiliation, accentué par le port d'un uniforme austère, se peignait sur leur visage et conditionnait leur comportement. Déjà exclues de la société, ces filles aux ventres pleins, comme les désignaient avec mépris les bonnes gens, s'y terraient durant les longs mois de leur grossesse pour finalement accoucher dans la douleur et l'isolement du secret. Pour la majorité d'entre elles, ce n'était que le début du calvaire d'une vie puisque la plupart donnaient leur bébé en adoption dans les heures suivant la naissance.

Cette ambiance oppressive avait depuis longtemps déteint sur le caractère acariâtre de la mère supérieure, sœur Marie-de-la-Rédemption. Avec sa carrure de matrone, et perpétuellement tendue, elle représentait tout ce qui répugnait à Lydia: intolérance, incompréhension, étroitesse d'esprit. Le cœur fermé à la compassion, la religieuse accueillait les pécheresses dans leur purgatoire terrestre avec le fouet de la discipline et le souffle léger d'un pardon émis du bout des lèvres. Sa tunique noire lui servait de passeport sacré pour assouvir sa soif de contrôle. D'un seul mot, trop souvent incisif, elle pouvait marquer au fer rouge le destin d'une de ces âmes faibles atteintes – disait-elle – de la gangrène du péché de la chair. Et cela, servi sur le même ton doucereux que les serments d'amour qu'elle adressait au fils de Dieu quand elle tombait en transes à l'office des matines.

Pouvait-on lui reprocher cette sécheresse de cœur quand on la connaissait mieux ? Marquée par une enfance galvaudée d'orphelinat en orphelinat, par une discipline extrême et des châtiments corporels infligés à la moindre incartade, Janine Manseau ne faisait que reporter sur ses filles ce qu'elle connaissait. Orpheline au visage ingrat, elle n'avait pas trouvé preneur parmi les parents adoptifs. Ne connaissant rien à la vie à l'extérieur des murs des couvents, il lui fut tout naturel d'entrer en religion. Son univers se bornait à la communauté et à ses pensionnaires. Et rien d'autre n'importait que la gloire de Jésus-Christ.

Dès leur première rencontre, les deux femmes s'étaient jaugées avec froideur, prêtes à délimiter leur territoire. L'électricité dans l'air avait été palpable. Toutefois, Lydia avait évité les heurts d'un affrontement. Pour le moment, une épreuve de force s'avérait inutile.

Pour sa part, la religieuse réalisa rapidement qu'elle avait affaire à une forte tête. Une âme damnée d'Allemande.

Mais pour se protéger, elle aussi avait opté pour le compromis. Campant chacune sur leurs positions, elles ne tardèrent pas à sceller implicitement un pacte de tolérance mutuelle.

Dès les premiers jours de son internement, Lydia rendit visite à sa mère à l'hôpital Hôtel-Dieu, accompagnée d'une religieuse. Elle n'allait pas manquer une semaine de ce privilège, même si elle appréhendait de la revoir. Discrète, celle qui lui servait de chaperon l'attendit dans le salon des invités.

Ce n'est pas sans joie que Lydia entra dans la chambre, ce jour-là. Mais quand elle vit sa mère, amoindrie et méconnaissable, son cœur se serra. Heureusement, Claire dormait et ne put lire le désarroi sur son visage. Lydia eut alors le temps de s'habituer à son teint hâve, à ses cheveux défaits et aux différents tubes auxquels elle était branchée.

Sans bruit, elle sortit de son sac le coffret contenant les trois statuettes, l'ouvrit et le déposa sur la table au pied du lit. Quand sa mère se réveillerait, pensa-t-elle, son premier regard se porterait sur le coffret d'amour qui insufflerait un rayon de soleil dans sa journée. Puis, à l'affût du moindre signe de vie, Lydia ne la quitta pas des yeux.

Le temps filait et elle avait tant de choses à lui dire pour la rassurer ; elle voulait lui parler de son petit-fils et reconquérir la complicité des beaux jours. Toutes ces pensées comblaient le silence, mais elle n'osa pas les mettre en mots de peur de la réveiller.

Il ne restait plus que cinq minutes avant la fin des quinze permises. C'était trop court ou trop long !

À l'entrée de la religieuse, sa mère n'avait pas encore ouvert l'œil. Mais Lydia espérait, au fond d'elle-même, qu'elle avait entendu ses pensées.

— C'est déjà terminé, mademoiselle la comtesse.

Lydia baisa le front de sa mère.

— Je reviendrai la semaine prochaine, mère. Je vous aime.

Elle suivit son chaperon et ne put refouler ses larmes.

— Mademoiselle, vous oubliez cela, lui dit la religieuse en lui remettant le coffret.

— Je voulais le lui laisser.

— Il serait plus sage de le rapporter à chaque visite. C'est un endroit public, ici, et un objet de cette valeur peut devenir un objet de convoitise. Vous me comprenez ?

Lydia essuya ses larmes en hochant la tête affirmativement.

◆

Avril 1940

Trois mois plus tard, la très en chair sœur économe, le souffle court et le visage cramoisi à la suite de sa course, entrait en trombe dans la buanderie et lançait d'une traite :

— Mademoiselle-la-comtesse-a-de-la-visite… Vite, on vous attend au bureau de mère supérieure.

Comment Lydia devait-elle interpréter l'emploi soudain du « mademoiselle la comtesse » ? Cette marque de respect avait été vite oubliée, après son arrivée, et remplacée par des expressions comme « l'Allemande » ou « la détenue ennemie ».

— Entrez, mon enfant, lança la supérieure d'un ton affecté, en roulant son « r » avec l'emphase des Montréalais bien nés et des femmes élevées par les religieuses.

Un homme élégant, aux cheveux poivre et sel, se tenait au centre de la pièce.

— Monsieur le consul, je vous présente mademoiselle la comtesse Lydia von Ems.

S'adressant à la jeune femme, elle continua les présentations :

— Monsieur Becker, consul de Suisse. Ce monsieur voulait vous rencontrer, mon enfant.

Lydia plissa le front d'étonnement. D'un pas hésitant, elle s'avança. Le diplomate lui tendit la main et, avec déférence, s'inclina légèrement devant elle, en claquant les talons.

— Enchanté de faire votre connaissance, mademoiselle la comtesse, lui dit-il.

Impassible, elle lui présenta la main et attendit qu'il reprenne la parole. Pour dissiper le malaise que le silence provoquait, le visiteur enchaîna :

— Intriguée ? Je vous comprends. Mon bon ami le consul Mueller... un ami de votre beau-père, je crois ?... a été rappelé en Suisse, il y a quelques mois.

Conformément aux habitudes diplomatiques internationales, le consul s'exprimait en français. Lydia décela des intonations germaniques dans sa prononciation et en déduisit qu'il était, fort probablement, Suisse allemand.

Dans le bruissement de sa longue robe de serge noire et le cliquetis d'un rosaire qui pendait de sa ceinture, sœur Marie-de-la-Rédemption s'avança. Joignant les mains sur sa poitrine généreuse, elle prit un ton cérémonieux pour dire :

— Je vous laisse à votre tête-à-tête. Considérez mon modeste bureau comme le vôtre, monsieur le consul. Sonnez si vous avez besoin de quelque chose, ajouta-t-elle d'un ton obséquieux, en indiquant le bouton doré près du cadre de la porte. Ce fut un plaisir de vous rencontrer.

En temps ordinaire, pour démontrer son sens de l'hospitalité, elle lui aurait offert du thé ou du café et quelques gâteries sucrées. En cette période difficile, cependant, même les dignitaires devaient en subir les aléas.

La religieuse se détourna sèchement et sa jupe frôla les jambes de Lydia. Sans autre salutation, elle releva la tête dignement et sortit.

D'un geste précieux, le consul invita la jeune femme à prendre place à ses côtés. Lydia obéit tout en le détaillant. Au-dessus de deux larges cernes noirs, ses yeux globuleux sautillaient par intermittence.

— Je sais combien votre situation doit être pénible, mademoiselle la comtesse. Soyez assurée que je compatis avec vous et votre mère… Votre bébé se porte bien ?

Pour toute réponse, il ne reçut qu'un vague acquiescement de la tête. Lydia ne voulait pas lui faciliter les choses, en particulier à cause de son manque d'empressement à venir à leur secours.

— Mademoiselle, j'irai droit au but ! Mon assistante a porté à mon attention la note que vous avez adressée à votre domestique lors de votre arrestation. À la suite de la mutation de monsieur Mueller, à la même époque, nous avons pris du retard dans plusieurs dossiers. Et cela, bien malgré moi. À nous, diplomates, la guerre impose un plus lourd fardeau que d'habitude. Malheureusement, nous ne pouvons répondre aux urgences avec toute la diligence coutumière de mon pays. Toutefois, malgré la charge additionnelle que m'imposent mes fonctions de représentant du gouvernement allemand au Canada, j'ai tenu à vous voir. Par considération pour votre beau-père, évidemment. Je n'ai jamais eu la chance de le rencontrer, mais sa réputation d'intégrité et sa feuille de route impressionnante en font un des piliers de la diplomatie internationale.

Sortant de son mutisme, Lydia lança :

— Pouvez-vous nous sortir de ce pétrin ?

— Toute mon influence est à votre service. Malheureusement, je dois l'avouer, mon pouvoir est limité. Certes, j'exercerai des pressions auprès du gouvernement canadien pour vous sortir de cet imbroglio. Toutefois, il ne faut pas compter sur une réponse rapide. Ce qui complique votre affaire, ce sont les soupçons d'espionnage qui planent sur vous et votre mère. Vous n'en ignorez pas la gravité.

— Soupçons complètement farfelus ! clama Lydia.

— Espérons qu'aucune accusation formelle ne sera portée. Si la RCMP vous garde en détention préventive, nous pouvons en déduire qu'elle n'a pas un dossier étoffé contre vous. Ne craignez rien. En cas de coup dur, je vous aiderai à traverser l'épreuve dans la dignité. Et, dans l'éventualité d'un procès, je vous trouverai le meilleur avocat de la ville.

« Ce Becker patine avec toute la fantaisie si chère à sa profession. Maman rirait de l'entendre et n'hésiterait pas à le confondre », se dit Lydia, un sourire au cœur.

— Donc, en un mot, vous ne pouvez rien pour nous !

D'un coup, les paupières du diplomate s'affolèrent.

— Une chose… peut-être !

Pris d'un embarras soudain, le Suisse baissa la tête.

— Dans mon métier, il y a des sujets délicats à aborder. Mais il faut ce qu'il faut, n'est-ce pas ? Mademoiselle la comtesse, veuillez m'en excuser à l'avance.

Le visage crispé, le diplomate releva la tête nerveusement. Lydia le sentait sur la corde raide.

— Je ne voudrais pas paraître indiscret, mais j'ai cru comprendre que les traites expédiées par monsieur le comte à votre mère ont été interrompues il y a plusieurs mois déjà. Il m'est facile d'en déduire que vous avez… comment dirais-je, un certain problème de liquidités…

Mortifiée, Lydia détourna le regard du côté de la fenêtre. Le consul le remarqua, mais feignit de n'avoir rien vu.

— Votre éducation ne vous a pas préparée à une vie si difficile. Ici, vous travaillez seize heures par jour dans les vapeurs torrides d'une buanderie. Toute cette torture, pour payer votre hébergement et les frais d'hospitalisation de votre mère…

Il fit une pause et sa tête valsa de droite à gauche pour manifester son indignation. Il finit par ajouter :

— Dans ce pays, on vous traite sans égards à votre rang.

— Où voulez-vous en venir, monsieur le consul ?

— Eh bien, j'ai le pouvoir d'alléger cette gêne temporaire… si…

— Si… ?

— Si vous acceptez de prêter serment d'allégeance au Führer et au IIIe Reich… L'Allemagne, par l'intermédiaire de mon gouvernement, vous attribuera une allocation substantielle et régulière.

Lydia se raidit.

— Tant de générosité m'étonne ! s'exclama-t-elle.

Sa réaction trop spontanée pouvait lui être nuisible, se reprocha-t-elle. Reprenant son sang-froid, elle jongla à la question. Elle ne devait plus tergiverser. Elle l'avait fait trop longtemps. Une décision s'imposait. « Mais dois-je me compromettre ? La prochaine chose que les Suisses me demanderont, ce sera d'espionner pour les Allemands. Pour un pays neutre, on repassera ! Je suis coincée de toutes parts. Si j'accepte l'offre, j'assume officiellement mon statut de citoyenne allemande. Est-ce vraiment ce que je veux ? » La réponse s'imposa d'elle-même, claire et précise : « Non ! se dit-elle. Mais n'oublie pas que tu as le Canada et les Anglais sur le dos. En refusant catégoriquement, tu t'aliénerais aussi les Allemands. Tu n'as pas le choix, gagne du temps ! C'est ton seul retranchement possible. Si on veut te manipuler, eh bien, c'est un jeu qui se jouera à deux ! » conclut-elle.

Lydia entraîna donc le diplomate sur son terrain en enchaînant sur le sujet qui lui tenait tant à cœur :

— C'est vrai, vous pouvez m'aider !

Croyant la partie déjà gagnée, l'homme esquissa un sourire triomphal.

— J'aimerais connaître les circonstances exactes de la mort de mon frère, Karl von Ems, ou de mon beau-père. Vous avez certainement le pouvoir de faire faire une recherche, n'est-ce pas ?

Ne laissant pas à Becker le temps de répondre, elle baissa le ton et, avec émotion, raconta les circonstances entourant l'accident cérébral de sa mère, qu'elle imputa à son interrogatoire et au télégramme. Avec une certaine candeur, elle avoua qu'à son avis la phrase « Il est mort », répétée à deux reprises par sa mère, semblait faire référence plus à son fils qu'à son mari.

— M'aiderez-vous ?

— Avec le plus grand des plaisirs. En ce moment, les communications avec l'Europe sont chaotiques, et avec l'Allemagne, c'est pire ! Toutefois la Croix-Rouge internationale nous guidera. N'espérez aucune réponse avant plusieurs mois. Je m'occuperai du dossier personnellement.

— Je suis convaincue que vous trouverez le bon canal de communication ! Si vous réussissez et si mon beau-père est toujours vivant, il saura vous témoigner sa reconnaissance.

Le diplomate ferma le calepin sur lequel il griffonnait depuis le début de l'entretien et l'enfourna dans sa serviette de cuir élimée. Avec un calme qui contrastait avec sa personnalité, il la verrouilla minutieusement et y posa les mains bien à plat.

— Pour revenir à ma proposition… Que décidez-vous ? Dans les circonstances, c'est une bonne affaire ! Avec cet argent, vous pourriez offrir à votre mère les services des meilleurs cardiologues. Quant à vous, plus de brûlures d'eau de Javel sur vos mains délicates. Les rigueurs de votre internement seraient allégées et la vie auprès de votre fils n'en serait que plus agréable.

Choquée par son insistance, Lydia vrilla ses yeux dans les siens. Au bout de quelques secondes, elle se leva. Et avec toute la politesse d'une femme du monde, elle le salua.

— Au revoir et à bientôt, j'espère, monsieur le consul. J'attendrai impatiemment de vos nouvelles.

Elle lui tendit la main et quitta le bureau.

◆

Juin 1940

MESSAGE – MESSAGE – MESSAGE
Classification : Très secret

PROVENANCE : Intrepid

DESTINATAIRE : Winston Churchill

Cargo arrivé bon port -stop- Les souris dansent aussi -stop- L'aigle vole sans ses ailes -stop- 06-26 -stop- Waldorf-Astoria -stop- Anguilles frétillent.

Version décodée :

Installation des bureaux de New York terminée. Nos agents déjà actifs. Ennemi organise, 26 juin, réception, Waldorf-Astoria, pour sensibiliser hommes d'affaires américains à effort de guerre nazi. Infiltration d'agents ennemis possible. Serons présents.

Expédié par R. G., 24 juin 1940, 11 h 23

◆

Octobre 1940

Dans un des cabinets privés d'Hitler, à Berlin, son état-major, composé de généraux bardés de médailles qui représentaient à eux seuls tout le pouvoir du pays, s'était réuni pour rendre hommage à ses meilleurs hommes. Malgré son horaire chargé et l'éminence de ses rencontres bilatérales avec Pierre Laval, vice-président du Conseil français, le généralissime Francisco Franco, caudillo d'Espagne, et le maréchal Philippe Pétain, chef de l'État français, prévues pour les 22, 23 et 24 octobre, Hitler avait quand même accepté de présider la cérémonie.

Strictement militaire, cet outil de propagande visait à soutenir le moral des troupes. La cérémonie serait sobre et rapide, comme l'exigeait le Führer.

Cet après-midi-là, malgré la pluie qui tambourinait sur les vitraux aux couleurs des grandes dynasties allemandes, cinq militaires et un civil s'entretenaient joyeusement entre eux en attendant l'arrivée du Commandant suprême. Les généraux amis, eux, bavardaient par petits groupes, en se tenant éloignés de leurs rivaux. Ainsi, l'amiral Wilhelm Canaris, commandant de l'Abwehr, ne frayait pas avec Reinhard Heydrich, responsable de la sécurité de l'armée, ni avec son patron Himmler, responsable de la sécurité de l'État. Ces deux hommes s'efforçaient de miner ses pouvoirs comme chef des services secrets et de contre-espionnage dans le but trop évident de fusionner leur service avec le sien.

Précédé par son majordome et son cameraman, Adolph Hitler entra d'un pas décidé et les salua tous systématiquement. Puis, sans tambour ni trompette, la cérémonie débuta. À tour de rôle, les récipiendaires reçurent un hommage court mais vibrant de patriotisme pour souligner leur bravoure. Ensuite, le Führer épingla une médaille sur leur poitrine orgueilleuse.

Le dernier appelé fut le comte Karl von Ems.

L'amiral Canaris connaissait bien le jeune von Ems depuis son enfance et l'avait pris sous son aile dès son entrée dans son service. Le père de Karl, un de ses meilleurs amis et collègue dans les services secrets, partageait avec lui la même attitude souvent hostile envers Hitler. Ils s'entendaient comme larrons en foire et pratiquaient le même sport, le tennis. C'était grâce à cette amitié que Karl avait été accepté à l'Abwehr, alors que les portes de l'armée et de la marine s'étaient fermées devant lui à cause de la réputation d'« instable émotif » qui le précédait. En fin connaisseur de la nature humaine, Canaris avait utilisé ses faiblesses dans des missions particulièrement périlleuses où l'intelligence d'un joueur d'échecs était indispensable. Et cela rapportait. Ses missions des six derniers mois en Pologne et en Roumanie avaient été des succès étonnants. Dans le cercle intime du pouvoir, on considérait déjà le jeune von Ems, à peine sorti de l'adolescence, comme de la graine de héros.

Mais depuis un certain temps, l'amiral se sentait mal à l'aise vis-à-vis de son poulain. L'honneur qu'on lui rendait lui était certainement dû, mais comment l'avait-il mérité ? Récemment, des rumeurs persistantes lui étaient parvenues sur l'attitude psychotique du jeune homme durant ses missions. Certes, une rumeur n'est qu'une traînée d'inventions, mais n'y avait-il pas toujours un fond de vérité ? se disait-il.

Un autre aspect de la personnalité de Karl l'avait atterré, lors de la mort tragique de son père, en octobre 1939. En repensant à cette journée, où l'Allemagne avait perdu un grand patriote, Canaris en eut froid dans le dos. Du coup, il réalisa qu'il ne contrôlait peut-être plus son protégé.

Hitler s'avança vers Karl, ce qui permit à l'amiral de refouler la nausée que lui inspiraient ses souvenirs.

Au garde-à-vous, les yeux rivés sur son chef et son idole, Karl respirait la confiance et le sentiment du devoir accompli.

— Jeune homme, lui dit le Führer, vous êtes ma fierté et celle de notre peuple. Par votre courage et votre foi en la victoire finale, vous avez épargné de nombreuses vies allemandes. Par vos actions patriotiques, vous avez fait passer les valeurs nazies au-dessus de la morale bourgeoise. Vous avez prouvé que vous adhérez inconditionnellement aux principes aryens. Pour souligner vos exploits, je vous remets la Médaille d'or du parti nazi et la médaille du mérite de l'Abwehr, la Haupt-V-Mann.

Joignant l'acte à la parole, Hitler épingla les deux médailles. Gardant un visage de pierre, Karl remercia son héros d'un *Merci, mon Führer* bien senti. Le Führer se détourna et l'assistance le salua avec un Heil Hitler sonore accompagné d'un claquement de bottes énergique. Le père de l'Allemagne nazie sortit comme il était entré.

4

Août 1941

Une année s'était écoulée dans la vie de Lydia. Réfugiée dans son travail de blanchisseuse et l'éducation de Pierre, elle avait perdu confiance en la possibilité d'améliorer leur sort. Le consul n'avait jamais donné de ses nouvelles. Son présent monotone lui enlevait tout espoir d'avenir.

Mue par sa volonté de survivre, elle tentait de garder un certain équilibre. Elle luttait contre la dépression, l'angoisse et la peur du faux pas qui l'entraîneraient dans la voie du non-retour.

Heureusement, les premiers pas, les premiers « maman » de Pierre avaient égayé ses rares moments de détente. La joie de vivre de son fils l'avait aidée à surmonter l'adversité. Chaque soir, elle imaginait une nouvelle histoire ou une chanson pour son « petit soleil ». Son imaginaire dressait un rempart contre les agressions de son environnement.

Chaque semaine, elle attendait avec impatience la visite à sa mère à l'hôpital. Moment de réconfort. Moment où elle lui chuchotait ses états d'âme. Devant l'état de santé de sa mère qui semblait s'améliorer, les quinze minutes permises lui redonnaient courage. La réadaptation de Claire s'annonçait longue mais envisageable. Il n'y avait pas si longtemps, son index droit avait réagi aux babils de son petit-fils. Et la semaine dernière, ses paupières avaient ondulé, s'entrouvrant quelques secondes pour aussitôt se refermer comme une vague qui meurt sur une plage. À son rythme, son corps reprenait ses droits.

◆

En ce 30 août 1941, dans le tramway qui les conduisait au quartier général de la RCMP, Lydia fixa sœur Luce avec espoir. Cette religieuse, devenue son amie, s'avérerait peut-être la clé ouvrant la porte à une certaine liberté.

Selon les nouvelles qui leur parvenaient du front, Lydia s'était heurtée soit à l'indifférence, soit à l'agressivité des pensionnaires et des religieuses. Pour échapper à ce type de réaction, elle en avait été réduite à s'isoler, jusqu'au jour où cette religieuse était entrée dans sa vie et celle de son fils. Lydia se souvenait de cette journée bénie entre toutes: le 11 juin 1941, soit le lendemain du premier exercice d'obscurcissement total sur Montréal, pendant lequel, contre toute attente, des milliers de citadins avaient fêté l'événement sur le mont Royal. Dans les couloirs de l'hôpital, on en parlait encore comme d'un pied de nez aux Allemands.

Novice de son état, sœur Luce avait su faire vibrer les cordes sensibles de Lydia en comblant sa soif d'amitié. Avec son rire sonore et ses attentions particulières pour Pierre, elle avait semé un vent de fraîcheur dans leur vie. Quant à Pierre, il était littéralement tombé sous son charme. Au gré du quotidien, le trio forma une cellule aux allures presque familiales.

Pendant les heures de corvée de Lydia, sœur Luce veillait sur son fils. En plus de l'amuser avec des jeux d'adresse ou des chasses aux papillons imaginaires dans le parc de l'hôpital, elle lui confectionnait des ensembles en retaillant de vieux vêtements reçus d'organisations de charité.

Son aînée de cinq ans, sœur Luce partageait avec elle des intérêts communs. Les deux jeunes femmes discutaient littérature, rêvaient de voyages et, à l'occasion, s'adonnaient, en cachette, à quelques pas de boogie-woogie. Mues par une soif viscérale de vivre, elles devinrent vite inséparables. À la surprise de Lydia, la mère supérieure ne désapprouva pas leur relation et elle assigna même à la novice la tâche de l'accompagner à l'hôpital.

Fascinée par la liberté presque nonchalante de sœur Luce, Lydia s'amusait de ses gamineries et admirait son comportement, comme si, inconsciemment, elle s'identifiait à elle. Elle se demandait comment, malgré sa condition de nonne, sa nouvelle amie pouvait dégager tant de bonheur et de liberté.

Les vêtements amples de sœur Luce n'atténuaient en rien la souplesse de sa démarche. Avec son visage d'albâtre, ses yeux pervenche, et consciente de l'attrait qu'exerçait sa beauté classique, elle n'abdiquait aucun de ses attributs féminins. Le péché de coquetterie la démarquait de ses consœurs et en faisait le mouton noir de la communauté. Malgré les réprimandes de la responsable des novices, elle laissait une longue boucle de ses cheveux roux caresser sa joue. Cette provocation la rendait encore plus sympathique aux yeux de Lydia, qui se retrouvait dans ce côté rebelle.

Aujourd'hui, Lydia jouait le tout pour le tout. Après bien des réflexions et autant de tiraillements, elle allait tester la loyauté de son amie au risque de compromettre ses acquis. Avec le temps, communiquer avec l'extérieur était devenu pour elle une idée fixe. Les consignes de monsieur X avaient été respectées à la lettre par les religieuses : pas de journaux, pas d'appels téléphoniques, pas de visites non autorisées, pas de courrier. Elle en était finalement venue à la conclusion que courber l'échine n'allégerait pas le poids de son emprisonnement. L'impatience la rongeait. Il fallait agir. Au risque d'être séparée de son fils, de se voir interdire les visites à sa mère et de se retrouver derrière de vrais barreaux de prison, elle avait échafaudé un plan pour tenter de joindre des relations canadiennes de sa famille en vue d'obtenir leur aide.

À un arrêt du tramway, Lydia retira de son sac à main un paquet de lettres. Négligemment, elle s'amusa à le retourner plusieurs fois dans ses mains. Luce, qu'elle tutoyait maintenant dans l'intimité, remarqua son manège et chuchota :

— La tentation est forte, mon amie ?

— Oui, avoua Lydia dans un long soupir. Le traitement qu'on m'inflige est injuste. C'est pire que de me garder au secret au fond d'un cachot… C'est tout juste si j'ai le droit de respirer. Je n'existe plus !

— Que veux-tu faire ?

— Luce, tu es mon amie ! Pour une fois, ferme les yeux quand nous passerons devant la poste. Je t'en supplie, une seule fois. Personne n'en saura rien.

— Ce n'est pas si simple. Je suis responsable de toi devant la supérieure et de plus… j'ai fait vœu d'obéissance.

Lydia la toisa d'un air ironique.

— D'obéissance ! Tiens donc ! C'est nouveau ? Tu t'inventes des scrupules, maintenant.

Luce ferma les yeux et continua à égrener nerveusement son rosaire en bois en remuant les lèvres en silence. L'attitude de Luce choqua Lydia. Elle tenait plus du faux-fuyant que d'un élan spontané de spiritualité. Elle détourna son regard et ses pensées se perdirent dans le paysage urbain qui défilait par la fenêtre.

Placardés de panneaux aux couleurs vibrantes, les murs de Montréal lançaient un appel patriotique à la conscience et à la bonne volonté de la population. Loin des combats, le Canada exigeait la vie de ses fils pour sauvegarder la liberté et la démocratie en Europe. Par des slogans-chocs, il encourageait ses femmes à se départir de leurs casseroles pour la fabrication de balles et d'obus et les invitait à travailler dans les usines de munitions. Il exhortait sa population à la discrétion, car les murs ont des oreilles et l'ennemi aussi ; il tentait de la dissuader d'acheter les coupons de rationnement au marché noir tout en la sensibilisant à l'importance des exercices de couvre-feu. Dans un monde en déséquilibre, confronté au démon du nazisme, tout un chacun devait contribuer à assurer la victoire de l'Empire britannique.

L'attention de Lydia se porta sur deux jeunes passantes. Sur leurs mollets nus, une fine ligne noire, peinte à la main, imitait la couture des bas de nylon. Elle envia leur audace. Dans son monde austère, où les bas de soie étaient un luxe interdit, les jeunes femmes ne portaient que des bas de fils de coton. Pour sortir, Lydia se contentait de ses bas beiges maintes fois rapiécés. Son élégance laissait vraiment à désirer depuis son internement. Retrouverait-elle un jour le bonheur de porter des vêtements d'une coupe parfaite, taillés dans des tissus de qualité ?

Malgré tout, elle se considérait comme choyée et refoula ce léger apitoiement sur elle-même. Contrairement à la population en général, ses restrictions s'avéraient minimes et elle ne manquait rien de l'essentiel. En effet, elle ignorait les désagréments des files d'attente pour se procurer les coupons de rationnement, monnaie d'échange pour le sucre, le thé, le café, la viande, le beurre. Elle n'en avait pas besoin. Les religieuses de l'hôpital recevaient, en priorité, tous ces produits et le jardin de la sœur économe assurait une partie des besoins en légumes frais de la communauté et de ses pensionnaires. Grâce aux billets de tramway qu'on lui fournissait, elle ignorait la fatigue d'une marche de cinq milles pour se rendre aux bureaux de la RCMP. Quand elle imaginait la vie des femmes aux prises avec les corvées de la maison en plus de leur travail dans les usines de munitions, son quotidien devenait plus supportable.

Le crissement des freins du tramway la replongea dans la réalité. S'interdisant d'autres digressions, elle se concentra sur la situation. Le refus de collaboration de son amie l'irritait. Sans son aide, elle ne pouvait agir. Il lui fallait insister.

— Ma vie et celle de mon fils n'ont aucun sens… Luce, je n'en peux plus ! Aide-moi, je t'en supplie !

Elle espérait une réaction. Sa compagne se cantonna dans son marmonnement pieux. Lydia ajouta :

— Et moi qui te croyais mon amie.

Dix minutes plus tard, Luce se leva et tira la sonnette pour indiquer au conducteur son intention de descendre au prochain arrêt. La religieuse se posta devant les doubles portes de la sortie et attendit. Tenant fermement son précieux paquet, Lydia la suivit.

À l'arrêt, la religieuse descendit la première et resta plantée sur place. Lydia la rejoignit. Dans un mouvement imprévisible, Luce recula, la frappa du coude et la déséquilibra. En basculant, Lydia échappa les lettres, qui virevoltèrent avant d'atterrir sur le trottoir.

— Luce, qu'est-ce que tu fais ? demanda-t-elle en se relevant.

Déjà accroupie, Luce ramassait les enveloppes une à une. Appréhendant une trahison possible, Lydia fut traversée d'un frisson de désespoir. Pour dédramatiser la scène, Luce prit un ton léger :

— Oh ! regarde. Quelqu'un a perdu ses lettres. Comme j'ai fait vœu de charité envers autrui, je les posterai pour lui. Ce sera ma bonne action de la journée…

Luce lui adressa un clin d'œil en glissant les lettres sous sa collerette. Sidérée par cette mise en scène, Lydia ne savait que penser. Devait-elle s'inquiéter du danger d'une dénonciation possible ou se féliciter de la loyauté de son amie ? Dans l'euphorie du moment, elle s'accrocha au vent d'espoir qui tournait enfin en sa faveur.

Sous prétexte d'un manque de temps, la religieuse décida de changer leur trajet habituel et de prendre un raccourci. Et elle ne posta pas les lettres.

Elle promit de s'en occuper le lendemain. Sans faute !

5

1941

Bob Rowland aspira profondément pour mieux goûter sa cigarette turque. Un délice pour son palais de connaisseur en tabac et en scotch, deux gâteries qu'il s'offrait grâce à ses nombreux contacts sur le marché noir londonien.

Chef des services de renseignement britanniques au Canada, identifié par l'initiale B, Bob Rowland regardait par la fenêtre, dos tourné au colonel Paul Beatty, son hôte canadien. En cette fin de soirée, le spectacle des millions de flocons de neige qui venaient frapper contre la vitre l'hypnotisait. Depuis bientôt dix heures, enfermés dans le bureau, les deux hommes passaient en revue tous les points litigieux de leur houleuse collaboration en vue de son débriefing avec Intrepid, prévu pour le lendemain, à New York.

Il était vingt-trois heures et la fatigue freinait leur acharnement à s'affronter. Un seul point restait à l'ordre du jour, que le Canadien appelait le problème. Devenu avec le temps un cas menaçant pour la crédibilité de leurs services respectifs, le problème se présentait comme un abcès qu'on tarde à crever de peur de découvrir une tumeur plus grave. C'était le dossier CA98658QC, celui des femmes von Ems.

Rompant sa fascination pour la poudrerie, l'Anglais se détourna de la fenêtre et traîna sa jambe jusqu'au fauteuil, stratégiquement placé en face de celui de son homologue canadien. Quand il s'y glissa, le cuir trop sec rompit le silence des dernières minutes.

Sans préambule, il lança :

— Je n'en démords pas ! C'est la femme qu'il nous faut ! Elle est cultivée, polyglotte, débrouillarde. Elle a du sang-froid et certainement l'instinct du survivant. La preuve : toutes nos tentatives pour la piéger ont échoué. Que demander de plus ?

Avec un clin d'œil coquin, il ajouta :

— Et, ce qui n'abîme rien, elle est plutôt mignonne.

Trop absorbé, l'homme de la RCMP ne releva pas la remarque de Rowland. Depuis longtemps, la gestion improvisée de l'Anglais dans le dossier von Ems l'agaçait souverainement. D'un ton non équivoque, il attaqua et sa paupière droite se mit à cligner de plus belle :

— Depuis un an et demi, vous faites traîner impunément les choses, au risque de jeter nos gouvernements dans l'embarras avec les Suisses. Et pourquoi ? À cause de votre indécision dans ce dossier et de votre entêtement à vous assurer de la loyauté de Lydia von Ems… comme si vous la protégiez… Ai-je tort ? Je vous mets au défi d'affirmer le contraire !

Piqué au vif mais ne voulant pas perdre contenance, Rowland se pencha pour frictionner sa jambe.

Le Canadien, décidé à vider son sac une fois pour toutes, persista dans sa charge.

— Ou serait-ce pour les beaux yeux de cette Allemande ?

Enfin, il l'avait dit. Pour mieux sonder la réaction de Rowland, il fit une pause mesurée. Sans résultat.

— Quoi qu'il en soit, pour sauver votre peau et votre sacro-saint service, vous avez abusé du système et de notre hospitalité. Votre petit manège coûte une fortune à mon gouvernement.

L'Anglais bouillait. Un rictus de colère blanchit ses lèvres. Pour éviter l'escalade, il préféra ignorer l'insinuation. Le moment était mal choisi pour envenimer la discussion qui prenait une tournure trop personnelle à son goût. Responsable de cette opération de recrutement, il voulait la mener à sa façon. L'opinion de son entourage, et surtout de ce Canadien qui n'était en réalité qu'un mal nécessaire dans son organisation et sa mission au pays, importait peu. Il visait d'abord le résultat.

Sans élever le ton, il continua à débiter le monologue commencé un peu plus tôt :

— Vous en conviendrez, elle a l'étoffe dont on fait un bon agent. Bien encadrée, elle peut être opérationnelle rapidement. Un autre élément qui milite en sa faveur : nous l'avons déjà sous la main.

Et, déployant une courtoisie qui lui manquait trop souvent, il ajouta :

— Qu'en pensez-vous, mon cher Paul ?

Beatty le considéra un instant. Malgré tout, Rowland lui plaisait. Ses qualités de chef et sa facilité à louvoyer sur la ligne de tir lui conféraient le charme des grands manipulateurs. Pour lui montrer qu'il avait assimilé le dossier, il se lança dans une analyse de la personnalité de Lydia.

— Tout ce qu'elle nous a dit s'est révélé véridique. Les tests que nous lui avons fait subir à son insu prouvent son désintérêt pour la politique. Le be-bop et le boogie-woogie ont tenu plus de place dans sa vie que toute autre chose. Malgré la position sociale de son beau-père, elle a été protégée de tout endoctrinement grâce à l'opiniâtreté de sa mère. Selon nos rapports, ce fut un leitmotiv alimenté avec ferveur dans l'intimité de son foyer et toléré avec complaisance par le comte.

Pour appuyer le rapport de Beatty, Rowland enchaîna :

— D'ailleurs, von Ems était considéré comme un modéré de la première heure. Réfractaire au radicalisme du gouvernement, il s'était mis à dos des personnages importants de l'entourage d'Hitler. Nos sources ont même parlé d'accrochages virulents avec Himmler.

— Et cela, bien avant qu'il se joigne au complot pour assassiner Hitler, d'ajouter Beatty.

— Nous jouons gagnant en recrutant Lydia von Ems ! Elle doit faire partie de notre première fournée d'agents formés en Amérique.

Le Canadien conclut :

— Quand je l'ai rencontrée, sous le couvert de l'identité du consul de Suisse, j'avoue qu'elle m'a plu avec sa façon élégante de retourner la situation en sa faveur, d'éviter les pièges que je lui tendais et de garder la tête froide. Elle est brillante.

— Bon, c'est entendu, on l'enverra au Camp X dès que tout sera fonctionnel !

— Quand prévoyez-vous l'ouverture du centre d'entraînement ?

— Si la température froide et la neige abondante ne nous retardent pas, nos instructeurs débarqueront à Whitby d'ici quelques jours, suivis des premières recrues une journée ou deux plus tard. Nous sommes dans les temps ! Avec l'attaque, hier, de Pearl Harbor et la déclaration de guerre des Américains au Japon, l'existence du Camp X aura encore plus sa raison d'être…

— Et à mon avis, de surenchérir le Canadien, ce n'est qu'une question de temps avant que nos amis du Sud ne soient entraînés dans le conflit en Europe. En tout cas, c'est ce que Churchill souhaite grandement.

— Ils auront donc un urgent besoin de nos connaissances et de l'expérience de nos spécialistes pour former leur propre service d'espionnage. Ce n'est pas le FBI qui peut répondre à leurs besoins actuels.

— J'en déduis qu'il est urgent de prendre en main Lydia von Ems.

— C'est cela! Mais avant, il faut la convaincre de collaborer avec nous et nous assurer de sa loyauté indéfectible. À ma place, cher confrère, comment vous y prendriez-vous?

Beatty détestait ce genre de question qu'il jugeait d'une condescendance trop colonialiste à son goût. Son tic s'accentua.

— Précisons d'abord que je ne suis pas à votre place, répondit-il. Avec votre vaste expérience, vous avez certainement une solution à m'imposer, cher B, continuat-il avec un sourire persifleur. D'autre part, j'ajouterais que le terme « indéfectible » est peut-être utopique… Nous assurer de sa loyauté tout court, c'est déjà une grande ambition dans notre domaine d'expertise. N'en convenez-vous pas? Vos méthodes de pression psychologique ont été maintes fois éprouvées sur tous les continents et dans vos nombreuses guerres… Je ne m'aventurerai pas à oser vous conseiller en cette matière.

— Vous êtes incisif, mon cher Paul, répliqua l'Anglais, qui s'amusait aux dépens du colonel canadien.

— Disons que je suis prudent.

— C'est une qualité typiquement canadienne! Toutefois, ne doutez pas de mon flair. Je mise sur le bon cheval.

— Et quand comptez-vous l'appâter?

— Dès demain.

— Si elle refusait de coopérer?

— A-t-elle vraiment le choix? Fiez-vous à moi. Je connais ses points faibles.

— Quelle que soit sa réponse, il faut statuer sur le sort de sa mère et de son fils.

— Nos options sont limitées. L'Allemagne a déjà abandonné les deux femmes à leur sort.

Le colonel ferma les yeux et réfléchit à haute voix.

— Selon les derniers rapports médicaux, sa mère pourrait prétendre, un jour, à une vie plus ou moins normale, en fauteuil roulant. Donc, sous prétexte de la nécessité d'une longue convalescence, nous pourrions l'expédier chez sa sœur, à Arvida… Et quoi de plus naturel qu'elle soit accompagnée par son petit-fils ?

— Excellent, Beatty ! Nous suivrons votre suggestion. Les Suisses, qui s'impatientent de nos nombreux refus d'accéder à leurs demandes d'information à leur sujet seront satisfaits, et nous, nous ferons d'une pierre deux coups…

L'Anglais s'étira en bâillant.

— Cher ami, si vous traversez l'orage avec moi, vous aboutirez toujours du côté du soleil !

— Je n'en ai jamais douté, Bob.

Amusé par la suffisance toute britannique de Rowland, Beatty leva les yeux au ciel en se disant qu'il ne viendrait jamais à bout de cet homme.

◆

Au même moment à Berlin, Karl ouvrit les yeux, mais les referma aussitôt. La lumière l'éblouissait. Une image blanchâtre et floue s'imprégna dans son cerveau, mais se noya aussitôt dans des bruits cacophoniques, le martèlement d'une migraine et un élancement aigu au bras droit.

— Monsieur le comte… Monsieur le comte.

La voix douce venait du fond de nulle part.

Avec difficulté, les lèvres de Karl bougèrent mollement.

— Où suis-je ?

— Vous êtes en sécurité. Ne vous inquiétez pas, tout va bien, lui répondit la voix qui se rapprochait de lui.

Karl entrouvrit les yeux de nouveau et l'image floue devint réalité. Une infirmière aux cheveux d'ange lui souriait.

— Bonjour, monsieur le comte.

— Où suis-je ?

— Dans une maison sécurisée pour les agents de l'Abwehr.

— Que m'est-il arrivé ?

— Un de vos collègues vous a trouvé inconscient et blessé d'une balle au bras droit, avec de nombreuses contusions à la tête et au visage.

Karl essaya de lever son bras droit, mais la douleur aiguë l'en empêcha. Aussi lourde qu'une masse, sa tête recouverte de bandelettes retomba durement sur l'oreiller.

— Ne bougez pas. Vous devez vous reposer. Le médecin passera vous voir. Bonne nuit.

— Depuis combien de temps suis-je ici ?

— Vous êtes arrivé hier soir. On vous a opéré. Et vous avez dormi jusqu'à maintenant. Vous étiez drôlement amoché. À demain matin, monsieur le comte.

— Oh, comment vous appelez-vous ?

— Gretel.

Avant de passer au malade suivant, elle écrivit sur le dossier médical accroché au pied du lit que le patient était calme et lucide. Puis elle y apposa son paraphe. La note en gras la fit sourciller : *Patient peut être violent. Avertir médecin dès son réveil et le bureau de l'amiral Canaris.*

La veille, vers minuit, la police de quartier avait reçu un appel anonyme au sujet d'un homme blessé gisant dans le parc de la Kingstrasse. Les deux policiers envoyés sur les lieux avaient vite établi le lien avec la maison de débauche située en face. Interrogée, la tenancière, qui connaissait ces hommes, eux-mêmes des clients occasionnels, clama que c'était un cas de légitime défense.

— Je dirige une honnête pension, avait-elle lancé, les bras bien appuyés sur les hanches, à celui qu'elle connaissait bien. Tu le sais, je ne tolère pas que les clients molestent mes filles. Ce pervers ne s'est pas gêné pour la bâillonner afin de mieux la martyriser.

Ma Lola a profité d'un temps de repos qu'il s'offrait pour se libérer. Il s'en est aperçu et a voulu l'attaquer. Elle a eu à peine le temps de tirer pour le ralentir. Les autres filles sont alors accourues et lui ont donné une correction.

Le souffle court à cause de son embonpoint, elle avait fait une pause avant de reprendre son récit.

— J'en conviens, elles ont peut-être frappé un peu fort et l'homme s'est évanoui. Pour ne pas indisposer mes importants clients, mon Pieter l'a vite transporté dans le parc... Tu saisis ? Heureusement que ce n'est pas un habitué. Pour lui, il n'y aura pas de prochaine fois chez moi. Ça, c'est certain !

Pour identifier l'homme blessé, un des limiers avait fouillé ses poches, mais n'avait trouvé qu'un numéro de téléphone, qu'il avait composé sur l'appareil bien en vue dans le vestibule du bordel tapissé de velours rouge. Dans la demi-heure qui avait suivi, un agent des services de renseignement était arrivé et avait présenté une carte d'identité aux policiers impressionnés.

— C'est un accident malencontreux, avait-il affirmé. Vous n'avez pas besoin de constituer un dossier sur cette affaire. Elle relève de nous. Bien compris ? Partez, maintenant.

— Et ma Lola, dans tout ça ? avait lancé la tenancière d'un ton acerbe. Elle est défigurée pour la vie. Elle ne pourra plus travailler. Et moi, je perds une bonne employée...

L'agent lui avait répondu :

— Voici cinq cents marks et l'histoire est close. On s'entend bien ?

La femme, qui n'avait jamais vu pareille somme, en avait frétillé de plaisir. Sans hésiter, elle avait plié les billets avant de les glisser entre ses deux seins généreux.

— C'est un plaisir de faire des affaires avec vous. Mon humble demeure vous sera toujours ouverte...

6

La neige tombait, plus langoureuse que la veille, sur Montréal. Malgré sa luminosité réconfortante, cependant, elle n'arrivait pas à adoucir les répercussions de la guerre sur le quotidien des citadins.

Noël approchait et la ville se cachait bien de trop le montrer. Cette année encore, les décorations multicolores resteraient emballées dans leurs cartons. Seulement quelques vitrines de grands magasins s'animeraient d'enfants Jésus étendus dans la paille douillette de crèches de tous genres, de la plus modeste en papier mâché à la plus novatrice, avec des personnages et animaux vivants. Le 24 décembre, à minuit, la messe rassemblerait les âmes meurtries et les aiderait peut-être à panser leurs blessures causées par la mort d'un proche sur un champ de bataille.

En s'engageant dans l'escalier enneigé des bureaux de la RCMP, Lydia espérait expédier rapidement les formalités usuelles. À quelques semaines de Noël, les militaires, qui la connaissaient bien maintenant, voudraient certainement se débarrasser d'elle plus promptement que d'habitude.

En effet, chaque semaine depuis plus d'un an et demi, elle se présentait, le même jour et à la même heure. Chaque fois, on l'obligeait à attendre des heures dans l'éventualité d'une rencontre avec monsieur Smith, celui qu'elle avait baptisé monsieur X, aussi connu comme « B », de son vrai nom Bob Rowland. Jamais la rencontre ne s'était concrétisée. Cet exercice de patience et d'assiduité se terminait invariablement par une simple signature apposée au bas du registre officiel.

Lydia fut déçue, toutefois, quand une CWAC l'interpella dans la salle d'attente grouillante d'animation, et elle le souligna à sœur Luce.

— Dire que j'espérais m'en sortir rapidement… Comme d'habitude, j'étais trop optimiste ou trop… naïve ! glissa-t-elle, sarcastique, à l'intention de son accompagnatrice.

Imperturbable, sœur Luce encaissa la remarque. Depuis cet après-midi d'août où Lydia avait cru pouvoir percer son isolement avec la complicité de la religieuse, leur relation s'était détériorée. Frustrée de n'avoir reçu aucune réponse à son courrier, elle l'accusait de l'avoir trompée et de n'avoir jamais posté les lettres. Malgré les protestations de sœur Luce, Lydia s'en méfiait chaque jour davantage. Plus le temps passait, plus son animosité s'accentuait et créait une grande tension entre elles.

Ce jour-là, dans l'euphorie du moment, elle s'était livrée pieds et poings liés à la religieuse, et depuis, cela la hantait. Pourquoi Luce n'avait-elle pas posté les lettres devant elle ? Les avait-elle jetées ? Les avait-elle remises à la supérieure qui, à son tour, les aurait transmises à la RCMP ? Plus elle y réfléchissait, plus elle se trouvait imprudente et naïve. Allait-elle aujourd'hui en payer le prix ?

Dire qu'elle avait eu confiance en cette femme ! Devenait-elle paranoïaque ? Une chose était certaine, il fallait se méfier de tous. Mais sœur Luce ?… Celle à qui elle avait confié ses secrets les plus intimes et les clairs-obscurs de son âme, et avec qui elle avait recréé un semblant de famille. Sa grande amie était-elle devenue son ennemie ? Pour se préserver de ses intentions peut-être malicieuses, Lydia l'avait écartée de son intimité. Leurs seuls contacts se limitaient aux visites hebdomadaires à l'hôpital et aux rendez-vous avec la police.

Malgré tout, la novice maintenait son humeur au même diapason et insistait sur son innocence.

Un va-et-vient incessant animait le hall d'entrée où des militaires chaperonnaient les civils d'un bureau à l'autre. Lydia suivit la CWAC dans le couloir qui desservait de nombreux bureaux.

La militaire ouvrit la dernière porte. Relativement grande, la pièce vert kaki, couleur de l'armée, dégageait une odeur envahissante de désinfectant industriel, à base d'ammoniaque. Lydia fut prise d'une quinte de toux et ressentit une irritation aux yeux qu'elle tenta d'atténuer en les frottant. Rien n'y fit. Au contraire, sa démangeaison s'amplifia.

Une table, deux chaises, une photo de George VI et un Union Jack flamboyant meublaient l'espace. Un élément décoratif détonnait : un grand miroir. D'abord surprise par cette fantaisie, Lydia en profita pour replacer quelques mèches sous son feutre. Les minutes passèrent et elle se résolut enfin à s'asseoir. Après quarante minutes d'attente, le balancement nerveux de sa jambe marquait son impatience. Au bout d'une heure, elle était franchement exaspérée.

De l'autre côté du miroir sans tain, Bob Rowland, le colonel Paul Beatty de la RCMP, qui avait personnifié le consul de Suisse, et Rubis, alias sœur Luce, commentaient ses moindres réactions.

— Elle est prête à cueillir ! lança Rubis.

Elle se débarrassa de son voile de religieuse et, d'un geste élégant, passa la main dans son épaisse crinière rousse.

— À vous de jouer, Rowland ! Et en avant la cavalerie ! continua le Canadien, avec une pointe d'humour maladroite qu'il accompagna d'un sourire goguenard.

Ses acolytes le lorgnèrent avec amusement.

D'une chiquenaude à son képi invisible, le chef des services de renseignement sortit de l'antichambre sans ajouter son incontournable dernier mot. Une douleur aiguë lui déchira le pied, comme cela se produisait, de plus en plus fréquemment, quand ses émotions étaient mises à rude épreuve. Concentré, le front soucieux, l'homme s'interdit de réagir à la souffrance.

En entrant avec une allure décontractée, il s'était transformé. Ses rides se dissipaient et il affichait un sourire engageant. La pièce fut vite emplie de son énergie, comme si le fait de traverser de l'autre côté du miroir pour se glisser du côté d'une victoire possible sur un autre être humain lui avait insufflé une vigueur nouvelle, presque aphrodisiaque. Cet aspect de son travail lui plaisait. Il y excellait.

En l'apercevant, Lydia se surprit de sa réaction. Au lieu de l'agresser, la présence de monsieur X déclencha en elle un frisson de bien-être, une attirance qui la déstabilisa. Son antipathie première s'évapora en un souffle discret. Cet homme, son ennemi, qu'elle n'avait vu qu'une seule fois, mais dont elle avait si souvent capté les ondes, lui apparut soudain sympathique. L'image du monstre, déformée par le temps, la peur et ses fantasmes, s'estompait.

Était-ce sa virilité, sa contenance de vainqueur ou sa seule présence qui expliquait cette nouvelle perception ? Elle n'aurait su répondre. La logique de sa réaction lui échappa. S'estimant vulnérable, elle s'empressa d'évacuer ces chimères romantiques et son instinct de survie reprit son poste de garde.

Monsieur X donna un coup sec sur son paquet de cigarettes, en retira une et la lui offrit. D'un signe de tête, Lydia déclina l'offre, la considérant toutefois comme une marque de courtoisie.

L'homme des Anglais s'assit à demi sur le bord de la table, prit une longue inhalation et laissa s'envoler ce plaisir en deux longues traînées de fumée.

— Ces petites turques, quelles merveilles ! Toutes en corps, pleines de force et avec une personnalité si… exotique ! dit-il en regardant griller l'objet de sa jouissance.

Après cette entrée en matière, il s'arrêta. L'espace d'un éclair, leurs yeux se croisèrent avec intensité.

Il délogea un brin de tabac collé à sa lèvre inférieure avant de poursuivre.

— On ne vous traite pas trop mal chez les religieuses ?

— On me laisse vivre en paix avec mon fils… en attendant que vous décidiez de mon sort.

— Justement, j'ai voulu vous rencontrer aujourd'hui pour discuter de votre avenir et évaluer si vos projets peuvent concorder avec les nôtres.

Se montrait-il ironique, insolent, ou simplement présomptueux ? se demanda Lydia. Pourtant non. Le ton était amical. Toutefois, son intuition se substitua à sa petite voix. « Attention, ma fille, ne te laisse pas berner. »

Convaincu d'avoir piqué sa curiosité, l'Anglais poursuivit sur le même ton débonnaire :

— Depuis que vous êtes sous notre surveillance, nous avons eu la possibilité d'apprécier votre soif de vivre et votre habileté à contrer tous ceux qui entravent vos volontés.

— Vous y avez mis le temps, pour arriver à cette conclusion.

— Je vois que vous n'avez pas perdu de votre mordant, dit-il en souriant.

— Un de mes traits marquants, je suppose. Alors, si vous n'avez rien contre moi, je suis libre ?…

— Oh là là ! Vous sautez vite aux conclusions.

L'Anglais se leva et contourna la table pour venir s'asseoir en face d'elle.

— En fait, tout dépend de vous, continua-t-il.

— Ce qui veut dire ?

— J'aimerais que vous travailliez pour nous… pour les Alliés, j'entends.

— Travailler pour vous ! C'est une farce ? s'exclama-t-elle.

— Pas du tout ! Votre personnalité me permet de croire en vos talents potentiels pour ce genre de travail. Et comme vos convictions politiques sont à peu près inexistantes, il n'y aurait pas de conflit moral, n'est-ce pas ?

— Moi, une Mata Hari ? Vous voulez rire ? s'esclaffa-t-elle. Vous me traitez comme un danger public depuis mon arrestation et voilà maintenant que vous me demandez de collaborer avec vous. Vous êtes certain qu'il n'y a pas erreur sur la personne ?

Ignorant son ironie, il pivota vers le cendrier et éteignit son mégot, qui laissa flotter une odeur âcre dans l'air.

— De nos jours, les valeurs morales de la démocratie sont mises à rude épreuve. Le raz-de-marée nazi détruit tout sur son passage. Personne n'est épargné, pas même les enfants, les femmes et les vieillards. Si l'on n'arrête pas cette flambée de barbarie, toute l'Europe sera soumise au joug d'une dictature sanguinaire. Est-ce le monde dans lequel vous voulez voir grandir votre fils, Pierre ?

Chaque mot la frappait droit au cœur.

En psychologue averti, il se tut, certain que le trouble qu'il venait d'engendrer provoquerait la réaction souhaitée.

C'était réussi !

Cachant son malaise, Lydia rétorqua sans ambages :

— Je ne vous comprends pas ! Vos hommes n'ont pas cessé de m'accuser d'être une maudite Allemande ! d'affirmer que j'étais l'ennemie de votre cher Empire !

Elle s'arrêta et baissa la tête pour mieux réfléchir. Puis elle le brava d'un regard incendiaire.

— Et si, par loyauté envers mon pays d'adoption, je refusais, que se passerait-il ? Vous me fusilleriez ?

— Pouvez-vous vraiment vous permettre de rejeter mon offre du revers de la main, mademoiselle la comtesse ? Il est certain qu'un refus entraînerait de graves ennuis pour vous et votre famille. Ce serait dommage pour votre mère malade et Pierre qui est tout jeune. Toute leur vie gâchée à jamais à cause d'une mauvaise décision prise aujourd'hui !

— Si je comprends bien, vous me mettez au pied du mur…

— À vous de juger si mon offre en vaut la peine. En travaillant pour nous, vous éviterez d'être mise au secret dans une de nos prisons à sécurité maximale. Quant à votre famille, elle retrouverait la paix dans le confort du foyer de votre tante Annie. Sinon, votre mère et votre fils seront immédiatement renvoyés en Allemagne, et là, que trouveront-ils ? Bombardements, sévices, malnutrition… Et puisque votre beau-père est mort, il n'y aura personne pour les prendre en charge.

Le choc fut brutal. Lydia blêmit et tout son corps accusa le coup.

— Pardon, je croyais que votre mère vous l'avait annoncé.

— Ma mère n'a jamais su qui de son mari ou de son fils était mort, lança-t-elle d'un filet de voix. Le télégramme était illisible.

Il lui laissa le temps d'absorber le choc.

— Comment est-il mort ?

— Il a été exécuté pour haute trahison.

— Impossible. C'était un homme honnête et un bon Allemand.

Une force la poussa à s'éloigner du messager de mauvais augure. Malgré ses jambes flageolantes, elle se leva et arpenta la pièce pour mieux réfléchir. S'arrêtant devant George VI, elle le fixa, l'air de l'interroger. Même si la confirmation tant attendue lui était servie sans ménagement, elle l'encaissa avec un sentiment mitigé. La peine de perdre son presque père la révoltait, mais la rancœur contre son frère ne fit que s'alourdir.

Avec un regain d'énergie que seule la haine peut générer, elle choisit d'ignorer ses propres sentiments et d'aller de l'avant.

— Vous n'avez rien pour m'inculper. Sinon il y a longtemps que j'aurais goûté à votre médecine.

— Oh! Que oui! Nous ne sommes pas à court de chefs d'accusation… même s'il fallait en inventer. Si je le voulais, je pourrais vous mettre à l'ombre immédiatement.

Le recruteur débitait son chantage avec conviction. Un demi-sourire aux lèvres, il conclut:

— Et ce, jusqu'à la fin de la guerre, si la clémence d'un juge vous évitait la pendaison.

Le jeu se corsait. Lydia perdit le peu d'aplomb qui lui restait. Imaginer Pierre, errant dans les décombres fumants de maisons bombardées, lui assena le coup de grâce.

Malgré tout, elle voulut s'accrocher à sa bonne étoile. « Quel chantage mesquin! » se dit-elle. Ces Anglais devaient être désespérés de gagner cette sale guerre pour s'en prendre à des femmes et à un enfant sans défense.

— Si j'acceptais, qu'est-ce qui vous permet de croire que je ne retournerais pas ma veste? La trahison n'occupe-t-elle pas une place de choix dans les guerres?

— C'est un risque que je suis prêt à courir.

— Quoi qu'il advienne, je resterai toujours suspecte à vos yeux…

Moment décisif. Hésitation. Elle laissa glisser un doigt nonchalant sur le miroir comme si, soudain, elle comprenait que des yeux l'épiaient de l'autre côté.

— Si je conclus un marché avec vous, ce sera donnant, donnant.

— Vous vous croyez en position de négocier ?

— Si j'accepte, je veux qu'on reconnaisse notre nationalité canadienne par la délivrance de passeports pour nous trois. De plus, vingt-cinq mille dollars devront être déposés dans un compte à mon nom dans une banque de Montréal.

— C'est beaucoup. Je vais voir ce que je peux faire.

— De plus, je devrai être en possession des documents avant le début de notre association.

— La confiance règne, à ce que je vois !

— La confiance ne régnera pas du tout tant que vous me tiendrez dans vos griffes par le chantage.

— Vous connaissez la lenteur administrative du gouvernement… Je ne peux rien vous garantir.

Devant l'ouverture de l'agent de renseignement, Lydia retrouva son aplomb.

— Faites un effort. Plus vite vous aurez besoin de moi, plus vite vous accéderez à mes demandes, rétorqua-t-elle.

L'Anglais l'avait amenée là où il voulait. Mais pour la forme, il tenta de la pousser à reconsidérer ses exigences.

— Ne vous engagez-vous pas trop vite au nom de votre mère ? Après toutes ces années en Allemagne, voudrait-elle perdre sa nationalité ?

— Ma mère ne peut pas décider par elle-même. Mais je suis certaine qu'elle m'approuverait.

À son tour, monsieur X feignit de réfléchir. Il changea de position et exhiba la moue sombre des gens aux prises avec un dilemme.

Lydia jouait le tout pour le tout et c'est avec inquiétude qu'elle se demandait, en l'observant, si elle n'était pas allée trop loin.

— Je ne peux prendre une telle décision, finit-il par lâcher.

— Tout ce chichi pour rien. Vous n'avez donc aucune autorité ? lui lança-t-elle, furieuse.

— Il me faut en référer à mes supérieurs qui, eux, devront suivre les canaux habituels.

— Ce sera long ?

— Aucune idée… D'ici là, vous retournerez chez les religieuses jusqu'à nouvel ordre.

Lydia lança, d'un ton dépourvu d'animosité :

— Vous vous complaisez dans le malheur des autres comme un vautour qui tourne autour de sa proie. Que se passera-t-il maintenant ?

— Vous verrez, lui répondit-il en se dirigeant vers la sortie.

Monsieur X s'éclipsa devant une Lydia décontenancée. En l'espace de quelques minutes, elle avait eu en main un jeu gagnant et voilà que son intransigeance le lui avait retiré. Elle s'en mordait les doigts.

Rubis et Beatty, qui n'avaient rien perdu de leur échange, grincèrent des dents.

— Nous perdons un temps précieux. Pourquoi ne pas négocier tout de suite ? Je ne vois pas où il veut en venir avec toutes ces tergiversations, dit le Canadien.

En femme d'expérience, Rubis lui expliqua son point de vue :

— J'ai cru déceler dans sa façon d'être un je-ne-sais-quoi… À vrai dire, j'ai l'impression qu'il est amoureux d'elle. Ça crève les yeux, en fait.

Beatty secoua la tête et laissa échapper entre ses lèvres serrées :

— Je m'en doutais ! Pourvu que ce ne soit pas le début de nouveaux problèmes…

Déçue du cours des événements, Lydia retourna à l'hôpital comme on rentre en prison après avoir juste eu le temps de flirter avec la liberté.

◆

Fin de l'après-midi, le même jour. New York, trente-cinquième étage du Rockefeller Center.

Sur la plaque de cuivre astiquée, on pouvait lire : *Bureau du contrôle des passeports britanniques*. Derrière cette façade se cachait le BSC (British Security Coordination), c'est-à-dire les services de renseignement britanniques pour les Amériques. Par sa présence dans la mégapole américaine, l'Angleterre s'offrait une vitrine sur les activités subversives dans le Nouveau Monde tout en comblant les besoins en matière d'espionnage et de contre-espionnage du Canada et des États-Unis, jusqu'alors presque inexistants dans ce dernier pays.

Avec l'entrée en guerre des États-Unis, le président Roosevelt chargea William J. Donavan, dit « Wild Bill », de créer un service d'espionnage et de contre-espionnage d'après le modèle britannique, l'OSS (Office of Strategic Services).

William Stephenson, de son nom de code « Intrepid », patron des opérations clandestines britanniques dans les Amériques, écoutait avec attention l'exposé de Bob Rowland sur l'ouverture des installations du Camp X, aussi appelé Special Training School 103, en Ontario. La satisfaction se lisait sur le visage d'Intrepid, initiateur de cette grande aventure du premier camp d'entraînement des espions alliés en terre nord-américaine. L'opération se déroulait comme prévu.

Après avoir félicité son subalterne pour son travail efficace, Intrepid prit une dépêche sur son bureau et lut le message. Classé « Cosmic », il provenait du cabinet de guerre du premier ministre Churchill.

> Avons certitude qu'une taupe a infiltré nos services de New York et du Canada. Exige enquête immédiate.

Intrepid se tourna vers B et lui dit d'une voix monocorde :

— Si cela s'avère, nous avons un gros problème. Vous devez agir vite. Trouvez-moi ce ver dans la pomme. Vous avez mon entière confiance. Il n'y a que vous et moi, ici, qui soyons au courant de cette menace. Personne d'autre ne doit être mis dans le secret. Je vous donne carte blanche. À vous de jouer, et vite !

◆

Trois heures du matin, le lendemain. Dans une jeep de l'armée, deux policiers militaires ramenaient Lydia, encore sous le choc de son réveil brutal, au quartier général de la RCMP.

Dans le brouhaha du QG, on n'aurait pas cru que la ville dormait, tellement la ruche militaire s'affairait, plus fébrilement qu'à l'accoutumée.

Au bout du couloir, dans la salle des interrogatoires, monsieur X, en personne, l'attendait. Une cigarette collée à la commissure droite de ses lèvres, l'air sombre, les yeux rougis par le manque de sommeil, il l'interpella sans un préambule de politesse.

— Asseyez-vous, Lydia. Mes supérieurs ont étudié vos demandes. Maintenant, tout dépend de vous. Vous obtiendrez vos passeports, mais seulement à votre retour de mission. Votre mère et votre fils seront soumis à la même condition. C'est tout ce que j'ai pu obtenir.

— On ne néglige aucun moyen pour me garder dans la bonne voie…

— Vous aurez vos passeports. Parole d'officier.

— Et l'argent ?

— C'est une autre histoire. L'Empire ne peut s'offrir un agent à prix d'or. Et, par surcroît, vous n'êtes rien pour nous actuellement. Cependant, pour vos services, vous recevrez la solde hebdomadaire prévue pour un officier britannique.

Monsieur X la gratifia de son sourire le plus convaincant et ajouta :

— De votre côté, vous avez réfléchi ?

S'obstiner pour obtenir plus devenait trop risqué, pensa-t-elle.

Une dernière hésitation. Un simple geste, un seul mot, et il n'y aurait plus aucun retour en arrière possible.

Une coulée de sueurs froides mouilla son corsage. Un frisson. Sa vie était garante de celles de sa mère et de son fils. Il n'y avait pas d'autres issues. Il fallait plonger !

— Marché conclu ! s'entendit-elle échapper dans l'écho de la pièce.

— Marché conclu ! Bienvenue parmi nous, lui dit-il en lui tendant une main aussi virile que chaleureuse.

Instinctivement, il amorça un mouvement vers elle pour l'embrasser, mais s'arrêta net. Il ajouta :

— Vous voilà engagée comme secrétaire-traductrice par un important homme d'affaires de New York. Cette couverture devient la raison officielle de votre absence auprès de votre mère.

D'un geste décidé, elle empoigna sa large main. Ce n'était plus un contact avec la peau de l'ennemi, mais avec celle d'un homme qui représentait sa seule planche de salut.

Dans l'antichambre, Rubis et Beatty lâchèrent un soupir de soulagement tout en se félicitant de la tournure des événements. Si cette opération de recrutement qui durait depuis trop longtemps avait échoué, leur carrière et leur réputation en auraient pâti.

Beatty conclut, un brin sarcastique :

— À le voir la regarder, je dois me ranger à votre avis. Il est amoureux. Si je ne connaissais pas son professionnalisme, je m'inquiéterais ! Tant qu'il en restera aux regards, on est en sécurité.

— Vous voulez mon avis de femme ? Il ne réalise pas encore qu'il éprouve un sentiment pour la belle Allemande.

7

Cinq jours après l'attaque de Pearl Harbor, à la gare Windsor de Montréal, le chef de gare s'époumonait. « *Last call for Three Rivers, Quebec City, Chicoutimi, now boarding gate number 45!* Dernier appel pour Trois-Rivières, Québec, Chicoutimi, embarquement immédiat porte 45. *All aboard!* » La voix de stentor couvrait le bourdonnement qui régnait dans l'imposante salle des pas perdus où, bien en évidence au milieu du hall, l'horloge géante marquait vingt-trois heures.

— Dépêchons, c'est notre train, lança l'infirmière qui poussait le fauteuil roulant de Claire von Ems d'un pas rapide mais prudent sur le terrazzo mouillé.

Lydia les suivait en longues enjambées, son Pierre bien serré contre elle, malgré ses vingt-six livres. À sa droite, la tante Annie, du haut de ses quatre pieds dix pouces, ne s'en laissait pas imposer par les voyageurs pressés qui les bousculaient. Deux porteurs noirs en uniforme et gantés de blanc poussaient des chariots débordant de valises de luxe. Sur le dessus de la pyramide, deux valises plus modestes détonnaient dans le lot.

Pendant la détention des deux femmes von Ems, Anita, leur ex-femme de chambre, avait gardé tous leurs effets au sous-sol de son logement. C'est avec son aide que Lydia avait préparé leurs bagages.

— S'il y a un problème, appelez au numéro de téléphone que je vous ai donné. La réceptionniste pourra toujours me joindre à mon bureau de New York. Dès que j'en aurai la chance, je vous contacterai, dit Lydia à sa tante.

La séparation la rendait fébrile. Elle tenait à parer à toute éventualité et à faciliter le retour des siens à la vie normale. Tout devait être parfait. Lydia s'en faisait un cas de conscience.

— Ne t'inquiète pas, ma p'tite fille, je vais bien m'occuper d'eux. Le grand air du Saguenay va les requinquer, je t'en passe un papier. Fie-toi sur moi, ils ne manqueront de rien. Et pis, ça me fait tellement plaisir de retrouver ma sœur après toutes ces années.

Une poussée de larmes humidifia ses yeux.

— Je croyais ne jamais la revoir. C'est bien loin, les vieux pays !

— Ne lésinez sur rien. Achetez ce qu'il y a de mieux, même des chocolats fourrés et de belles robes comme maman les aime.

— Du chocolat fourré… ben, on trouve pas ça de par chez nous… Je lui ferai du sucre à la crème.

Les bras noués autour du cou de sa mère, Pierre s'amusait à séparer les brins de soie de la plume de faisan piquée à son feutre. À tout bout de champ, il s'esclaffait et lançait : « Oiseau, oiseau… maman ! »

Au portail de fer forgé séparant le hall des quais, un préposé vérifia leurs billets et pointa le doigt vers le débarcadère 45.

Dans un chassé-croisé de courses, de saluts d'adieux et de larmes essuyées à la sauvette, les passagers vivaient leur départ en un crescendo d'émotions. Des essaims de soldats, baluchon et fusil en bandoulière, embrassaient longuement leur fiancée ou leur femme une dernière fois.

Des enfants s'émerveillaient de l'activité hétéroclite de la gare.

La locomotive poussa un long sifflement. Accélérant le pas le long des wagons, les femmes furent enveloppées par des nuages de vapeur blanche. Lydia guida le groupe essoufflé en direction du chef de train qui les hélait avec de larges signes de la main, en agitant sa lanterne de l'autre main.

Deux hommes hissèrent Claire sur la plateforme. L'infirmière aménagea la couchette dans le compartiment qui leur était réservé. Avec délicatesse, on transféra la malade dans des draps blancs amidonnés entre lesquels elle voyagerait pour les quinze prochaines heures. Moment éprouvant pour Lydia. Jusqu'à la dernière seconde, chaque geste, chaque regard prenaient une signification symbolique.

La tante Annie qui les observait ne put réprimer un pincement au cœur.

— C'est le temps de partir, ma p'tite…

Des larmes perlèrent aux yeux de Lydia, qu'elle tenta en vain de refouler pour ne pas inquiéter son fils.

— Bobo… maman ? Pas bobo !

Lydia lui souffla à l'oreille :

— Maman t'aime beaucoup. Avant de dormir, ferme les yeux et je serai là pour te souhaiter bonne nuit. Maman revient bientôt.

Lydia sortit de son sac à main un camion de pompier tout rouge. Les yeux pétillants de joie, Pierre le lui arracha des mains. C'était un cadeau de monsieur X.

L'infirmière ajusta une dernière fois l'oreiller de sa patiente et lui pressa amicalement la main.

— Que Dieu vous vienne en aide ! Bon voyage, madame la comtesse.

À son tour, Lydia se pencha vers sa mère, qui la fixait sans la voir. Elle l'enlaça avec tendresse.

— Je vous aime tant…

— Mademoiselle, il faut descendre ! insista le contrôleur qui avait assisté à la scène avec un brin d'attendrissement.

— Pars en paix. N'oublie pas, notre petite maison t'est grande ouverte. Je vais prier pour toi, dit la tante Annie avant de l'embrasser.

— Il est l'heure, mademoiselle… S'il vous plaît! répéta l'homme, avec regret.

Sans se retourner, Lydia sortit du compartiment. Imitant les grandes personnes, Pierre agitait les bras vers sa mère sur le quai.

— Maman! Maman! hurla-t-il en pleurnichant.

— Je t'aime, je t'aime, mon bébé!

Le cœur brisé, Lydia se gava des dernières images du train qui rapetissait à vue d'œil dans le bruit et la fumée. Une partie de son âme se liquéfiait, annihilant sa volonté de rester forte.

Dix minutes plus tard, Lydia avait toujours les yeux braqués sur l'horizon. L'entrée en gare d'un train la sortit de sa torpeur. Résolument, elle assécha ses joues et respira profondément. Le mauvais rêve finirait bien par s'estomper, se dit-elle. Reprenant courage, elle revint au but réel de sa présence à la gare et suivit les instructions de son agent de liaison. Avec ses deux valises défraîchies, elle traversa la cour de triage vers la dernière rampe d'accès. À peine éclairé par un réverbère solitaire, un wagon noir, anonyme, attendait ses passagers spéciaux. La locomotive ronronnait déjà. Elle fit glisser ses bagages sur la plateforme. Un militaire dont l'uniforme ne portait aucune marque d'identification vérifia sa carte d'identité. Avant de lui assigner une place, il lui ordonna, pour des raisons de sécurité, de ne pas ouvrir le store de la fenêtre de son banc de toute la durée du voyage. Dès son entrée dans le wagon, la dizaine d'hommes qui l'occupaient déjà l'examinèrent comme un animal étrange. Quinze minutes plus tard, le train fantôme s'esquivait dans la nuit glaciale.

Vers cinq heures du matin, un militaire brisa le silence en annonçant la fin du voyage. Certains passagers se réveillèrent pendant que d'autres fermaient leur livre en bâillant. Lydia, qui s'était accordée quelques heures de sommeil, s'étira discrètement avant de sortir son poudrier pour se refaire une beauté.

En descendant sur le quai d'une petite gare, au nom masqué par du papier, Lydia fut agressée par le froid cinglant de l'aube et la poudrerie.

Les recrues s'entassèrent dans des jeeps de l'armée. Empruntant une route principale, le convoi traversa des terres agricoles s'étendant à perte de vue. Ces champs enneigés, typiques des paysages de la campagne canadienne, n'annonçaient rien d'inhabituel. Lydia éprouva un douloureux sentiment de solitude.

Dix minutes plus tard, le véhicule de tête s'engouffra dans un étroit sentier boisé dont l'entrée était camouflée. Croulant sous le poids de la neige, les arbres s'arc-boutaient en une haie de stalactites brillantes sous l'effet de la lumière vive des phares. Frôlant un pin géant, les jeeps furent saupoudrées d'une poussière de neige.

Un panneau se balançait au gré du rythme de la brise hivernale. Lydia y déchiffra un mot: Glenrath. Au loin, une imposante maison victorienne et ses dépendances surgirent de l'obscurité. Tournant à faible régime, la jeep toussota. Après une manœuvre habile du chauffeur, elle reprit son rythme.

À sa droite, Lydia aperçut les arêtes des toits qui se profilaient sous de puissants projecteurs. Une cinquantaine de mètres plus loin, les moteurs stoppèrent à l'unisson. Son voyage se terminait dans ce cul-de-sac où la nuit étoilée se mariait à l'immensité d'une nappe de neige luisante. Un silence inconfortable enveloppa la colonne des arrivants.

8

— Mademoiselle et messieurs, bienvenue à la Ferme. Bienvenue en enfer !

Vêtu d'un kilt, l'officier accueillit les recrues avec l'autorité d'un militaire de carrière.

— Je me présente : je suis Neptune, le commandant de ce camp. Vous êtes au STS 103 ou Special Training School 103. Entre nous, ce sera le Camp X. Au cours des prochains mois, vous plongerez dans un monde où la vérité n'est que leurre, mensonge et mystification.

Il ralentit son débit et balaya la salle d'un regard dominateur.

— Vous avez été triés sur le volet pour votre personnalité, vos qualités, vos travers et, aussi, vos perversions. À chaque instant de votre formation, vous aurez à vous surpasser comme jamais auparavant. Vous encaisserez les pires humiliations au point de vouloir tout laisser tomber. Ce sera normal. Vous serez confrontés à vous-mêmes, et seuls les plus forts réussiront. Lorsque vous sortirez d'ici, vous compterez parmi les meilleurs agents sur le terrain !

Il esquissa un rictus amusé devant la réaction mitigée des recrues. Pour ceux qui avaient cru que l'exotisme faisait partie du jeu, les paroles du commandant ne laissaient pas de place à l'ambiguïté.

— Dès maintenant, rappelez-vous qu'à chaque seconde vous évoluez en terrain ennemi. Soyez sur le qui-vive. Votre vie ne tient qu'à votre vigilance.

Avec un sourire narquois, il ajouta :

— Vous êtes dans un camp militaire en période de guerre et non dans un camp de vacances. Pour que vous puissiez mieux comprendre l'état précaire de votre situation, je vous informe que toutes les armes à feu sont chargées de balles véritables, même pour les entraînements.

Un murmure étonné parcourut la salle.

— Il est six heures. Le petit déjeuner sera servi exceptionnellement à huit heures quinze précises. Profitez de vos dernières heures de liberté. N'oubliez pas qu'à la fin de votre stage vous serez considérés comme l'élite des services de renseignement alliés. La victoire finale de la démocratie et de l'Empire sera intimement liée à votre travail.

Il allongea le bras et ses doigts formèrent le V de la victoire.

L'entrée en matière avait atteint son but. La vulnérabilité des recrues se lisait sur leur visage. Lydia en fut quitte pour une crampe à l'estomac.

◆

Dans la chambrette qu'on lui avait assignée, à peine assez grande pour accueillir un lit de camp et un casier de rangement, elle se pressa de vider la valise contenant ses vêtements chauds. Pour se plier aux mesures de sécurité, elle avait coupé les étiquettes de tous ses vêtements et laissé ses objets personnels aux bons soins de la tante Annie. Pas de papier à lettres personnalisé, de pièces d'identité, de photos de famille, ni aucun souvenir. Rien ne devait permettre de l'identifier. Pas même au camp.

Avant de s'allonger, elle glissa sous le sommier de fer l'autre valise contenant des vêtements d'été. Puis elle s'endormit, terrassée d'épuisement.

Une heure et demie plus tard, la sirène la sortit brutalement d'un sommeil agité. Dépaysée, il lui fallut un certain temps pour réagir. Elle jeta un coup d'œil par la fenêtre. Le soleil levant traversait timidement les nuages en suspension au-dessus de l'immensité d'un lac.

◆

En ce temps de guerre, le site militaire le plus secret d'Amérique du Nord se cachait dans le décor bucolique de la ferme de Glenrath, à Whitby, dans la province d'Ontario, au Canada.

Réponse aux souhaits émis par le premier ministre Winston Churchill en juillet 1941, le projet de créer une école d'espionnage britannique en Amérique, dans la lignée des dizaines d'autres disséminées en Angleterre, au Moyen-Orient et en Extrême-Orient, fut appuyé par Mackenzie King, premier ministre du Canada, et applaudi par Franklin D. Roosevelt, président des États-Unis. Churchill chargea son ami et homme de confiance sur le continent, William Stephenson, alias Intrepid, de la réalisation de ce projet. Avant la guerre, ce Canadien s'était distingué par ses talents d'homme d'affaires et d'inventeur.

Selon ses directives, ce premier centre d'entraî-nement, auquel serait intégré le siège d'Hydra, un centre de communications et de décodage, devait être établi au Canada, à proximité des États-Unis, dans un endroit isolé et, de préférence, près d'un cours d'eau. En septembre 1941, Alfred James Towle Taylor, un ami de Stephenson et homme d'affaires influent de Vancouver, achetait, sous le couvert de la Rural Realty

Company Ltd., les deux cent soixante acres de la ferme de Glenrath, pour la somme de douze mille dollars.

Construit en bordure du lac Ontario, le Camp X allait à sa manière influencer la petite ville de Whitby, en périphérie d'Oshawa, royaume de la General Motors. Stratégiquement situé dans le triangle Toronto-New York-Montréal, il était desservi par tous les moyens de transport. À peine à une heure de Toronto, à quatre heures de Montréal et à deux heures d'avion de New York ou de Washington – et non loin, par bateau, de Rochester, de l'autre côté du lac sur la rive américaine –, le site répondait parfaitement à toutes les attentes et les vues de l'Angleterre de ce côté-ci de l'Atlantique.

Propice à l'entraînement à la guérilla, le terrain relativement plat était bordé d'un marais, d'un littoral rocailleux à peine escarpé, semblable à celui des côtes françaises, et d'une plage sablonneuse. Un boisé de marronniers et de pins formait une barrière naturelle contre les intrus.

Grâce au travail acharné des centaines de soldats du Canadian Corps of Engineers, le campement fut aménagé en moins de quatre mois. Le 9 décembre 1941, le Camp X, nommé, dans les dossiers du gouvernement canadien, Project J, J Force, Special School J ou Installation J, ouvrait ses portes aux premières recrues internationales et demeurerait sous le commandement d'officiers britanniques jusqu'en 1944.

◆

En sortant dans l'air glacé vêtue d'un uniforme militaire, Lydia se laissa guider, entre les six ou sept baraques, par les arômes de café, de pain grillé et d'œufs frits.

Quand elle entra dans la cantine, un silence soudain l'accueillit. Sans perdre contenance devant la trentaine d'hommes, elle se dirigea vers le comptoir et commanda son repas. Un jeune homme, au teint basané et à l'allure entreprenante toute latine, l'aborda.

— Puis-je… ? lui demanda-t-il avec empressement en indiquant le plateau.

Gentiment, Lydia déclina son offre d'un léger signe de tête.

La glace ayant été rompue, la salle retrouva son animation.

— Je suis Brutus, dit le jeune homme en tendant la main à Lydia.

— Moi, c'est Émeraude, répondit-elle, amusée de s'entendre prononcer pour la première fois son nom de code.

Ils s'installèrent à une longue table de réfectoire où six civils ingurgitaient avec appétit leur copieux déjeuner. Avec plus ou moins d'intérêt pour elle, ils se présentèrent par leur nom de code. Lydia reconnut des accents américain, français, irlandais, anglo-canadien et britannique. Par la réaction froide que lui réservèrent certains de ces hommes, elle comprit qu'elle n'était pas la bienvenue dans leurs rangs. Elle s'y attendait et n'en fut pas blessée. Trente minutes plus tard, un appel au micro les sommait de se regrouper dans le bâtiment principal.

Aménagé en partie pour les cours théoriques de base, il n'avait de rustique que le plafond et les planchers de pin brut. Tapissés entre autres de cartes géographiques, les murs exposaient une panoplie d'uniformes, d'insignes et d'armes des différents corps d'armée de l'Axe. Cet environnement plongea les recrues dans l'ambiance des mois à venir. Ce premier contact avec l'ennemi se voulait stimulant. Un instructeur, à la voix de sergent-major, les accueillit :

— Bonjour, je me nomme Pogoria. Je suis le chef instructeur. Vous vous êtes reposés ?

Quelques-uns, dans son auditoire, s'aventurèrent à répondre.

— … parce que, dès maintenant, je ne vous laisserai plus souffler. De jour comme de nuit, vous vivrez la guerre comme elle se joue sur le terrain. Voici quelques renseignements utiles. Comme vous l'avez constaté, il y a parmi vous des civils et des militaires. Jusqu'à votre départ en mission, vous serez tous considérés sur un pied d'égalité, comme des militaires. Sans exception, mademoiselle !

Son regard s'arrêta sur Lydia.

— Bien que les femmes soient rarissimes dans nos rangs, elles sont traitées sur le même pied que leurs confrères. Et surtout, pas d'histoires de cul ! Je me fais bien comprendre ?

Lydia s'empourpra devant les regards amusés et appuyés par des rires gras.

Court sur pattes, l'instructeur possédait la carrure d'un haltérophile.

— Passons maintenant au premier règlement du camp : la discipline. Obéissez aux exigences de vos instructeurs, même à ce qui vous paraîtra des caprices ou des détails. Dans la pratique, chaque geste a sa raison d'être. Attention, la moindre incartade entraînera automatiquement une punition. Comme dans l'armée. Règle numéro deux : la discrétion. Comme vous avez pu en juger par le secret qui a entouré votre arrivée, cet endroit est classé ultrasecret. Dans les faits, il n'existe pas comme tel dans aucun registre. Officiellement, nous ne sommes qu'un camp militaire comme un autre. Dans les circonstances, je ne vous rappellerai jamais assez l'importance d'observer cette règle à la lettre. Celui qui la violera s'exposera à la mise aux arrêts ou à la cour martiale pour atteinte à la sécurité de l'État. Enfin, restez sur vos gardes. Gardez à l'esprit qu'il y a peut-être parmi vous un traître, un espion planté par l'ennemi, une taupe…

Le regard méfiant, quelques recrues se lorgnèrent les unes les autres.

— Si vous tenez à la vie, ces règles d'or doivent s'ancrer en vous et guider dorénavant toutes vos actions.

Se tournant vers le tableau noir, il écrivit: *Connais-toi toi-même! Connais tes armes! Connais ton ennemi!*

— Ces principes forment la base de notre enseignement. Vous aurez un programme de cinquante-deux cours. Et pour répondre aux exigences de vos missions spécifiques, chacun d'entre vous recevra un entraînement sur mesure.

Il fit une pause et prit un air grave.

— Ici, la vie et la mort ne sont pas des vues de l'esprit. Vous y serez confrontés quotidiennement dans des circonstances où la nécessité de tuer devra l'emporter sur vos principes moraux. Dix instructeurs ont la mission de vous transformer, en peu de temps, en efficaces combattants de l'ombre. Je vous les présente.

Avec fierté, des spécialistes de plusieurs disciplines résumèrent leur champ d'expertise: un champion de tir, spécialiste dans le maniement de tous les types d'armes; un professeur de sciences connaissant le secret des explosifs comme outil de sabotage; un champion de lutte, catégorie poids lourds, passé maître dans les combats à mains nues et l'art de tuer en silence; un acteur célèbre qui enseignerait l'art du camouflage, du déguisement et du maquillage; un ancien policier dont les cours porteraient sur la filature, l'évasion et l'interrogation de prisonniers; un auteur de best-sellers qui aborderait la propagande et la déstabilisation; un radio-amateur qui enseignerait les diverses méthodes de communication.

Contrairement à ce qu'elle avait anticipé, Lydia s'enthousiasma pour la force brute, la clandestinité, et le pari qu'elle allait tenir avec elle-même. Ce qu'elle décodait du jargon guerrier des experts l'amena à mieux saisir l'expression « vivre sur la corde raide ».

— Nous terminerons par un as des codes et des messages chiffrés qui vous transformera en véritables pianistes. Je vous présente Rubis.

Des sifflements admiratifs fusèrent dès l'entrée de la jeune femme. Encore concentrée sur les grandes lignes du dernier exposé d'un maître graveur sur la fabrication de faux documents, Lydia regarda distraitement s'avancer la personne annoncée. Toutefois, dès ses premières paroles, elle sursauta et laissa échapper d'une voix étouffée :

— Non, ce n'est pas vrai !

Ses soupçons étaient donc fondés. Son ennemie, dans toute la splendeur de sa féminité et l'assurance de ses compétences, leur souriait. La trop charmante sœur Luce, au dévouement indéfectible, l'avait dupée sur toute la ligne. La garce !

— Ça ne va pas ? On dirait que vous avez vu un revenant, lui souffla Brutus.

— Vous ne pouviez pas mieux dire. Cet endroit est une véritable boîte de Pandore !

Son amie Luce, si légère, si angélique, avait cédé la place à une femme qu'elle ne connaissait pas, au visage trop maquillé, au port altier presque militaire et dont le timbre de voix déterminé imposait l'écoute.

L'exposé de Rubis terminé, la salle se vida rapidement.

— Vous venez ? lui demanda son voisin. C'est l'heure de la visite des installations.

— Je vous rejoins plus tard.

Lydia voulait remettre de l'ordre dans ses idées. À une vitesse folle, une suite d'images la bombarda. Elle se revoyait dans les jardins de l'hôpital avec son fils et Luce, volant des moments de bonheur au sinistre quotidien. Après l'incident des lettres, elle croyait que le temps allait effacer sa déception. La vérité était tout autre. Que faire ? Ignorer Luce ? Lui dire le fond de sa pensée ?

Le claquement régulier de talons hauts sur le plancher se rapprochait.

Lydia n'eut pas le temps de se triturer l'esprit pour trouver une échappatoire. Sa faculté d'adaptation prit donc le relais.

Pour ne pas provoquer l'agressivité qu'elle anticipait de la part de Lydia, Rubis alla s'asseoir loin derrière elle.

Le regard fermé, Lydia l'ignora. Trop fière, elle n'allait pas s'abaisser à engager le dialogue. La tourmente grondait en elle.

Après quelques minutes d'un silence lourd, l'agent brisa la glace :

— À ta place, j'éprouverais aussi une grande déception. Je penserais même à me venger. Cela dit, il faut te rendre à l'évidence. Tu fais maintenant partie d'un grand jeu dont tu es un des pions !

— Un jeu ? explosa Lydia en se tournant brusquement vers elle. Tu as abusé de ma confiance.

— Dans notre monde, il n'y a pas de place pour le romantisme et la candeur. Voilà ta première leçon… Elle t'ébranle, mais elle t'aidera à t'endurcir… Si tu n'y arrives pas, je ne donne pas cher de ta peau. Crois-en mon expérience.

— Tu étais mon amie, n'est-ce pas ? supplia presque Lydia.

L'espionne soutint son regard.

— Tu le crois vraiment ?

Puis, changeant de registre, elle ajouta :

— C'était une mission fort agréable, soit dit en passant. J'adore ton fils. Ces quelques mois avec vous m'ont reposée en m'éloignant des difficultés des missions derrière les lignes ennemies.

— Et les lettres, qu'est-ce qu'elles sont devenues ?

— Évidemment, j'ai dû les remettre à Smith…

C'est alors que Lydia comprit la raison profonde de sa déception. Ce n'était pas tant la manipulation dont elle avait été l'objet, mais la trahison. Pour la première fois, elle avait éprouvé de l'amitié pour une femme et l'avait hissée sur un piédestal auquel seule sa mère avait eu droit.

— Ton amour-propre est bafoué. Crois-moi, tu t'en remettras. Pour le moment, tu dois te concentrer sur l'entraînement et ne pas t'encombrer de sentiments.

— Ton métier t'a dénaturée. Quel être es-tu devenu ?

Sans pudeur, Rubis répliqua :

— Tu as vu juste. Je n'ai pas de cœur. Un exploit dans ma vie ! J'ai tout refoulé et c'est pour ça que je suis en vie aujourd'hui ! s'exclama-t-elle avec un demi-sourire chagrin. Pour y arriver, il m'a fallu une grande force de caractère. D'ailleurs, c'est pour une force semblable décelée chez toi qu'on t'a choisie.

Devant le déchirement de son élève, Rubis s'arrêta. D'un ton d'encouragement, elle ajouta :

— Avant qu'ils ne me prennent en main, je te ressemblais. Regarde-moi, aujourd'hui. On peut changer quand la cause dépasse l'individu !

L'agente se leva et s'approcha. En signe de réconciliation, elle posa une main sur son épaule.

Lydia ne l'entendait pas de la même façon.

— Je ne serai jamais comme toi ! riposta-t-elle.

— L'avenir le dira ! Pour le moment, tu as beaucoup à apprendre. À dissimuler tes sentiments, par exemple. Ton visage est trop expressif et pourrait te trahir. Bon, assez d'épanchements. Va rejoindre les autres. Un dernier conseil, ne perds pas de temps à réfléchir inutilement.

Rubis se pencha et murmura :

— Ici, je suis Rubis et tu ne me connais pas ! Rien ne doit transpirer de l'épisode de l'hôpital. Néanmoins, je veillerai sur toi. Mon rôle est de m'assurer que la confiance que nous avons mise en toi est à la hauteur de nos attentes.

Elle fit une pause et ajouta :

— Bonne chance, tu en auras besoin !

À quelques pas de la sortie, elle se retourna, le regard empreint de douceur.

— J'espère que le petit Pierre va bien, ajouta-t-elle encore, sans attendre de réponse.

« Tiens donc ! Dire qu'elle se vante de ne pas avoir de cœur », pensa Lydia.

En se levant pour rejoindre les autres, elle se dit que, si elle voulait survivre aux prochains mois, cette Rubis avait raison. Elle se répéta qu'elle devait s'aguerrir pour ne pas hypothéquer son avenir.

En traversant la cour principale, elle se promit qu'à la fin de son entraînement l'autre femme qui sommeillait en elle, celle que monsieur X semblait avoir perçue, émergerait forte d'une carapace à toute épreuve. Pour le meilleur ou pour le pire !

Lydia termina la journée survoltée. La tête bouillonnante d'expressions et d'acronymes militaires indéchiffrables pour un civil, elle dut admettre que, pour se maintenir au diapason de ses coéquipiers, il lui fallait apprendre vite et exercer une flexibilité intellectuelle de tous les instants.

Dès le lendemain s'amorça un entraînement de commando.

Progressivement, la fébrilité engendrée par l'état de guerre qui planait sur le camp s'empara de tous. Et comme les autres, Lydia s'y adapta sans trop de heurts. Plus encore, elle s'en imprégna. L'agitation mêlée à la peur et à la tension omniprésentes comblait inconsciemment des besoins qui lui étaient encore inconnus, mais non moins essentiels à son épanouissement.

Quelques jours plus tard, Lydia était convoquée, aux aurores, au bureau de Neptune, le commandant.

Celui-ci était en compagnie de Pogoria, l'instructeur en chef. Un imposant Union Jack couvrait une bonne partie d'un mur dans la petite pièce spartiate. Sur la table de travail, pas un crayon, pas un dossier, rien qui eût pu révéler l'importance du locataire des lieux.

Neptune, comme à son habitude, portait son kilt. Avant d'aborder son propos, il attendit que Lydia prenne place devant lui. Pour cet homme de guerre, le temps accordé aux bavardages représentait des minutes volées à l'heure de la victoire finale de l'Empire.

Il entra donc dans le vif du sujet.

— Dans quelques mois, vous serez envoyée en Guyane britannique, notre colonie d'Amérique du Sud. Vous aurez pour mission d'identifier le chef d'un réseau de sympathisants pro-Allemands qui dirige un groupuscule d'autonomistes, composé de Nègres et d'Indiens. Pour ces terroristes, tous les moyens sont bons pour nous rendre la vie impossible. Leur but avoué est d'évincer les compagnies étrangères comme la canadienne de l'aluminium, Alcan, propriétaire d'une bonne partie des mines du pays. La population le surnomme Aigle Blanc. Selon nos maigres renseignements, il travaillerait en étroite collaboration avec un agent allemand du nom de code Pluton. Son réseau se spécialise dans la collecte d'informations sur le trafic maritime de la mer des Caraïbes. Notre service du chiffre aux Bermudes a intercepté plusieurs de ses messages à destination de Berlin, portant principalement sur les chargements de bauxite et le trafic maritime dans le port de Georgetown et la région. À notre avis, il est la principale source d'informations derrière les attaques des U-Boots dans cette partie du monde. Nous voulons l'interroger. Il nous le faut vivant.

Lydia établit le lien entre l'Alcan et Arvida et pensa aussitôt à sa mère, alitée dans la maison de sa tante Annie. Elle se garda de partager ses pensées. Il connaissait tout d'elle, ce n'était donc pas nécessaire de rappeler ce détail.

— Je n'ai aucune expérience…

— Ne vous inquiétez pas, lui répondit le commandant. Nous avons déjà un agent sur place avec qui vous ferez équipe. Il se nomme Michael Bolton. C'est un homme d'affaires guyanais, exportateur de sucre. Voici sa photo.

Lydia mémorisa la physionomie de l'agent dans la jeune quarantaine, aux traits fins et anguleux, aux yeux noirs perçants, aux sourcils en broussailles et marqué d'une balafre sur la joue gauche.

Pogoria ajouta :

— Si vous débusquez un de ces sympathisants, vous serez sur la bonne voie pour faire sortir Aigle Blanc et Pluton de leur tanière.

Neptune poursuivit.

— Vous serez Hélène LeSieur, en vacances chez votre oncle, Ernest LeSieur, un tenancier de bar au passé trouble qui alimente la capitale en jeunes et jolies filles. Votre passeport indiquera Montréal comme lieu de naissance, le même que celui de votre oncle.

— Parle-t-il français ?

— Oui. Il est polyglotte… et québécois d'origine. Il vous mettra en contact avec Bolton.

Pogoria le coupa :

— Son pub a pignon sur rue dans le port de Georgetown. En habitant chez lui, vous aurez le meilleur point d'observation sur les activités portuaires. Les autres détails pertinents à votre mission vous seront dévoilés au fur à mesure de votre entraînement.

Étonnée et enchantée à la fois de l'envergure de sa première mission, Lydia ne savait que dire. Quant aux deux militaires, même s'ils s'étaient abstenus de commenter la décision de leur chef de confier une mission si importante à une débutante, ils considéraient le choix comme hasardeux. Mais l'ordre d'un supérieur ne devait jamais être discuté.

Pogoria énuméra les cours prévus à son intention. Aux matières communes à tous, il avait ajouté des entraînements plus pointus de combats à mains nues, d'utilisation d'armes blanches, de maniement d'explosifs et des exercices de sabotage, ainsi qu'une initiation à la survie dans la jungle. Pour alléger le poids de l'interminable liste, il crut bon de préciser :

— Plusieurs techniques de défense et certaines armes ont été mises au point pour faciliter le travail de nos agents féminins.

Lydia laissa poindre un sourire forcé.

— Je n'aurai pas assez d'heures dans une journée pour tout assimiler !

— Croyez-en mon expérience, vous serez prête à temps. Jusqu'à maintenant, vous réagissez bien. Comme vous ne traînez pas la savate derrière les hommes, c'est prometteur.

Ces encouragements étaient loin de calmer ses doutes. Mais comme il semblait convaincu, elle prit le parti de le croire.

À l'instar de ses collègues, toute sa routine au Camp X avait été pensée pour garder son esprit ciblé sur sa mission. Par mesure de sécurité et aussi à titre d'exercice, sa destination devait être gardée secrète et ne pas être découverte par ses collègues. Pour détourner l'attention et dérouter un éventuel curieux, lorsqu'elle se documentait à la bibliothèque sur la Guyane britannique, elle s'assurait de consulter d'autres livres sur l'Afrique et la Russie.

Rien n'était négligé pour recréer le danger. De jour comme de nuit, on envoyait Lydia dans un bunker souterrain pour un exercice de tirs. Placée devant une glace pare-balles, elle devait répliquer à l'assaut nourri de tirs de ses confrères qui répliquaient de plus belle derrière la vitre. Cette simulation provoquait chez elle comme chez ses assaillants les mêmes réflexes d'auto-défense que sur le terrain. À une occasion, la charge fut tellement forte qu'elle en mouilla son pantalon.

Avec le rythme infernal de l'entraînement auquel on avait ajouté des courses à obstacles dans la neige et l'eau glacée du lac, Lydia atteignit rapidement la pleine forme physique. D'abord endolori par les cour-batures et couvert d'ecchymoses, son jeune corps s'endurcit. Ses muscles se raffermirent et se profilèrent avantageusement sous son uniforme. Même si, à son insu, certains de ses coéquipiers l'examinaient d'un œil concupiscent, elle n'avait réellement ni le temps ni l'énergie de s'adonner à des frivolités sexuelles. D'ailleurs, elle passait son peu de temps libre à se re-faire des forces, pendant les rares heures de sommeil. Souvent, dans l'intimité de sa chambre, elle sortait, de la doublure de sa veste, une minuscule photo de Pierre dans les bras de sa grand-mère. Une désobéissance aux règlements, mais un réconfort sans pareil pour la pousser à continuer.

Pour la garder sur le qui-vive, on alimentait sa hantise d'être démasquée par une taupe avec des exercices subtils de jeux d'adresse et d'observation mettant à contribution son sens de la déduction.

Pour bien se mouler sur sa deuxième nature, Lydia répéta des centaines de fois les mêmes gestes, les mêmes paroles, les mêmes exercices afin qu'ils de-viennent des réflexes, d'abord dans le cadre protégé du camp, puis dans les rues et les édifices de Whitby, d'Oshawa ou de Toronto.

Combien de fois, la nuit, elle et ses compagnons firent-ils des exercices de sabotage avec de faux ex-plosifs dans les wagons de la ligne Toronto-Montréal, au grand étonnement des cheminots du Canadian Pacific Railways? Combien de fois l'usine de la General

Motors d'Oshawa fut-elle prise d'assaut ou fouillée par ces faux agents en quête de secrets militaires et industriels ? Combien de fois les plages de Whitby furent-elles envahies par des hommes-grenouilles ou des sous-marins monoplaces ? Combien de fois, dans la noirceur nocturne, le ciel de la région fut-il envahi par des parachutistes ? Combien de fois, enfin, l'aéroport d'Oshawa fut-il le théâtre d'exercices d'embarquement dans des avions en marche, ou de débarquement ?

Lydia appréciait particulièrement les combats à mains nues, la méthode enseignée étant une adaptation de diverses techniques d'arts martiaux mise au point par un des instructeurs qui avait vécu à Shanghai et qui était passé maître dans plusieurs de ces disciplines. La précision de ses performances étonnait. Le fait qu'elle devait se mesurer à des hommes plus corpulents l'obligeait à une grande maîtrise d'elle-même. Grâce à la force surprenante de ses poignets et de ses doigts, elle excellait dans les simulations de mise à mort. D'un coup sec et précis, du pouce et de l'index, elle frappait à la gorge et l'adversaire s'immobilisait. Sur le terrain, il serait mort sur le coup.

De toutes ses armes, elle préférait son poignard à lame rétractable, qui ne la quittait jamais, comme l'avait suggéré son instructeur. « C'est votre meilleur ami ! Prenez-en soin. Un jour, il vous sauvera la vie », lui avait-il dit pour la convaincre après qu'elle eut émis des doutes sur la pertinence du conseil.

Au cours d'attaques surprises dans le camp, elle n'hésitait pas à simuler des ripostes avec l'aide de Brutus, son meilleur complice. Sa cible préférée : la base des côtes. Les coups de couteau, qui auraient assurément été fatals dans le monde réel, se révélèrent trop réels pendant des exercices. Certains de ses collègues se retrouvèrent à l'infirmerie avec des blessures légères. Dans l'excitation du moment, elle n'avait pas su mesurer la distance entre elle et ses adversaires.

Lydia apprit ainsi à recourir à ses instincts primitifs latents pour se défendre et attaquer, en utilisant la rapidité, la surprise et la ruse.

Toutefois, un blocage ralentissait son apprentissage du morse et du décodage, ordinairement la grande habileté des femmes. Elle en imputa la faute à Rubis, son instructeur. Déconcentrée par sa présence, Lydia n'arrivait pas à s'ouvrir au pardon. Malgré tous ses efforts pour étouffer son ressentiment, Lydia percevait toujours une menace chez son ange gardien. Consciente qu'elle devait canaliser ses énergies pour abattre cette barrière, elle tenta de se raisonner. En mission, se disait-elle, elle deviendrait un danger pour ses compagnons et pour elle-même. Dans ce jeu d'échecs vivant, c'est elle qui serait échec et mat.

De son côté, Rubis resta discrète les premières semaines et n'empiéta pas sur le territoire de la recrue. Toutefois, l'animosité de Lydia à son égard devenait un obstacle, aussi décida-t-elle de la provoquer afin de crever l'abcès une fois pour toutes.

En cette fin de vendredi après-midi, Lydia lavait ses sous-vêtements lorsque Rubis l'interpella.

— Félicitations, tu progresses bien. Je suis fière de toi.

Lydia continua de frotter.

— J'ai une idée qui pourrait te plaire. Que penses-tu d'un combat entre nous ?

Lydia s'arrêta net et la regarda, surprise.

— Avec toi, je pars en désavantage.

— Il y a longtemps que je ne me suis pas entraînée. Pour moi, ce serait un bon exercice. Je suggère de nous affronter dès demain soir. Ainsi, je n'aurai pas le temps de m'exercer. Qu'en penses-tu ?

— Qu'est-ce que tu veux au juste, Luce ?

— À toi de le découvrir !

Lydia fit une moue et leva les yeux au ciel.

— Tu hésites ? Aurais-tu peur d'un simple combat avec une amie ?

— Quelle amie ? Tu veux dire, plutôt, un de mes instructeurs !

— Si tu veux.

— D'accord, je serai là !

Rapidement, la rumeur circula dans le camp que les deux femmes allaient se mesurer dans un combat à finir. Au grand plaisir de tous, la famille du Camp X se donna rendez-vous le samedi soir dans la baraque principale. Les paris allèrent bon train, la cote étant de cinq contre deux en faveur de Rubis. L'expérience contre la fougue de la jeunesse.

L'heure du combat arrivée, une ambiance de fête régnait dans le baraquement. La fumée enveloppante de cigarettes ajoutait une note de réalisme à l'événement. Les recrues n'étaient plus au Camp X, mais n'importe où ailleurs, un samedi soir de congé.

Après vingt minutes d'un combat entrecoupé de courtes pauses imposées par un arbitre, les deux femmes, qui en avaient mis plein la vue à leur public, commençaient à s'essouffler. Pour Rubis, le rideau tombait sur le spectacle. Le moment de vérité sonnait pour Lydia.

Le combat prit alors une tournure plus sérieuse. Avec une force et une agilité féline retrouvées, Rubis poussa son adversaire dans ses retranchements. Lydia ne put que réagir et trouva du coup un second souffle. Son corps polarisa son énergie défaillante. Tel un fauve, elle se cabra, prête à tuer pour sauver son honneur. Son ancienne amie avait atteint son but. Alors au faîte de sa forme, Lydia révéla une perfection de mouvements encore inégalée. En attaquant ainsi, elle eut l'impression de flotter et d'atteindre un nirvana. Le langage de son corps éblouit ses collègues. Maintenant qu'ils pouvaient évaluer sa performance en connaisseurs, ils ne purent qu'applaudir.

Quelques minutes plus tard, l'expérience de Rubis l'emporta. Dans une série de mouvements aussi rapides qu'inusités, appris d'un grand maître japonais, elle fit tomber au tapis une Lydia vidée, incapable de se relever. L'arbitre attribua la victoire à la belle rousse sous les applaudissements des spectateurs qui sifflaient d'admiration.

Le vainqueur du match salua respectueusement aux quatre coins du tatami. Puis elle offrit sa main à sa partenaire.

— Bien joué ! dit-elle.

Malgré son épuisement, Lydia esquissa un sourire de contentement. Son dépassement avait expurgé la rancœur qu'elle avait accumulée envers Rubis.

— Amie ? lui demanda Rubis.

— Amie ! répondit-elle en acceptant son aide pour se relever.

Avec sincérité, Rubis ajouta :

— C'est toi qui as remporté la vraie victoire. Tu peux désormais te considérer comme l'une des nôtres.

9

JANVIER 1942

À trois cents milles nautiques de Cape Cod, sur la côte est américaine, un décrypteur du U-Boot 123 reçut un message classé ultrasecret. À sa première mission en mer, ce sous-marinier d'à peine dix-sept ans le décoda rapidement. Fier de son travail efficace et considérant l'importance de la missive, il se précipita à la cabine du commandant Hardegen. Il savait qu'il vivait un moment historique.

◆

Simultanément, à l'Army's Experimental Special Wireless Station, à l'aéroport de Rockliffe, à Ottawa, un militaire du Royal Canadian Corps of Signals, à l'écoute des transmissions internationales, entendit d'abord dans son casque un flot agressant de bruits parasites, suivis d'une suite de codes indéchiffrables. En montant le volume, il finit par capter des signaux distinctifs. Sans attendre, il écrivit sur son bloc-notes jaune une série de lettres. Son supérieur hiérarchique s'empressa de l'expédier au nouvel édifice du Conseil national de recherches, sur Montreal Road, où on allait décoder le message.

◆

Pendant ce temps, en banlieue de Berlin, isolé dans une villa bourgeoise transformée en maison de repos pour les agents de l'Abwehr, Karl reprenait des forces. Sa convalescence se poursuivait normalement, du moins sur le plan physique. Cependant, il en allait autrement de ses lacérations à l'âme. Profondes, elles dataient d'aussi loin que la première séparation d'avec sa famille à l'âge de cinq ans. Jour après jour depuis son hospitalisation, et à l'insistance de son mentor l'amiral Canaris, un psychiatre l'assistait dans la reconquête de sa vie. À toute heure du jour et de la nuit, il subissait les tourments d'un drogué en cure de désintoxication que ses démons envoûtent pour mieux le harceler. Les assauts réguliers de ses propres démons le condamnaient à affronter son mal de vivre.

Vêtu seulement d'un pantalon de pyjama, Karl se tenait debout devant le lavabo de sa salle de bain privée. Il avait horreur des miroirs, mais, fort de plusieurs semaines de thérapie, il se dit qu'il était temps de vérifier l'opinion du médecin, selon laquelle sa guérison était en bonne voie. Malgré son appréhension, il plongea résolument les yeux dans le miroir et, à sa grande surprise, il fut envahi par un sentiment nouveau, encore fragile, de paix. Il reprit confiance, mais voilà que de nouveau des pensées dévastatrices l'envahissaient, faisant écho à ses trahisons, aux tortures qu'il avait infligées, aux exécutions. Karl fracassa la glace d'un coup de poing en hurlant. Les mains en sang, il s'effondra sur le carrelage froid parmi les éclats de verre qui surmultipliaient les images de son enfer intérieur. Il pleura à fendre l'âme.

Une heure passa.

Cette tempête d'émotions passée, une lueur apaisante vacilla dans son esprit. Il devait s'accepter, se dit-il. Avec le recul qui lui avait manqué jusque-là, il finirait peut-être par oublier son implication dans la mort de son père. Selon son psychiatre, c'était la seule façon d'atteindre la dernière étape du processus de guérison.

Comme dans ses crises antérieures, les scènes lui apparurent aussi réelles que lors du procès. Sans les freiner, en s'efforçant de s'en détacher, il les laissa défiler dans son esprit. Il lâcha prise. Et le film des événements le broya à nouveau.

Cour martiale. Huis clos. Dans le prétoire, quelques généraux, dont Canaris, des avocats, Karl et des militaires forment l'audience. Les cinq juges militaires font leur entrée. Dans le box des accusés, son père arbore un air digne, presque hautain, comme pour dire : « Ce cirque me laisse indifférent. » Membre d'une des grandes lignées allemandes, ancien diplomate, membre des services de renseignement de l'Abwehr, il attend le verdict. On l'accuse de haute trahison pour sa participation à un complot pour assassiner Hitler. Il demeure impassible, malgré l'accusation maintes fois prouvée sans l'ombre d'un doute et rendue possible par la dénonciation de son propre fils. Pourtant, le comte n'a d'yeux que pour lui, son fils bien-aimé, mais celui-ci ignore son appel muet par crainte de renouer le lien rompu.

Karl tente de se raisonner, de se disculper et de se convaincre de la justesse de sa perfidie : « C'était mon devoir de patriote. Mon père n'est qu'un traître ! Un traître ! »

Du fond de son abîme jaillit le mot vengeance.

« Non, ce n'est pas par vengeance que j'ai agi, mais par patriotisme ! » se dit-il. « Prétexte trop facile pour couvrir tes vraies intentions, lui répond sa conscience. Écoute-toi et tu découvriras que la vengeance est le vrai sentiment que tu nourris envers tes parents et ta sœur depuis ta prime jeunesse. »

La vérité lui donne la nausée, mais il refuse de l'admettre. Son acte se voulait noble, au-dessus de tout, de la famille et des sentiments. La Nation avant tout autre intérêt… D'ailleurs, il n'était pas le seul fils en Allemagne à vivre dans cette situation. «Foutaise!» prétend sa conscience.

Le coup de marteau du juge en chef met fin à son agitation intérieure. Avec une moue arrogante, il fixe le juge pour prouver à tous qu'il se maîtrise parfaitement.

— À l'unanimité, le tribunal vous condamne, pour haute trahison envers la grande Allemagne, à la peine capitale devant un peloton d'exécution, déclare le magistrat.

Dans un effort pour masquer son émotion, Karl se tourne vers son père, qui ne l'a pas quitté des yeux. Sur la joue du condamné, une larme glisse. Larme d'amour. Larme de pardon. Pour Karl, elle se métamorphose en larme salvatrice. L'homme redevient enfant en s'imaginant au chaud dans les bras aimants de son père.

« Aurais-je fait fausse route tout ce temps ? »

◆

À Arvida, le docteur Neveu caressa la main glacée de Claire von Ems. Dans la demi-obscurité, le salon dégageait des relents de liniment. La plus élégante pièce de la maison avait été transformée en chambre où les visiteurs pouvaient s'asseoir sur des canapés victoriens, en velours rouge.

D'un souffle aussi léger qu'un vol de papillon, il s'adressa à la malade :

— Tout va bien, madame la comtesse. Reposez-vous. Le temps accomplira bien les choses.

Dans un effort éprouvant, elle ouvrit la paupière gauche. L'autre, inerte, imitait le reste de son corps. La foudroyante fraction de seconde qui l'avait accueillie parmi les morts vivants imposait encore sa loi. Les lésions s'étaient incrustées à jamais dans son cerveau. Malgré les prévisions des spécialistes montréalais, la paralysie lui refusait une seconde chance de prétendre à une vie normale.

Le médecin se tourna vers Annie Cyr, la sœur de Claire, pour lui confier à voix feutrée :

— Ses membres sont ankylosés. Les exercices que vous lui faites faire ne suffisent pas. Levez-la plusieurs fois par jour et, si possible, faites-lui prendre l'air. Ça l'aidera.

— Pas de problème, doc. Elle va étrenner mon beau fauteuil tout neuf que je viens de recevoir de chez Paquet, de Québec. D'ici, on voit jusqu'à la rivière et elle pourra suivre les activités de la rue. C'est la plus belle vue du canton ! dit-elle en écartant un pan du rideau de dentelle.

— Grand-ma… grand-ma ! s'écria Pierre qui entrait en courant.

Annie l'attrapa au vol avant qu'il n'atterrisse sur le lit.

— Doucement, Ti-Boutte, ce n'est pas le temps de déranger le doc.

— Laissez, madame Cyr.

Le bambin se débattit comme un oiselet prit au piège.

— Grand-ma ! Grand-ma ! cria-t-il encore, les bras tendus vers sa grand-mère.

Avec sa douceur légendaire, le médecin se pencha vers lui.

— Viens ici, Pierre. Quand tu viens voir ta grand-maman, ne fais pas de bruit. Elle sait quand même que tu es là.

— Pierre becquer bobo ? dit-il, suppliant.

Se tournant vers sa tante, il ajouta :

— Tempête aussi ?

— On en reparlera plus tard, répondit-elle, prise au dépourvu par sa demande.

Pierre connaissait les règles de tante Nini régissant les allées et venues de son fringant golden retriever de deux ans. Toujours agité, le chien s'était vu interdire la maison. S'il enfreignait cette règle, son jeune maître encourait l'ultime punition : être privé de tarte à la farlouche.

Fixant sa tante, les yeux de l'enfant s'emplirent d'un espoir grand comme son univers : allait-il enfin réussir à l'amadouer ? Annie le déposa par terre et porta son attention sur le médecin qui examinait une à une les fioles de médicaments sur la table de chevet.

— Bon, tout semble en ordre, finit-il par conclure. Elle n'aura pas besoin d'un renouvellement d'ordonnances d'ici à ma prochaine visite. Voici de l'huile de lavande. Massez-la souvent. Ça détendra ses muscles tout en hydratant sa peau.

Le médecin, à l'élégance d'un dandy, qu'on aurait juré plus habitué à fréquenter les salons parisiens que les chaumières d'une ville ouvrière, se frotta longuement les mains. Puis, dans des mouvements circulaires réguliers, il effleura le visage de sa patiente avant de les laisser stationnaires, à un centimètre de sa peau. La chaleur magnétique devait réveiller l'énergie stagnante et amenuiser son mal. Et cet exercice sembla réussir. La paupière encore mobile se ferma pour mieux emmagasiner les bienfaits de cette étrange thérapie.

Annie s'interrogeait sur la gestuelle du médecin qui n'avait rien, pourtant, d'un guérisseur. Et si c'était de la sorcellerie ? Que dirait monsieur le curé ? Malgré ses craintes, elle n'osa pas interrompre le docteur Neveu, qui était concentré depuis cinq bonnes minutes.

Quand il eut terminé, il chuchota à sa patiente :

— Je reviendrai vous voir dans quelques jours.

Et il quitta la chambre improvisée. Annie le suivit dans le plus désapprobateur des silences.

Laissé seul, Pierre grimpa sur le lit de sa grand-mère. Il n'obtint aucune réaction à ses sourires. Alors, il s'ingénia à lui faire des grimaces comme le lui avait appris Ti-Pit. Ses efforts ne suscitant pas plus de réaction, il posa ses index aux commissures des lèvres de sa grand-mère et, délicatement, étira la peau. Satisfait de l'effet, il lui dit :

— Belle, belle !

En voulant l'embrasser, il perdit l'équilibre et son nez atterrit au creux de son cou. Profitant de sa déconvenue, il se lova contre elle.

— Moi, t'aime gros… Tempête aussi !

Ne s'attendant pas à recevoir de réponse, il conclut :

— Moi, chercher Tempête !

Portant son index à sa bouche, il ajouta :

— Chut, un secret !

En guise d'au revoir, Pierre appuya ses lèvres mouillées contre la joue de Claire. Et, aussitôt, il bondit hors du lit, se retrouvant devant la table de chevet.

Pendant quelques secondes, il resta béat d'admiration devant le coffret de cuir. Le trésor d'amour de sa grand-mère était un objet précieux qu'il lui était strictement interdit de toucher. Mais, succombant à la curiosité, il s'en empara après un coup d'œil furtif à sa grand-mère et à la porte. Tremblant de peur, il l'ouvrit et retrouva les trois singes miniatures que lui avait déjà montrés sa mère. Un à un, il les soupesa, les caressa et les déposa sur la table. Il les mima en mettant ses mains devant sa bouche, puis sur ses oreilles et, enfin, sur ses yeux.

Un craquement l'alerta. Il les replaça vite fait dans le coffret et se précipita vers la porte. En agrippant la poignée, il réalisa qu'il avait gardé dans sa main le petit singe qui se bouchait les oreilles. Il hésita. Une fessée l'attendait s'il était pris. Mais son désir étant le plus fort, il le glissa dans une poche de son pantalon et referma derrière lui.

Claire, qui avait tout entendu, aurait tant voulu essuyer les larmes sur ses joues. Elle se sentait si impuissante, si inutile.

Pierre rejoignit sa tante et le médecin en grande discussion sur la galerie. Le temps était frisquet. Il s'ancra à une jambe d'Annie.

— Je suis inquiet, disait le médecin. Votre sœur ne récupère pas normalement. Je vous avouerai même qu'elle régresse. Elle ne se bat plus comme à son arrivée... Il est à espérer qu'elle n'abdique pas. A-t-elle eu des émotions fortes, récemment ?

— Ici, il ne se passe rien de bien excitant. Nous l'entourons de tout notre amour. Je ne vois pas ce qui pourrait l'angoisser... À moins que...

— À moins que... ?

— Eh bien, elle n'a pas eu de nouvelles de sa fille Lydia depuis plusieurs mois.

— C'est peut-être la cause de son apathie. Pouvez-vous contacter votre nièce ?

— C'est difficile.

— Doc, doc, Lydia... ma maman... intervint Pierre.
Les adultes l'ignorèrent.

— J'ai un numéro de téléphone où je peux la joindre. Vous savez, la vie de ma nièce est entourée de bien des mystères. J'ai l'impression qu'elle travaille pour le gouvernement.

— Tout est possible. Si l'état de votre sœur s'aggrave, il faudra la contacter.

Après une courte réflexion, il ajouta :

— Et son mari ?

Annie répéta les mots de sa nièce :

— Il est mort en héros au front. Dieu ait son âme !
Elle se signa et reprit :

— De toute façon, vous savez, c'était un officier allemand. J'aime mieux ne pas en parler. Mon mari nous a interdit de prononcer son nom dans la maison.

Même s'il était mon beau-frère, il n'en demeurait pas moins un Allemand. Comte ou pas, un Allemand, c'est un ennemi.

Elle fit une pause, puis précisa :

— C'est l'annonce de son décès qui a causé les problèmes de santé de ma sœur. Une histoire à vous arracher le cœur.

La conversation des adultes commençait à ennuyer le gamin, qui rentra se réchauffer à la cuisine. Il lui fallait, de toute façon, trouver une cachette pour le petit singe.

D'un ton suppliant, Annie Cyr ajouta :

— Je vous en prie, doc, personne ne connaît notre secret. Si vous pouviez garder ça pour vous et éviter de l'appeler Madame la comtesse…

— Entendu !

— Merci de votre compréhension.

D'un pas mesuré, le médecin de campagne se dirigea vers sa voiture. Annie l'observa en songeant à son neveu Karl qu'elle ne connaissait pas. Elle ne se souvenait pas non plus d'avoir une photo de lui. À moins qu'elle n'en ait oublié une dans la boîte à chaussures où elle empilait sa correspondance.

Annie retourna auprès de sa sœur et se laissa choir dans le fauteuil. Si, au moins, elles avaient pu converser pour rattraper le temps perdu.

— Pauvre Claire ! Tout cela ne se serait pas produit si tu t'étais remariée avec un p'tit Canadien français. Quelle idée de t'amouracher d'un étranger, un Boche, par surcroît !… Mais madame préférait les aristocrates des vieux pays… Et dire que j'ai toujours envié ton esprit libre, ton originalité. Tes frasques me faisaient rêver…

Dès leur jeune âge, les deux sœurs n'avaient ni partagé les mêmes champs d'intérêt ni caressé les mêmes rêves. En grandissant sur des voies pavées de frustrations, elles – que deux années séparaient – en étaient arrivées vers l'adolescence à se tolérer. Toutefois, qu'un malheur survînt et alors chacune pouvait compter sur l'autre.

Pour s'épanouir, Claire, l'insatiable curieuse, avait eu besoin d'horizons lointains. Annie, pour sa part, s'était satisfaite d'un univers plus restreint composé du plaisir de plaire, d'aimer, mais où elle avait dû se soumettre à son mari et subir en silence l'humiliation de ses incessantes incartades amoureuses. Tout cela, pour assurer la sécurité financière de sa famille. Ses enfants, élevés dans la rigueur d'une religion autoritaire, avaient été à des degrés divers enrégimentés dans une foi restrictive et punitive, sa fille ayant même adhéré à un mouvement religieux occulte. Annie assumait seule la direction de la famille. Son mari absent six mois par année dans les chantiers, elle était la championne quand il était question de sauver les apparences.

◆

Trente heures plus tard, dans une petite pièce du Conseil national de recherches à Ottawa, une équipe d'agents épuisés se félicitaient d'avoir réussi à décoder le message allemand.

Classification : Ultrasecret

POUR LES COMMANDANTS SEULEMENT

PROVENANCE : État-major naval du IIIᵉ Reich.

DESTINATAIRES : U-66, U-123, U-130, U-132, U-582

Feu vert -STOP- Opération Mirage -STOP- Signé : Amiral Karl Dönitz.

Hélas, il était déjà trop tard pour réagir efficacement. De Cape Cod à New York, l'opération Mirage

(Paukenschlag) battait son plein. Les attaques des sous-marins allemands sur les bâtiments alliés se déroulaient devant des citadins consternés qui assistaient à des explosions impressionnantes. Prises au dépourvu et mal équipées pour contrer une telle offensive, réglée au quart de tour, les marines américaine et anglaise restaient impuissantes. L'audace allemande payait.

Au cours des mois suivants, toute la côte nord-est américaine et les Caraïbes devinrent les cibles privilégiées des « meutes de loups », période que les Allemands désignèrent comme les temps heureux.

10

Février 1942

Six semaines plus tard, Bob Rowland faisait face pour la deuxième fois en peu de temps à William Stephenson, dans son bureau de New York. Malgré sa grande nervosité, il affectait un air détaché. Au téléphone, Intrepid l'avait presque sommé de se présenter devant lui. Une question urgente et capitale à régler, avait-il dit.

Le visage fermé, Intrepid pianotait nerveusement sur un épais dossier bien en vue sur son bureau. Il attaqua.

— Que se passe-t-il avec vous, Rowland ? Je vous ai chargé de trouver les taupes qui fourmillent dans nos rangs. Depuis, je n'ai reçu aucun rapport, aucune communication.

Les traits de l'agent se durcirent, dévoilant un aspect caché de sa vulnérabilité.

— La raison en est bien simple, répondit-il. Je n'ai rien trouvé. J'étudie plusieurs pistes, dont une en particulier, mais il n'y a rien de probant. Ces gens sont intelligents et forts moralement. Ils se fondent dans l'administration et tant qu'ils ne commettent pas d'erreurs, d'ailleurs souvent idiotes, on ne peut les démasquer.

— Épargnez-moi votre rhétorique. C'est une affaire de la plus haute importance et vous vous traînez les pieds.

— Je dois travailler seul et cela prend plus de temps.

— Je veux que vous délaissiez vos autres dossiers pour vous consacrer exclusivement à cette affaire. Compris ?

— Bien compris !

— Je veux la tête de la ou des taupes qui ont infiltré nos services. Londres s'impatiente.

— La vie de tous les employés du service est scrutée à la loupe, leur dossier, décortiqué, leur emploi du temps, disséqué, leur compte en banque, épluché. Aucun écart de conduite majeur n'a été découvert.

— Trouvez, et vite !

— Je fais mon possible.

— Faites davantage !

Rowland se leva, prêt à partir, mais son supérieur le relança.

— À propos, comment se porte votre recrue von Ems ?

Embarrassé, Rowland s'apprêtait à répondre mais, en voyant l'œil amusé d'Intrepid, il comprit que celui-ci ne s'attendait pas à une réponse.

— N'ayez crainte, reprit l'homme de New York, je ne m'immiscerai pas dans les affaires courantes de votre service. C'est votre boulot, pas le mien. Prudence, quand même. Les sentiments ne sont jamais de bons conseillers.

Malgré le ton plus léger de son supérieur, l'insinuation le troubla. En prenant l'ascenseur au trente-cinquième étage du Rockefeller Center, Bob Rowland bouillait. Quelqu'un de son entourage avait déblatéré… ou encore, était-ce le résultat d'une stratégie d'un employé désabusé ? Ce Beatty qui donnait des signes d'insubordination aurait-il des velléités d'avoir

sa tête ? Intrepid avait raison, la prudence s'imposait !
Seul un succès de Lydia-Émeraude sur le terrain pouvait
effacer le moindre doute sur son professionnalisme.

Le temps était venu d'activer sa recrue préférée.

◆

L'entraînement tirait à sa fin. Plus qu'une quinzaine
de jours avant le départ de Lydia en mission. Elle
avait reçu une permission de quelques heures pour
bonne conduite. Avec ses collègues Brutus et Atlantis,
Émeraude se retrouva dans un restaurant chinois
d'Oshawa, près de Whitby. À cette heure tardive, ils
en étaient les seuls clients.

Deux policiers municipaux entrèrent et leur de-
mandèrent de présenter leurs pièces d'identité. Lydia
fouilla dans son sac, qu'elle finit par renverser sur la
table. Ses papiers avaient disparu ! Gardant son calme,
elle expliqua être pourtant certaine de les avoir pris.
On l'embarqua illico dans le panier à salade. Brutus et
Atlantis, eux, avaient pu montrer les pièces demandées
et s'étaient vite éclipsés.

Après avoir conduit Lydia dans un bureau de la
station de police, on la fouilla sans ménagement. Rien
ne pouvait l'identifier, sauf que les policiers décou-
vrirent son poignard dissimulé dans la manche de son
tailleur de tweed. Un long interrogatoire s'amorça.
Lydia crut d'abord à un exercice pour la tester. Mais
plus le temps s'écoulait, plus les policiers semblaient
se féliciter d'avoir fait une bonne prise. Ce n'était pas
l'attitude professionnelle qu'elle avait observée lors
des nombreuses simulations d'interrogatoires. Elle en
conclut qu'il s'agissait de vrais policiers.

Sa double vie débutait. Elle utilisa la couverture
d'Hélène LeSieur, née à Montréal, en vacances chez
des amis à Oshawa, et donna une adresse fictive comme

lieu de domicile à Québec. Après des vérifications in-
fructueuses, les policiers la mirent en garde à vue avec
accusation de port d'armes prohibées. On l'enferma
dans une cellule, éclairée en permanence, entre un
ivrogne et un jeune voyou.

Le lendemain, épuisée par une nuit blanche, Lydia
dut se motiver pour retrouver son aplomb, tout en se
demandant pourquoi Neptune prenait tant de temps
pour qu'elle soit libérée.

De nouveaux policiers reprirent l'interrogatoire en
utilisant des méthodes plus musclées. Était-elle une
espionne? Que faisait-elle en Ontario? Vers la fin de
l'avant-midi, elle comprit la raison derrière l'escalade
de questions. Elle répondait en tous points à la des-
cription physique d'une espionne qui, s'étant échappée
de la prison de Kingston, avait été repérée dans la
région.

Plus Lydia niait, plus le manège des policiers prenait
des proportions démesurées. À la fin de la journée, on
l'attacha à une chaise. Les questions qui fusaient des
quatre hommes s'accompagnèrent alors d'une volée
de gifles. Dix minutes plus tard, la lèvre en sang et les
joues enflées, Lydia continuait de se concentrer sur
l'image mentale de son fils pour ne pas perdre contenance, pour ne pas hurler.

La porte s'ouvrit.

Tout s'arrêta net dans un silence de mort.

Avec difficulté, elle se tourna et vit entrer Rubis,
Neptune et monsieur X.

— Bravo! Vous avez réussi votre dernier test avec
honneur, lança le commandant du camp.

Rubis essuya délicatement les coulées de sang
avec son mouchoir de coton fin.

— C'est fini. Viens te reposer. Tu l'as bien mérité,
lui dit-elle.

Puis elle l'aida à s'extirper de la chaise. Tremblante,
Lydia éclata en sanglots.

À son tour, monsieur X se voulut réconfortant et caressa ses cheveux ébouriffés.

— Émeraude peut maintenant voler de ses propres ailes. Vous avez été merveilleuse !

Leurs yeux se croisèrent et il se produisit de nouveau cette étincelle magique.

Les trois auteurs de la mise en scène avaient assisté aux interrogatoires derrière une ouverture dans le faux mur de la salle en commentant les réactions de leur recrue. Leur verdict fut unanime. Émeraude était prête à rejoindre la confrérie du monde de l'ombre.

◆

Étendue sur le dos, une tranche de bœuf couvrant son œil au beurre noir, Lydia priait pour que le sommeil mette fin à ses tremblements et dissipe les images d'enfer des dernières heures.

On cogna à sa porte.

Péniblement, elle se leva en retenant la compresse.

Quelle ne fut pas sa surprise d'ouvrir à monsieur X. Dans un réflexe de pure coquetterie, elle s'empressa de retirer le cataplasme.

— Je pensais que vous en auriez besoin, dit l'homme en lui offrant une bouteille de scotch.

Malgré l'enflure importante de son œil, elle réussit à esquisser un sourire.

— Vous êtes le bienvenu, monsieur le bourreau, lui dit-elle en ouvrant la porte de sa chambrette.

— Que de grands mots ! répondit-il en refermant derrière lui.

— Si on vous a vu entrer, demain les rumeurs iront bon train.

— Pas d'inquiétude. Ne suis-je pas votre supérieur ?

Lydia fut prise d'une gêne de petite fille à son premier rendez-vous amoureux. La présence de l'homme l'excita.

— Vous permettez ?

Il s'avança et examina l'œdème. Elle ne bougea pas. À peine quelques centimètres les séparaient.

« Il sent bon ! » se dit-elle en frémissant.

— On ne vous a pas manquée !

Le bout des doigts de l'homme effleura longuement l'ecchymose, le temps que naisse son plaisir de mâle.

Les paupières mi-closes, Lydia se laissa entraîner sans retenue dans son jeu électrisant.

Puis, dans un souffle léger, les lèvres de monsieur X glissèrent pendant une éternité le long de la joue bleuie et s'arrimèrent enfin à celles de la jeune femme.

Ils se goûtèrent avec curiosité et passion. Plus rien d'autre n'existait pour les nouveaux amants.

Il la souleva pour la déposer sur l'étroit lit de camp. Lentement, il la déshabilla et partit à la découverte de chaque parcelle de son corps. Lydia en oublia ses courbatures. Chaque attouchement la portait à des extases encore inconnues. Contrairement à la violence de sa première expérience sexuelle, elle découvrait les vrais gestes de l'amour. Virtuose, en homme d'expérience, monsieur X exacerbait son plaisir, l'amenant jusqu'au seuil de l'orgasme pour aussitôt freiner son excitation. Ce qui la rendait folle de désir.

Haletante, elle ne put résister longtemps. Son corps se cabra, fin prêt à le recevoir. Ils atteignirent la plénitude. Le premier orgasme de Lydia se prolongea en un cri de louve, étouffé par le bâillon de la main de son amant.

Épuisés, leurs corps retombèrent, inertes. Lydia posa sa tête sur le torse de monsieur X, qui l'enroula de ses bras. Ils savourèrent la fluidité du moment dans un silence bruyant d'émotions.

Au petit matin, elle se réveilla seule. Elle se cala contre l'oreiller de l'homme et prit plaisir à se remémorer les moindres détails de sa première vraie nuit d'amour.

◆

Mars 1942

Le jour de son départ en mission, Lydia débordait d'une nouvelle confiance en elle. Les séquelles physiques de la dernière épreuve avaient presque entièrement disparu.

En fermant sa valise, elle se revoyait, à son arrivée, dans cette chambrette, ballottée par l'insécurité de ne pas être à la hauteur, de ne pas réussir à protéger sa mère et son fils de l'emprisonnement ou de la déportation. Et voilà qu'une femme plus déterminée que jamais, à l'instinct de survie fort et assuré, avait émergé. Rétrospectivement, elle se rendait compte que malgré la rigueur de l'entraînement, malgré les courbatures et les blessures, elle en avait adoré chaque minute.

Son séjour au Camp X l'avait complètement transformée. Une vie rose bonbon, linéaire et sans imprévu ne l'intéressait plus. Ne se considérant plus ni comme allemande ni comme canadienne, elle s'octroyait le passeport universel de citoyenne du monde dans une guerre qu'elle faisait sienne par choix.

Lorsque Neptune et Pogoria lui donnèrent leurs dernières directives avant le départ, l'ambiance fut plus amicale que militaire.

— N'oubliez pas, Lydia – c'était la première fois que Neptune l'appelait par son prénom –, vous êtes une artiste, dans votre genre. Même si vous maîtrisez toutes les techniques, une seule chose reste de votre propre cru : votre créativité. C'est un atout indispensable à la réussite de toute mission. Partez confiante. Je suis très fier de vous.

Pogoria lui remit une panoplie de passeports canadien, guyanais et vénézuélien, un visa vénézuélien, des dollars guyanais, américains et canadiens. Dans l'une de ses valises défraîchies, elle emportait des vêtements légers, son livre de codes, le roman *Autant en emporte le vent* et une bible épaisse, dont le centre avait été creusé pour cacher un revolver miniature. L'autre valise contenait des articles de toilette et des sous-vêtements. Dans sa trousse de maquillage se trouvaient un bâton de rouge à lèvres camouflant une lame de poignard et un diffuseur de parfum opaque rempli d'encre sympathique. Le double fond dissimulait une radio émettrice.

À l'horizon, un crépuscule rosé s'élevait sur le lac Ontario.

Plus féminine que jamais, Lydia avait troqué l'uniforme pour un tailleur de laine beige, à peine dissimulé sous son manteau d'alpaga chamois. Son feutre à la Robin des Bois complétait sa tenue à la mode.

Alors que le chauffeur déposait les derniers bagages à l'arrière de la jeep, elle vit s'approcher monsieur X.

— Ça va, soldat, dit-il au chauffeur. Laissez-nous cinq minutes.

La tendresse qu'elle lut dans ses yeux la troubla au point qu'elle ressentit une douleur sourde dans son abdomen. Quelque chose en lui avait changé. Malgré ses traits tirés, elle le trouva encore plus séduisant.

— Tu vas bien ? lui dit-il avec affection.

Dans l'espoir de camoufler sa gêne, elle baissa les yeux, mais tout son corps hurlait son désir de lui. Elle finit par avouer :

— Je vais toujours me souvenir de ces heures magiques.

— Nous pouvons recommencer…

— Avec ce qui m'attend, ce sera certainement dans une autre galaxie…

— On pourrait se retrouver à Toronto… Si tu veux…

L'excitation lui colora les joues, mais la raison la freina.

— Je ne sais pas… Vu nos responsabilités…

— Ce n'est pas une nuit de plus…

— J'ai appris à l'entraînement qu'il était dangereux de mêler sentiments personnels et travail…

— J'insiste. Tu ne peux pas refuser.

Elle ne répondit pas, mais son regard fiévreux trahissait son envie de lui sauter au cou.

Dès sa conception, l'opération K s'était heurtée à l'opposition farouche de certains généraux de l'état-major allemand. Dans les faits, il est vrai que cette mission se révélait tout aussi audacieuse que périlleuse. Elle déterminerait le plan de navigation idéal pour les prochaines missions des U-Boots dans les eaux inté-rieures de l'est du Canada, en particulier de la rivière Saguenay – stratégie plus sage pour opérer à l'inté-rieur du continent que celle des airs.

Aussi précises que fussent les cartes marines en sa possession, un commandant ne pouvait s'aventurer, en toute sécurité, dans l'embouchure du fjord sans une connaissance détaillée de ses courants et hauts-fonds. Pour entrer dans son embouchure, devant Tadoussac, la difficulté consistait, même pour les vieux marins du fleuve Saint-Laurent, à éviter les deux battures, situées en aval et en amont de la rivière. Contourner ces gar-diennes impitoyables exigerait d'un sous-marin en immersion des manœuvres délicates et une extrême prudence pour vaincre les redoutables courants et marées.

À la limite de l'entreprise suicidaire, l'opération K agaçait certains officiers allemands parmi les plus con-servateurs du cercle fermé de l'amirauté. Pour eux, les valeureux sous-mariniers auraient été mieux employés dans les expéditions offensives, déjà en cours, sur la côte atlantique des États-Unis et du Canada que dans une opération de reconnaissance et d'espionnage. Toutefois, de l'avis des partisans les plus convaincus, le jeu en valait la chandelle.

Après plusieurs tergiversations alimentées de discussions épiques entre les influents généraux concernés, c'est finalement le Führer lui-même qui avait tranché en faveur de son commandant en chef de la marine, l'amiral Erich Raeder.

En remettant son ordre de mission au lieutenant de vaisseau Klaus Bauch, choisi pour son sang-froid et sa ténacité, l'amiral Karl Dönitz, commandant des forces sous-marines, avait été clair :

— C'est une mission difficile. Entrer dans ce fjord et en ressortir tiendront du miracle. Non pas tant à cause de la défense terrestre et aérienne du secteur qui, selon nos agents, n'est pas encore bien organisée, mais à cause de la configuration de son embouchure. C'est une vraie souricière. N'oubliez pas que cette première mission est une mission d'exploration et non de sabotage. Vous ne devrez riposter qu'en cas d'attaque.

Profitant de cette expédition, l'amiral Canaris, responsable des services de renseignement de l'Abwehr, avait imposé la présence à bord d'un de ses hommes. Et cet homme n'était nul autre que son protégé, Karl von Ems.

Malgré les réticences des médecins à mettre fin à la convalescence du jeune homme, l'amiral avait insisté, allant même jusqu'à le leur ordonner. C'était son meilleur homme et, de surcroît, le seul qu'il eût sous la main. Il considérait que l'inactivité ne pouvait que ralentir sa guérison tant psychologique que physique.

Lors de sa dernière visite à l'hôpital, l'amiral Canaris lui avait dit :

— Ce séjour de plusieurs semaines en mer te sera salutaire, mon garçon.

— C'est vrai. J'ai besoin de bouger. Quelle sera ma mission ?

L'amiral avait baissé le ton bien qu'ils fussent seuls dans la chambre :

— Tu devras détruire le complexe de l'aluminerie Alcan, à Arvida, au Canada. En diminuant la production d'aluminium, nous réduirons la fabrication d'avions et de navires des Alliés. Ainsi, nous conserverons notre suprématie dans ce secteur. Les détails logistiques te seront fournis dès demain. Cette mission est d'une importance capitale.

— Je suppose que vous m'avez choisi parce que j'ai des parents dans cette région du Québec ?

— Je connais l'existence de la famille Cyr. Mais cela n'a pas pesé dans ma décision. D'ailleurs, ton professionnalisme t'interdirait de prendre des risques inutiles comme celui d'entrer en contact avec ces gens, n'est-ce pas, Karl ?

— Je ne les connais pas ! Pourquoi voudrais-je les rencontrer ? avait-il rétorqué avec détachement.

Quelques jours plus tard, dans le port de Saint-Nazaire, en France, Karl monta à bord du U-46. Au sein d'une meute de loups, le sous-marin mit le cap sur Halifax et le golfe du Saint-Laurent.

Le départ de Whitby sonnait le début de la vraie mission de Lydia. À cause du secret qui lui était imposé, elle ne pouvait se permettre ni appels téléphoniques ni contacts avec quiconque était étranger à sa mission.

Seulement vingt-quatre heures de repos lui avaient été accordées avant qu'elle s'envole vers l'Amérique du Sud. Logée à l'hôtel King Edward, à Toronto, elle s'offrit son premier bain depuis des lustres. Alors qu'elle se vautrait dans la chaleur de l'eau, elle laissa son esprit voguer en s'imaginant sous les voluptueuses caresses de son amant.

Plus tard, elle passa une robe de satin grenat au décolleté plongeant, épingla une étoile de strass sur l'unique bretelle et enfila de longs gants de satin noir.

Marchant vers l'ascenseur sur le tapis moelleux qui accentuait l'ambiance feutrée du luxueux hôtel, Lydia se sentait belle et en pleine possession de ses moyens.

Les tentures de velours de la vaste salle à manger se mariaient aux dorures des appliques murales et aux candélabres de cristal. Le maître d'hôtel déploya devant elle la prestance d'un grand seigneur.

— Bonsoir, madame. Si vous voulez bien me suivre.

Elle le suivit entre les tables, dont la majorité était occupées par des militaires et de jolies femmes, jusqu'à l'extrémité de l'imposante pièce. Un murmure discret flottait dans l'air.

Assis en retrait, monsieur X se leva à son arrivée. Sans se quitter des yeux, ils se donnèrent la main. Pour Lydia, les mots n'arrivaient pas à surmonter ce moment de fébrilité intérieure. Par quels sortilèges l'avait-il envoûtée ?

Dans la lumière tamisée, la soirée s'amorça comme une halte loin du monde extérieur. Les œillades dérobées et les plats recherchés, arrosés de vins fins, amplifiaient le jeu de séduction. Tournoiements sur la piste de danse, effleurements subtils. Frissons sensuels pour l'officier britannique. Cœur battant la chamade pour la belle espionne.

Leur jeu insensé et téméraire se prolongea dans la chambre de Lydia. À l'aube, baisers et caresses remplacèrent les adieux d'une nuit volée à leur destinée.

◆

Le bimoteur perdit brusquement de l'altitude et piqua du nez. Quelques soubresauts plus tard, il se stabilisa à une dizaine de mètres au-dessus de la cime des arbres. L'estomac dans les talons, Lydia s'agrippa à son siège de toile.

En regardant par le hublot, elle eut l'impression de glisser sur le tapis sombre de la forêt vierge guyanaise. Ici et là, dans ce pays aux mille rivières, surgissaient de la jungle des cours d'eau qui se mouvaient comme autant de serpents noirs. À l'occasion, des chutes spectaculaires obligeaient le pilote à remonter le nez de son appareil pour faire admirer à sa passagère le somptueux spectacle.

Après une escale à New York et une autre à Miami, Lydia en était à sa vingtième heure de vol. Depuis son départ de Toronto, elle avait cédé son identité et sa vie à Hélène LeSieur, nièce d'Ernest LeSieur, restaurateur et Dieu sait quoi d'autre.

Dès sa descente d'avion au petit aéroport de Georgetown, la capitale de la Guyane britannique, Lydia suffoqua sous l'effet de l'humidité du climat équatorial. Quel contraste radical avec le froid canadien qu'elle venait à peine de quitter où la température flirtait avec les -30 °F!

À la douane, abritée dans un hangar improvisé, les formalités d'usage se déroulèrent dans la nonchalance. Après une lecture rapide de son passeport, le douanier, originaire de l'Inde, lui souhaita la bienvenue avec une politesse toute britannique.

L'oncle Ernest accueillit sa soi-disant nièce avec effusion. Trapu et à l'embonpoint prospère, l'homme au visage basané et aux cheveux noirs gominés portait un costume de toile blanche. Seule sa cravate bigarrée ne provenait sans doute pas de la même boutique du Faubourg Saint-Honoré, à Paris. Chapeau de paille blanc cassé, lunettes fumées, gants blancs et souliers de la même couleur, avec empeignes dentelées brunes, complétaient cette réplique des gangsters américains des films de série B. Toutefois, l'anneau doré à son oreille fit sourire Lydia. Certainement un reliquat de rituels barbares ou une marque de distinction dans la confrérie des filous, pensa-t-elle.

En traversant l'aire d'accueil, l'homme en blanc mâchouillait un long cigare havanais. Tel un propriétaire prospère, il accompagnait chaque pas d'un mouvement élégant de sa canne à tête de léopard. En maître de céans, il décrivait le lieu avec une jovialité communicative et saluait au passage des amis en leur présentant avec fierté sa nièce du Canada.

Toutefois, à peine installé derrière le volant de sa rutilante Buick, il laissa tomber son masque.

— Il y a de l'action ces temps-ci en ville. Le port fourmille d'une activité inhabituelle. Ce n'est pas tant le trafic maritime qui augmente, mais les personnages douteux qui surgissent de je ne sais où. Sûrement des espions. Je les flaire à distance.

Avec l'air suffisant d'un homme d'affaires qui appréciait la qualité de sa marchandise, il ajouta :

— Évidemment, leur premier point de chute, c'est chez moi, au King's Pub, le seul endroit du continent où ils peuvent prendre du bon temps avec les plus belles filles du monde. J'ai assez bourlingué pour te dire que je sais de quoi je parle ! Et ce n'est pas pour me vanter… J'ai l'œil pour les choisir jeunes, minces et aux jambes élancées ! Et si elles déploient d'autres talents… eh bien, je ferme les yeux. C'est un atout non négligeable. Tu sais de quoi je parle, ma *bella* ?

Elle ne l'ignorait pas ! Parce qu'il semblait en veine de confidences et voulant attirer sa sympathie, Lydia, qui connaissait déjà le long pedigree du personnage, feignit la candeur et lui demanda :

— Excusez ma curiosité, monsieur LeSieur, mais elle l'emporte sur les bonnes manières ! Comment avez-vous échoué ici ? C'est bien loin de votre Montréal natal !

— D'abord, tu dois m'appeler Black Jack. Comme tout le monde. Échoué ici, c'est bien le mot… continua-t-il en soupirant. Mais si je te racontais ma vie, j'en aurais pour des heures. Disons que je suis un Canadien français un peu fou. Ma rue, ma ville, mon monde m'étouffaient. Sans métier, j'étais nourri par la flamme du jeu, de l'aventure et des grands horizons. En 1919, quand j'ai quitté la rue Panet, à Montréal, j'ai voulu faire de la planète mon terrain de jeu. J'ai été cuistot sur des cargos, prêteur sur gages à Hong Kong, organisateur de safaris au Kenya, trafiquant d'opium en Afghanistan, joueur professionnel dans les palaces d'Europe. Jusqu'au jour où j'ai épousé, dans un moment d'égarement, tu peux me croire, la plantureuse, la merveilleuse Nati Flores de Rivero de Salazar del Rio.

Ému, l'homme se tut en fixant la route sablonneuse qui longeait la mer des Caraïbes comme si Nati l'attendait à un détour pour l'accueillir dans ses bras.

— Vous l'aimiez beaucoup…

— C'était plus que ça. Dès le premier instant où les effluves de son parfum musqué ont chatouillé mes narines, je savais que j'étais son prisonnier.

Il s'interrompit. Par réflexe, il frotta l'anneau à son oreille et éclata de rire.

— Ma *bella*, tu veux que je te livre mon âme.

— C'est pour mieux vous connaître, mon cher oncle.

— À vrai dire, j'aime en parler !

Il sortit un mouchoir de sa poche et essuya la sueur de son front.

— J'ai rencontré cette perle rare un soir de pleine lune sur un paquebot qui nous emmenait de Dakar à Caracas. Elle se promenait sur le pont, vêtue d'une robe du soir. Un corps de sirène ! En passant devant moi, elle m'a décoché tout un clin d'œil. J'étais accroché ! Cupidon a eu raison de mes résistances de vieux garçon comme ça, au beau milieu de l'Atlantique.

— À première vue, on ne vous croirait pas aussi romantique.

— Après la soirée passée à boire et à danser, j'ai suivi Nati dans sa cabine. Et là j'ai vécu la plus grande houle de ma vie. Le lendemain, au réveil, j'étais allongé auprès de ma « merveilleuse » qui dormait, son bras sur mon torse. Le dernier verre de rhum de la veille m'avait assommé raide et, ce matin-là, je ne me souvenais plus de rien. Sauf que, en reprenant mes esprits, j'ai découvert un jonc à mon doigt. Tu imagines ma stupéfaction.

— Vous avez fui ?

— Non, je voulais des explications et ça pressait !

— Comment a-t-elle réagi ?

— Avec son merveilleux accent espagnol, elle m'a déclaré son amour : j'étais l'homme de sa vie et elle avait pris les choses en main en demandant au capitaine de nous unir pour le meilleur et pour le pire.

— C'était toute une femme !

— À qui le dis-tu ! Je lui en ai voulu sur le coup. Mais elle a su s'y prendre pour que je lui pardonne. Pour être franc, je ne l'ai jamais regretté. Jusqu'à sa mort, elle m'a rendu le plus heureux des hommes.

— Elle est morte ?

De nouveau, il caressa l'anneau à son oreille.

— Un accident stupide. Pendant notre voyage de noces, à l'île de Trinidad, un grain violent s'est levé au cours d'une régate. Dans un empannage, elle a reçu la bôme en plein front et a été projetée par-dessus bord.

— Quel étrange destin ! Elle n'a donc jamais connu votre pub ?

— Même moi, à ce moment-là, je ne le connaissais pas.

— Comment cela ?

— Au cours de la traversée de l'Atlantique, je me suis retrouvé à une table de pros du poker. Et, tu devines la suite… j'ai gagné et aussi presque perdu tout mon pécule. La veille de notre arrivée au port de La Guaira, près de Caracas, je devais me refaire à tout prix pour affronter, la tête haute, la famille de ma bien-aimée, de grands propriétaires terriens. À la dernière mise, nous n'étions que deux joueurs. Face à moi, un jeune Chinois, d'allure assez quelconque, perdait sa chemise. Il s'entêta et déposa sur le tapis les titres de propriété de son pub. Pour un joueur, quel que soit le gain, tout est acceptable ! Quant à moi, à bout de ressources, je bluffais en jouant mon honneur. Par chance, j'avais une main gagnante et bingo ! je suis devenu le nouveau propriétaire du King's Pub !

Ils traversèrent Georgetown par ses vieux quartiers, une Hollande en miniature, avec les multiples canaux qui sillonnent la ville. Lydia put apprécier la beauté des maisons de bois, témoins de l'occupation des Hollandais, puis des Français et maintenant des Anglais.

En passant devant la cathédrale, Black Jack lui lança avec un orgueil étonnamment patriotique pour un expatrié :

— Tu vois, c'est une des merveilles du monde. C'est le monument en bois le plus haut de la planète ! Y a pas ça chez nous, hein, ma *bella* ?

Puis ils longèrent le marché Stabroek. Black Jack le qualifia de bazar étrange. Construit moitié sur l'eau, moitié sur terre, il regorgeait d'étals de bijoux en or et d'articles ménagers, avec un espace important réservé aux fruits et légumes. On y observait une foule bigarrée composée d'Indiens de l'Inde et d'Amérindiens, de Noirs, de Métis, de Chinois et de Blancs au visage buriné. Le soleil exaltait les couleurs vives des aliments dans ce paradis d'exotisme qui rappelait à Lydia ses années de jeunesse sur ce continent d'abondance. Elle avait l'impression de revenir chez elle.

Au port, elle constata l'activité intense de hordes de débardeurs qui, sous l'œil vigilant de soldats, chargeaient ou déchargeaient les cargos battant pavillon de pays alliés. Dans une valse de câbles, de poulies et de palans, des dizaines de camions les approvisionnaient en bauxite, en sucre et en riz. Pour Lydia, l'importance de sa mission devenait plus concrète.

Plus la voiture approchait du pub, plus Black Jack manifestait un certain malaise. Finalement, la Buick ralentit. Le propriétaire la gara avec précaution devant la terrasse du King's Pub. Il retira la clé du contact et c'est l'air sérieux qu'il se tourna vers Lydia.

— Nous y voilà. Sois prudente, ma *bella*, et surtout, reste toujours sur tes gardes. Je veillerai sur toi comme un père. Mais si tu es prise, je n'y pourrai pas grand-chose… La loi telle qu'on l'entend ailleurs dans le monde ne s'applique pas ici. Malgré la beauté de ce pays, l'étranger nage toujours en eau trouble. Ne te fie jamais à ce que tu verras.

Il s'apprêtait à descendre de voiture, mais se ravisa et ajouta :

— Je ne veux pas connaître le but de ta mission. Mais j'en imagine le degré de danger puisque ton contact, Michael Bolton, a été assassiné il y a deux jours.

Un frisson d'effroi la parcourut.

— Vous le connaissiez ?

— Oui. C'était un bon ami. Il utilisait mon pub comme sa deuxième maison. D'ailleurs, tu logeras dans sa chambre. Le MI6 l'avait mis sur ma route, comme toi. C'était un homme d'affaires averti, issu d'une des grandes familles du pays. Depuis quelques jours, il semblait au-dessus de ses affaires.

— Comment a-t-il été tué ?

— On l'a retrouvé en bordure de la jungle, à la limite de la ville, la gorge tranchée et les mains liées dans le dos. On l'a torturé…

— La police a-t-elle des pistes ?

— La police ? Ici, c'est un peu le Casablanca des Amériques. Cet événement a jeté une douche froide sur les Blancs de la colonie. Certains l'attribuent à Aigle Blanc, le chef des revendicateurs autochtones que personne n'a pu identifier jusqu'à maintenant. Si tu veux mon avis, c'est un règlement de compte entre espions. Ça collerait plus à la réalité…

Il fit une pause mesurée avant d'ajouter :

— La donne a changé… Te voilà seule et… en danger, ma *bella*.

Elle le fixa.

— Suis-je vraiment seule ?

Il hésita, puis se résolut à répondre :

— On me paie pour te garder en vie et t'ouvrir les portes de ce petit paradis qui ressemble plus à un enfer par les temps qui courent. Ne te méprends pas, je n'ai rien d'un espion !… Cela dit, as-tu une robe du soir ?

Elle fit signe que oui.

— Parfait. Ce soir, nous allons frayer avec le beau monde de la haute.

13

Dans les eaux sombres de la rivière Saguenay, au Québec, le commandant du sous-marin U-46 grimaça. Sa montre indiquait quatre heures vingt-neuf. Avec l'index, il donna une chiquenaude sur la vitre du boîtier comme pour la rappeler à l'ordre. Le temps pressait, pensa-t-il, et Tremblay n'était pas au rendez-vous. Avec ses deux heures de retard, il mettait en danger non seulement la vie de ses hommes, mais aussi la mission.

Le commandant en second, fébrile depuis leur entrée dans le fjord, s'adressa à lui d'un ton qu'il voulait neutre mais qui trahissait son inquiétude:

— Mon commandant, je me permets de vous signaler qu'il nous reste une demi-heure à peine pour faire surface avant que le brouillard du petit matin ne se dissipe.

Impassible, le commandant Klaus Bauch ordonna de sortir le périscope pour la troisième fois en trente minutes et riva ses yeux aux lentilles. Soudé à l'instrument, il pivota sur trois cent soixante degrés. Visibilité nulle. Le brouillard couvrait toujours la rivière, isolant encore plus sa *Greta*. Il ne pouvait compter sur une aide technique pour confirmer la présence de son correspondant: le radar expérimental ne fonctionnait plus depuis l'entrée dans le golfe du Saint-Laurent et, dès l'immersion dans le fjord, il avait ordonné de couper la radio. Pour le moment, seuls son instinct et ses trente ans d'expérience en mer le guidaient. Le temps filait, augmentant le danger qu'ils soient repérés. Le passage de plus en plus fréquent de puissants cargos n'était pas pour le rassurer. Leur ronronnement sourd, souvent accompagné par le fracas du bris de plaques de glace, confirmait l'urgence d'agir. Chaque minute, ainsi vécue dans la peur, s'inscrivait comme une victoire sur l'impossible. Certes, il en avait vu d'autres, mais rien, dans son attitude, ne laissait deviner ses craintes.

Si le petit bateau ne pouvait s'approcher de son bâtiment, son passager spécial devrait nager jusqu'à la rive. Un homme peut-il survivre dans ces eaux nordiques, même en ce début de printemps ? se demanda-t-il.

En immersion dans les profondeurs du Saguenay depuis déjà deux heures trente et une minutes, la *Greta* dormait devant Cap-Jaseux, un hameau situé à quelques kilomètres en amont de Port-Alfred. Ce port desservait la papetière Price Brothers ainsi que le complexe de l'aluminerie Alcan pour le déchargement de la bauxite, en provenance de la Guyane britannique.

Pour éviter qu'ils ne soient repérés par des guetteurs le long des berges du fjord ou par des patrouilles maritimes ou aériennes, le commandant Bauch avait exigé le silence le plus complet de son équipage, l'arrêt des propulseurs et des appareils auxiliaires. Avec à peine un éclairage d'appoint et sans chauffage, le submersible s'était vite refroidi et la condensation perlait en abondance sur les parois.

Pour économiser l'oxygène dans l'habitacle, les quarante-cinq sous-mariniers d'élite avaient dû s'allonger sur leurs étroites couchettes de toile. Suspendues les unes au-dessus des autres par groupes de six, elles étaient coincées entre les torpilles et les apparaux.

Dans cette promiscuité, avec ses relents de carburant, de crasse et de transpiration accumulés depuis des semaines, l'attente devenait infernale. Refusant le sommeil, à l'affût du moindre bruit inhabituel, les hommes commençaient à montrer des signes d'impatience. L'humidité s'insinuait dans leurs corps courbaturés, malgré la superposition de lainages et leur combinaison de cuir malodorante et souillée. Toujours sur le qui-vive, ils n'attendaient qu'un ordre pour se jeter dans l'action et reprendre possession de leur vie en balayant les inquiétudes engendrées par la trop longue inertie. Avares de mouvements, certains lisaient à la chandelle, jouaient aux échecs ou aux cartes tandis que d'autres rêvaient en admirant leur bien-aimée sur une photo écornée, collée à la coque.

Quand ces hommes s'étaient portés volontaires pour cette mission, on ne leur avait pas doré la pilule : bien minces étaient les chances d'en revenir vivants. Par contre, s'ils réussissaient, leur héroïsme marquerait à jamais l'histoire de la guerre maritime du IIIe Reich en terre nord-américaine.

À cette heure de la nuit, sous le regard attentif des sous-mariniers, Karl s'affairait devant sa couchette. L'homme de Berlin, comme ils le surnommaient avec une certaine déférence, avait évité d'engager toute conversation avec eux. Dès son arrivée, ses gestes avaient alimenté bien des hypothèses. Replié sur lui-même, souvent en proie au mal de mer, il avait passé le temps à lire et à dessiner au crayon le portrait des membres d'équipage, de nouveau-nés, de femmes et même les traits torturés d'un homme d'âge mûr.

Ces hommes avaient un moral à toute épreuve, malgré le manque de vivres et le rationnement de l'eau potable, les odeurs d'essence, de déchets et d'excréments (à bord, il n'y avait qu'une toilette, inutilisable en période d'immersion). Leur fierté patriotique entretenait

leur soif viscérale de vaincre. Toutefois, la présence de
l'étranger menaçait la cohérence de leur esprit de corps
façonné à la dure école d'une vie passée des mois
durant en vase clos. Superstitieux, les marins le per-
cevaient comme un oiseau de malheur.

C'est pourquoi, à cet instant précis, les membres
de l'équipage pressentaient que le moment du départ
approchait pour l'indésirable. Ils remerciaient Neptune
et Poséidon de l'éloigner. Tant bien que mal, l'homme
tentait de se débarbouiller à l'aveuglette avec un mouchoir d'une propreté douteuse. Après avoir enfilé des
bottes et un ciré de pêcheur, il glissa une valise usée
et un baluchon dans des sacs imperméabilisés.

Le démarrage des propulseurs secoua les marins.
Leurs muscles se contractèrent. Leur attention se dé-
tacha de l'inconnu et, inquisiteurs, ils fixèrent la paroi
métallique, en attente d'un ordre.

Dans le poste de pilotage, le commandant sourit de
contentement. Le Canadien avait tenu parole. L'embarcation approchait enfin. Les yeux de nouveau rivés
au périscope, il scruta la surface de l'eau. Le brouillard
ne s'étant pas dissipé, il ne distinguait toujours rien.
Malgré tout, il se sentait soulagé : il allait enfin se débarrasser de son passager. Même s'il n'en avait soufflé
mot à personne, il n'en avait pas moins ressenti le
même malaise que ses hommes.

Le commandant Bauch bomba le torse. Avec l'assurance martiale propre au seul maître à bord, il ordonna de faire surface. Du coup, un flot d'adrénaline
excita ses hommes. Dans une chorégraphie réglée
comme un ballet, ils gagnèrent leur poste avec agilité.
Quelques secondes plus tard, le commandant demanda
de chasser aux ballasts. Les pompes ayant terminé leur
travail, les moteurs reprirent leur rythme saccadé.

Deux minutes plus tard, comme une baleine assoiffée
d'oxygène, la *Greta* surgit à l'air libre en moins de

vingt-cinq secondes. Gobé par le brouillard, le monstre de métal retomba sur ses flancs en scindant la rivière en deux vagues gigantesques. Dès l'ouverture du sas, la ventilation balaya rapidement les toxines de l'air vicié. L'équipage put enfin respirer normalement.

Aucun comité d'accueil à l'horizon. Ni sirène, ni patrouilleur, ni avions militaires. Seul, au loin, le hurlement d'un loup les salua. Cependant, le clapotis des vagues venant mourir sur la coque et les claquements réguliers des soupapes du bateau ami trahissaient leur présence, leur rappelant l'urgence de se débarrasser du passager.

C'était donc la fin de la première étape des missions respectives de la *Greta* et de Karl.

Attentif à la moindre manœuvre, Karl n'attendait qu'un signal pour enfin s'extirper des entrailles du monstre. Même s'il avait souffert physiquement de l'inaction du dernier mois, il se sentait alerte et mentalement prêt à affronter ce qui l'attendait. Par habitude, il effectua des rotations du cou vers la droite puis vers la gauche. Un nerf cervical craqua et se décoinça.

Pour la centième fois, il visualisa les actes qu'il aurait à accomplir dès l'abordage. Une main lourde s'abattit alors sur son épaule. Il sursauta.

— C'est le temps ! Encore cinq minutes et vous pourrez enfin respirer à votre aise ! lança le commandant, qui perçut une lueur de soulagement dans les yeux de l'homme plus terrien que marin.

Il ajouta :

— Ça va aller ?

— Je ne sais pas comment vous pouvez vivre dans cette boîte de conserve.

Bauch sourit.

— Je vous remets entre les mains d'un homme fiable… un boucanier des temps modernes, à ce qu'on m'a dit ! Soyez quand même prudent. Que Dieu vous garde pour la gloire de la grande Allemagne.

Bauch salua d'un « Heil Hitler ! » bien senti auquel Karl répondit avec autant de ferveur. Puis, tenant ses bagages à bout de bras devant lui, il suivit le commandant dans l'étroit couloir. Avant de quitter le submersible, il tendit une main chaleureuse à son hôte et lui dit d'un ton amical :

— Ce fut un honneur de vous connaître, commandant Bauch. Vos hommes sont de la trempe des héros ! Bon retour chez nous !

Il s'agrippa à l'échelle vissée à la paroi et, maladroitement, l'escalada jusqu'en dehors du sas. Sur le pont, il se gava d'air frais.

Malgré la brume et les billes éparses qui flottaient à la dérive, le transbordement du passager se déroula sans problème.

Le vieux capitaine Tremblay connaissait son métier et les humeurs de sa rivière. Combien de fois, depuis les années de la prohibition, avait-il répété les mêmes gestes alors qu'il s'adonnait à ses activités de contrebandier à bord de son *Bourlingueur* ?

Quand l'Allemand s'engouffra dans la cabine, il le salua du ton jovial qui lui était coutumier même dans les moments où l'inquiétude le rongeait.

— Y fait meilleur à l'air libre, hein, jeune homme ? On arrivera sur la grève dans quelques minutes ! lança-t-il sans se détourner des instruments de navigation.

Il mit le cap au N.N.O. et, pour éviter la force du roulement des vagues au moment de la plongée du sous-marin, le bateau amorça un virage en épingle rapide.

Karl le regardait manœuvrer.

— Parlez-vous français ? lui demanda le capitaine.

Après une hésitation, Karl répondit :

— Je me débrouille.

— Assoyez-vous sur la banquette.

Avant que Karl ait le temps de s'exécuter, une énorme vague frappa à bâbord, suivie d'un violent coup de gîte. Il perdit l'équilibre et laissa échapper ses sacs. Dans sa chute, il se cogna la tête contre la cloison de la cabine. Un peu sonné, il se retrouva étendu par terre et chercha un point d'appui. Peine perdue, le mur n'offrait aucune prise. Il en vint à regretter la stabilité du sous-marin en immersion.

— Vos amis viennent de plonger !

Le petit bateau roula comme un balancier déréglé. Pour sortir de la zone agitée qui les avait rattrapés, le capitaine poussa son moteur à sa limite. Peu à peu, le bateau se redressa et reprit son cap.

Le Canadien tendit la main à Karl.

— Vous n'avez pas le pied marin !

Livide, l'espion resta de marbre.

Pour sa part, la *Greta*, déjà réfugiée dans le secret des profondeurs du Saguenay, faisait route vers sa mère patrie.

Pour Karl, sa mission commençait véritablement. Sans raison apparente, le brouillard se dissipa d'un coup. Voguant avec des allures de navire fantôme, feux de position éteints, le *Bourlingueur* avançait maintenant sur une mer d'huile.

Entre les deux hommes, le silence s'imposa de lui-même. Pour le moment, pas question pour le marin d'engager la conversation ni pour l'inconnu de fraterniser.

Quelques minutes plus tard, le capitaine réduisit le régime du moteur.

— On y est ! Préparez-vous à descendre.

Sortant de la cabine, il se précipita sur le pont avant et mouilla l'ancre. Le plouf se répandit en écho pendant que la chaîne se dévidait à toute allure. Avec patience, il attendit qu'elle soit solidement enfoncée dans la glaise au fond de l'eau avant de l'assurer en marche arrière. Doucement, l'embarcation s'immobilisa. Après avoir jeté l'échelle de corde par-dessus bord, il la sécurisa à un chandelier et hala l'annexe près de la coque. De retour à l'intérieur, il coupa le moteur.

— Avec la marée basse, vous ne vous mouillerez pas trop. Même si le risque qu'on nous repère est mince, il faudra se dépêcher: il y a cent pieds à découvert à parcourir dans la boue. Suivez-moi de près. Je vous avertis, je cours vite!

Au loin, une meute de loups s'égosillait dans un crescendo de hurlements aigus. Remarquant le regard intrigué de son passager, le capitaine ajouta:

— C'est le diable qui se déchire l'âme! Mais il n'y a aucun danger. Ce sont mes amis depuis que je suis haut comme trois pommes. Bon, le temps presse. Descendons. À vous l'honneur, dit-il en joignant le geste à la parole.

Avec l'agilité de ses vingt ans, Karl prit place, avec armes et bagages, dans la pointe de l'annexe.

Le Canadien français s'installa aux avirons et se mit à ramer avec vigueur. Ses soixante ans bien sonnés n'avaient pas encore eu de prise sur son agilité.

La chaloupe s'échoua enfin sur la plage de sable mouillé. En sautant sur la berge, le capitaine se mit à courir. Karl lui emboîta le pas. Devant lui s'imposait une falaise couverte de conifères. Il fut saisi par l'immensité du paysage. Fort de son expérience en escalade dans les montagnes de Bavière, il jugea son élévation à plus de cent cinquante mètres. « Une crique discrète à souhait. Un parfait refuge », pensa-t-il.

Ils traversèrent la plage, contournèrent un chêne centenaire dont les racines géantes dénudées s'agrippaient au sol. Devant un mur de buissons enracinés dans les saillies du roc, le capitaine s'arrêta. D'un geste énergique, il en dégagea une partie. Une ouverture apparut.

— Nous y voilà! annonça-t-il en allumant une lampe-tempête.

Une lueur orangée soulignait maintenant la ligne d'horizon.

Les deux hommes se glissèrent dans la fente et s'enfoncèrent dans le rocher. Karl dut se pencher en traînant ses sacs sur le sol. Tous les vingt pieds, son guide alluma des torches vissées aux parois suintantes. Plus ils avançaient, plus le couloir s'élargissait et gagnait en hauteur. À un embranchement, ils bifurquèrent vers la droite.

— Attendez-moi, dit le capitaine en s'enfonçant dans la pénombre.

Karl le suivit des yeux grâce aux mouvements du rayon lumineux. L'une après l'autre, des torches illuminèrent une grotte aux parois ruisselantes. À certains endroits, celles-ci disparaissaient derrière des rangées de caisses de bois, estampillées *Fragile*, *Barbados Rhum* ou *Jack Daniel's Whiskey*. Au centre, un petit bûcher attendait d'être allumé.

D'un geste nonchalant, Karl laissa tomber ses sacs et vint s'accroupir près du marin, qui tentait tant bien que mal d'allumer le feu. Un filet d'air caressa sa joue et une étincelle embrasa le fagot.

D'un ton sec, presque agacé, le capitaine lui dit :

— Nous nous reposerons ici quelques heures. Profitez-en pour vous laver ! Vous empestez le fuel. Ça peut faire tiquer n'importe quel imbécile. Dans le coffre, derrière vous, j'ai caché de mes vieux vêtements de travail et un parka. Je vais préparer le café !

Le marin souffla doucement pour accélérer la combustion. Karl l'étudia. Sa jovialité avait trop vite disparu, pensa-t-il. Son humeur changeante l'inquiéta et, du coup, il se sentit plus vulnérable entre ses mains. Seul lien avec ce monde, cet homme pouvait aussi bien être un ange gardien qu'un ange de la mort. D'après son expérience, les hommes-caméléons s'inscrivaient sur la liste des dangers à éviter ou à éliminer. Il n'insista pas et se retira dans un coin pour faire sa toilette.

Dix minutes plus tard, l'odeur de café émoustillait ses papilles. Depuis le début de la guerre, il en avait été privé. Un vrai calvaire. Lui, un amateur, avait dû se rabattre depuis un an sur des concoctions infectes à base de pissenlits ou de chicorée.

Karl se pressa d'enfiler le pantalon de travail, trop serré et trop court. Avec des bottes, il n'y paraîtrait plus, pensa-t-il.

Rejoignant le vieil homme, il remarqua que sa tension s'était muée en une expression de douleur. Pour rester en vie, Karl avait appris à interpréter le langage du corps des inconnus avec qui il travaillait. Pour gagner leur confiance et désamorcer leur possible animosité, il lui fallait feindre d'entrer dans leur jeu. Ce moment était arrivé.

— Attention, c'est bouillant ! le prévint le marin en lui tendant la tasse sans le regarder.

Du bout des lèvres, Karl effleura le rebord de la tasse en tôle écaillée. Satisfait de la température du café, il savoura sa première gorgée.

— Ça, c'est du café ! s'écria-t-il avec enthousiasme. Il y a longtemps que je n'en ai bu d'aussi bon.

L'autre feignit de ne pas entendre. Fixant le feu, il resta muet entre les gorgées du liquide chaud. La souffrance qui ravageait son visage ridé ne le quittait pas.

— Je vous remercie pour les vêtements et pour le café. J'ai l'impression de redevenir un homme normal, dit l'Allemand.

Le vieux marin sursauta.

— Rien n'est normal en ces temps de folie furieuse ! Vous devriez être mon ennemi. Ça, ce serait normal… mais vous êtes là, devant moi, et je vous aide à entrer en voleur dans mon pays !

Karl choisit de demeurer muet.

— Vous ne me demandez pas pourquoi je le fais ? Sans le laisser répondre, il ajouta :

— C'est simple ! Nous avons une chose en commun.

— Ah oui ! Quoi donc ?

— Tous les deux, nous haïssons les Anglais ! Et, selon moi, si vous êtes un ennemi des Anglais, vous pourriez devenir mon ami.

— Je ne vous suis pas... mon français n'est pas parfait...

Le vieil homme, qui avait évité son regard depuis leur entrée dans la grotte, l'examina avec l'œil d'un inspecteur d'école. Ses traits se détendirent et il changea de ton.

— J'avais un fils de votre âge. Aussi athlétique, aussi beau...

Incapable de contrôler sa hargne, il lâcha avec vigueur :

— Ces maudits Anglais me l'ont pris pour vous faire la guerre à leur place. Au nom de la patrie. Mais quelle patrie ? L'Angleterre ? Non ! Sa seule patrie, c'était ici au Saguenay. Pas dans les vieux pays.

Pour mieux le convaincre, il appuya sur chaque mot qui suivit.

— Votre guerre, ce n'est pas notre guerre !

Il s'arrêta, puis, le chagrin dans la voix, il poursuivit en cherchant ses mots.

— Son régiment a servi de chair à canon sur la ligne de front ! Tous de braves ti-culs de Canadiens français ! Un festin pour vos balles. Et en avant les colonies !... Nous, les Anglais, on se retranche gentiment sur nos arrières !

Du revers de sa main crevassée, l'homme essuya quelques larmes.

— La semaine dernière, j'ai appris par télégramme qu'il était mort en héros... pour la gloire de la patrie. Ça faisait à peine trois semaines qu'il était parti !

Le capitaine s'arrêta et, par à-coups, avala son café. Soudain, il fut frappé par les propos qu'il venait de tenir. « Qu'est-ce qui me prend de déballer tout ça devant un pur étranger ? » se demanda-t-il, réalisant qu'il ne s'était jamais ouvert de la sorte, même pas à sa femme. « Ce jeune homme aurait pu être mon fils », se dit-il. Il crut lire de la compassion dans son regard. Il ne lui en fallait pas plus pour l'encourager à continuer ses confidences.

— Mon Bernard a cru aux belles paroles de Churchill et à cette chiffe molle de Mackenzie King. Un vrai vendu, celui-là ! Contre mon gré, mon fils s'est enrôlé comme volontaire. J'aurais préféré qu'il reste avec nous et milite pour le parti nazi avec moi. Il nous aurait été plus utile. Nous sommes si peu nombreux dans les parages.

Il fit une pause, puis reprit :

— Vous savez, nous vivons sous le joug des British depuis 1760 et pas un seul d'entre eux n'a encore appris à parler notre langue. Par contre, si on veut travailler, on n'a pas le choix, c'est l'anglais. Toute notre vie tourne autour de cette poignée d'esclavagistes qui n'a que faire de nous, si ce n'est nous exploiter. C'est pour cela que je crois sincèrement à la pureté et à la force de notre race canadienne-française, comme le clame Hitler dans votre pays. Un jour, nous aurons notre pays et oust ! dehors les Anglais…

— Votre motivation vous honore, lui dit l'espion, qui n'arrivait cependant pas à suivre son raisonnement.

« Tout cela n'est que radotage de vieilles personnes », se dit-il.

— C'est pour ça que j'ai accepté de vous aider, et aussi… parce que j'ai vingt petits Tremblay à nourrir, finit-il par avouer.

— Merci, monsieur Tremblay, de votre confiance. Je me présente, Michel Antonesciu. Je suis Roumain.

Avec l'air de quelqu'un qui en a vu d'autres, le vieil homme lui lança un regard oblique.

— N'insultez pas mon intelligence ! Je ne veux rien connaître ni de vous ni de votre mission. Que vous soyez Polock ou Allemand, je m'en crisse ! L'important pour moi, c'est de me battre contre les Anglais.

Karl sortit une liasse de billets de dix totalisant cinq cents dollars et la lui remit.

— Peut-être que ceci vous aidera à oublier notre rencontre !

Les flammes faiblissaient. Le capitaine empocha l'argent, puis déposa deux autres bûches sur le feu.

— J'ai déjà oublié votre existence. Faites de même et on s'en portera mieux tous les deux. Si vous avez un coup dur, n'essayez pas de me contacter, vous ne me retrouverez pas. Et mon nom ne vous aidera pas… Ici, au beau royaume du Saguenay, presque tout le monde porte le nom de Tremblay.

14

Portant les valises de Lydia, son oncle avait longé une ruelle étroite avant d'emprunter un escalier discret situé à l'arrière du pub d'où s'échappaient des relents âcres de bière.

Sur le seuil du premier étage, il lui dit :

— Ici, c'est le royaume de mes filles.

Puis, ils montèrent un autre escalier, dissimulé derrière un mur, et arrivèrent aux quartiers de Black Jack et à la chambre réservée aux invités.

Grande et aérée, cette chambre occupait la moitié de l'étage. Deux portes persiennes ouvraient sur un balcon à colonnades qui ceinturait la façade et les côtés de l'immeuble. La décoration dégageait l'aisance propre à la vie coloniale. Blanchis à la chaux, les murs mettaient en valeur le lit à baldaquin de style espagnol ceint d'une moustiquaire. Un divan écru imprimé de feuilles de palmier, une commode ainsi qu'un bureau complétaient le mobilier. Des carpettes en sisal délimitaient les aires sur le plancher de noyer mat et un bouquet d'oiseaux du paradis égayait la pièce.

— Tu as une vue imprenable sur le port. Par contre, avec le vacarme du port et la musique du pub, tu auras du mal à dormir…

— Je vais m'y habituer.

— Si tu as besoin de moi, mon appartement est juste à côté. Personne n'est autorisé à monter jusqu'ici. Tu pourras faire ce que tu as à faire… On se comprend, ma *bella*? dit-il en lui lançant une œillade complice.

Black Jack ouvrit le placard où pendaient trois costumes de Bolton, l'espion assassiné. Il les écarta, puis s'accroupit pour appuyer sur le mur du fond. Un panneau d'un mètre pivota.

— Cette cache contient sa radio émettrice et ses effets personnels. Tu y trouveras peut-être quelque chose d'intéressant…

Là-dessus, il la quitta, la laissant à l'exploration de son nouvel univers.

Curieuse, Lydia vida la valise de Bolton sur le lit. Sans lui, elle partait de la case départ ou presque, avec deux noms de code pour toute information et Black Jack comme soutien… moral. Elle trouva une paire de jumelles; une photo de Bolton enlaçant une jeune femme en sari devant une chute d'eau impressionnante, au verso de laquelle elle lut « Indira »; une autre où Bolton, Black Jack et un homme posaient fièrement près d'un poisson qui les dépassait d'au moins deux pieds en hauteur; une bible de la Church of Guyana, appartenant à l'Association des jeunes Guyanais; une loupe, un passeport guyanais, de la petite monnaie locale et un sachet de poudre blanche qu'elle goûta. De la cocaïne!

Qui était Indira? L'espion se droguait-il? Qui était le troisième pêcheur? Qu'était l'Association des jeunes Guyanais? Et la bible?… Curieux, cette bible! Lydia eut la certitude que les réponses la conduiraient sur la piste de Pluton et d'Aigle Blanc, les chefs rebelles qu'elle était venue débusquer.

Dans le double fond de la valise, elle trouva deux revolvers de petit calibre, un poignard à cran d'arrêt, un appareil photo miniature, un sac contenant une dizaine de diamants d'environ deux carats chacun et trois lingots d'or, des passeports établis à des noms différents du Venezuela, de la Jamaïque, des États-Unis, d'Angleterre, d'Italie et du Brésil avec leurs devises respectives, des liasses de dollars guyanais et américains et des livres sterling.

L'heure avançait. Elle s'empressa de tout remettre en place, poussa sa propre radio dans le cagibi secret et déposa les lunettes d'approche sur la table.

Elle enfila un fourreau noir très moulant qui rehaussait le galbe de sa poitrine. Son léger maquillage, accentué par des lèvres du rouge flamboyant à la mode et les cheveux dénoués sur les épaules, Lydia admira le résultat dans la glace, satisfaite de l'image qu'elle projetait.

Puis, elle glissa son revolver miniature en nacre et son rouge à lèvres de mission dans son sac du soir en soie.

◆

Au Saguenay, les rayons timides du soleil de fin d'après-midi filtraient entre les arbres. Depuis une heure de marche, en route vers leur destination, Karl et Tremblay se suivaient dans un sentier mal défriché. Dans cette forêt de conifères et de feuillus ruisselait sous un tapis glissant de feuilles, vieilles d'une saison, l'eau des neiges fondantes. Des corbeaux tapageurs tournoyaient au-dessus du faîte des arbres. De temps à autre, Tremblay cassait les branches qui obstruaient leur passage. Ils devaient parfois escalader ou dévaler des pentes rocheuses et abruptes. Tant bien que mal, ils avançaient en évitant les sillons qui servaient de route aux charrettes. Aucune automobile ne s'aventurait sur ce sentier de fortune qui desservait les hameaux des environs.

Karl portait sur le dos le plus lourd de ses sacs alors que l'autre pendait en bandoulière. Leur poids l'obligeait à de fréquents arrêts, sous l'œil agacé de Tremblay.

Après quelques heures, le capitaine stoppa à une bifurcation. Devant eux se dressait le solide pont de Chicoutimi.

L'air maintenant ombrageux du vieil homme mit Karl sur la défensive et lorsque Tremblay glissa la main dans son havresac, l'espion agrippa son revolver dans la poche de son parka.

Tremblay lui lança :

— Tout doux, mon jeune !

Et lentement, il retira un sac de papier brun.

— Je t'ai préparé un lunch au cas où tu aurais un p'tit creux pendant le trajet.

Ils se toisèrent, ne sachant trop comment interpréter leur malaise réciproque.

— Tu n'as qu'à traverser le pont et tu longes la rivière vers le nord. En gardant une bonne cadence, tu seras à Arvida dans moins de cinq heures.

— Merci.

— Ne me remercie pas, fit le Saguenéen impatient. Malgré tout ce que je t'ai raconté, j'ai honte de moi. Pars avant que je ne change d'idée et que je ne te livre à la police.

Karl n'apprécia pas la réflexion, qui dévoilait la loyauté douteuse du capitaine. Il lui sauta à la gorge et appuya son revolver sur sa pomme d'Adam.

— Je n'aime pas les menaces, même voilées. Tenez-vous tranquille et tout ira bien pour vous et votre famille. Compris, capitaine Tremblay ?

Le marin tenta de se dégager, mais la poigne du jeune homme se resserra.

— Prenez garde, vous n'êtes pas la seule personne sympathique à notre cause dans la région. Il pourrait vous arriver un accident…

Le visage de Tremblay s'empourprait. Il hoqueta et finit par souffler :

— Arrête, tu m'étouffes…

Karl le relâcha lentement et Tremblay en profita pour le frapper au bas-ventre. L'espion vacilla en tirant. La balle transperça le thorax du marin, qui perdit l'équilibre. Avec un rictus d'étonnement, il s'affaissa lourdement.

Karl prit son pouls ; il battait encore, faiblement. Froidement, sans la psychose qui le caractérisait avant sa thérapie, il compléta la mise à mort d'une balle entre les yeux. Le sang gicla. Une flaque de neige fondue absorba le liquide qui s'écoulait lentement. Karl réalisa qu'il n'était pas en transe. Le soldat prenait donc le dessus sur le psychopathe. Les longues heures avec son thérapeute semblaient l'avoir éloigné de ses démons.

Il s'empressa de vider les poches de Tremblay, y trouva les billets de banque, qu'il rangea dans son sac en bandoulière. Pendant qu'il tirait le cadavre sous les branches d'un vieux sapin, deux billets glissèrent de sa poche, à son insu, qui se mêlèrent à la boue et aux feuilles mortes avec lesquelles il camoufla le cadavre.

Son travail terminé, des sueurs froides coulèrent sur son front fiévreux. L'après-choc le rattrapait. Il tenta de se persuader qu'un soldat devait tuer pour la patrie et que, par conséquent, il était un bon soldat du Reich. La mort du civil ne devait pas l'ébranler puisqu'elle compensait celle d'un soldat allemand. Et puis, ce n'était pas la première fois qu'il tuait un être humain. Toutefois, cette fois-ci, c'était différent. Cette opération kamikaze qui n'augurait rien de bon l'inquiétait. Cet incident de parcours ajoutait à ses craintes d'être démasqué, par une famille ou par des badauds. Cette région, d'une immense superficie, ne semblait pas très peuplée. Il en conclut que tous les habitants devaient se connaître. Le danger était encore plus présent.

Au fond de lui, il aurait tout donné pour se trouver ailleurs. Toutefois, il s'encouragea en se disant qu'il n'était qu'à quelques heures du feu de l'action et que, dans peu de temps, sur le chemin du retour vers son pays, il aurait tout oublié.

Quand il s'engagea sur le pont de Chicoutimi, le soleil se couchait rapidement. Dans quelques minutes, la nuit le protégerait.

15

La Buick avançait lentement dans la rue principale de Georgetown, bordée de palmiers royaux et d'arbustes flamboyants. Aveuglé par l'intensité du soleil qui s'infiltrait dans la voiture, Kawa, le chauffeur noir, s'efforçait de garder la cadence du cortège de voitures officielles qui se dirigeaient vers la résidence du gouverneur colonial britannique.

Black Jack n'utilisait les services de Kawa que pour exhiber un standing auquel il aspirait et pour rendre service à ses meilleurs artistes. Ce n'est pas parce qu'on est propriétaire d'un pub, que l'on fréquente les truands et les prostituées, qu'on n'est pas un homme de bien, se disait-il tous les matins en se rasant la barbe. Depuis son mariage avec Nati Flores, une soif d'honorabilité l'obsédait. Et, pour obtenir la considération du cercle restreint d'expatriés de la petite colonie, aucun moyen n'était assez grand pour arriver à ses fins, pas même celui de laisser conduire son joyau par quelqu'un d'autre.

Comme à son habitude, Black Jack n'arrêta pas de discourir.

— Ici, tout est prétexte à la fête. Ce soir, on honore l'équipe anglaise de cricket, vainqueur du tournoi annuel. On m'a invité en tant que sujet de Sa Majesté britannique. Comme ce genre d'invitations ne pleut pas, c'est tout un honneur ! Comme tu peux l'imaginer, je ne suis pas sur la liste d'invitations de ces gens de la haute société ! J'ignore ce qui a provoqué ce revirement.

Il s'esclaffa. Son rire tonitruant masquait à peine son mépris.

Lydia fixait le pare-brise, entièrement dans sa bulle, tracassée par l'assassinat de son contact et par ses conséquences sur la mission. Un pincement au cœur lui rappela qu'elle entrait de plein fouet dans les jeux de l'ombre pour la première fois.

La voiture fit un soubresaut au passage d'un nid de poule géant.

Sans préambule, elle demanda :

— Bolton ne vous a rien dit qui pourrait… ?

Le visage de Black Jack pâlit lorsqu'il lui serra la main, la broyant presque, pour la mettre en garde contre des indiscrétions possibles du chauffeur. Lydia réalisa son imprudence.

— De quoi veux-tu parler, ma *bella* ? répondit-il.

Le bruissement des palmiers royaux dans le vent et le reflux de la mer s'unissaient aux cris des toucans et peuplaient le silence inconfortable qui s'était installé dans la voiture.

Finalement, l'imposante villa de bois toute blanche apparut au bout d'une allée. La musique veloutée d'un *steel drum band* les sortit de leurs réflexions respectives. Le grand jeu commençait. Instinctivement, Lydia releva la tête, prête à tout pour réussir cette première rencontre avec le tout-Georgetown. Se retrouver parmi des diplomates, milieu dans lequel elle évoluait depuis son enfance, la stimulait.

Black Jack esquissa un sourire mitigé. L'inquiétude qu'il lut dans ses yeux n'était pas pour le rassurer. En signe de soutien, il lui tapota amicalement la main. Tournant la tête vers la fenêtre, il se dit : « Envoyer une bleue pour jouer dans les ligues majeures ! Les petits amis de New York sont vraiment inconscients. »

Mais, reprenant son rôle d'oncle, il crut bon de la rassurer :

— Ne t'en fais pas, tout ira bien, ma *bella*. Crois-en l'expérience de ton vieux Black Jack !

— Oui, tout ira bien ! répéta-t-elle dans une poussée d'adrénaline.

Kawa se permit d'ajouter en créole :

— *Cat foot soft but he ah scratch bât !*

— Il fallait bien que tu ajoutes ton grain de sel, lança Black Jack.

— Je n'ai pas saisi…

— Du créole. Un mélange d'anglais, de néerlandais et d'hindi. Kawa ne s'exprime qu'à travers des proverbes. Je te traduis celui-là au mieux de ma connaissance : « Certaines personnes peuvent sembler amicales et compréhensives, mais souvent elles ne le sont pas ! »

— J'en prends bonne note, Kawa. Merci pour l'avertissement, lui dit-elle, souriante.

La voiture s'arrêta enfin devant l'escalier de la résidence, débordant de gardénias et de magnolias. Un Guyanais noir, en livrée d'époque Louis XV et perruque blanche, tendit le bras à Lydia. Relevant le bas de son fourreau noir, elle se glissa avec élégance hors du véhicule.

Black Jack s'empressa de la rejoindre et, fièrement, ils montèrent les marches sous l'œil curieux des habitués qui s'interrogeaient sur l'identité de la superbe fille au bras du truand.

— Mon cher LeSieur, bienvenu parmi nous, lui lança l'hôte de la soirée qui n'avait d'yeux que pour Lydia. Et qui est cette magnifique créature qui vous accompagne ?

— Ma nièce Hélène LeSieur, Votre Excellence. Elle arrive tout droit de Montréal.

Le gouverneur lui tendit la main.

— Très heureux de vous rencontrer, mademoiselle. Considérez mon humble demeure comme la vôtre. J'espère que la soirée vous plaira.

Il enserra les mains de Lydia avec insistance en ajoutant :

— M'accorderez-vous l'honneur de la première danse ?

— Avec plaisir, Votre Excellence, répondit Lydia en le gratifiant de son sourire le plus candide.

— Alors à bientôt, belle demoiselle, lui dit-il avant de lui baiser la main.

Black Jack et Lydia poursuivirent leur entrée dans la ligne de réception et saluèrent chaque dignitaire. Quand ils furent arrivés dans la grande salle de bal, Black Jack ne put se retenir :

— Bravo ! Tu as gagné les faveurs de ce vieux veuf alcoolique. Tu sais, il ne donne pas sa place dans le lit de mes jolies poulettes. C'est un péché mignon qui lui a coûté cher, il y a quelques années… puisqu'il lui a valu la disgrâce de Londres qu'il purge dans ce poste presque uniquement honorifique, dans un pays sans grande importance sur l'échiquier mondial. Heureusement pour lui, il est à trois mois de la retraite.

— Vous êtes bien renseigné !

— Dans une colonie aussi petite, tout finit par se savoir. Je t'assure que demain tout le monde sera au courant de la présence en ville de la belle étrangère et les invitations vont pleuvoir. Ici, tout ce qui est nouveau attire… D'ailleurs, tu vois ce beau jeune homme qui approche, c'est un *playboy* millionnaire qui aime le farniente et les voitures de luxe, qu'il assortit aux femmes qu'il fréquente.

— Bonsoir, Black Jack. Vous me présentez ?

— Ma nièce, Hélène LeSieur.

— Vous nous aviez caché cette merveille !

— Hélène, je te présente Paul Jones, le célibataire le plus en vue de toute la colonie.

— Enchantée !

— Si vous le permettez, j'aimerais être votre chevalier servant durant votre séjour.

— Laisse-lui le temps d'arriver ! Tu auras tout le loisir de lui faire découvrir tes multiples talents. Hélène compte passer quelques semaines parmi nous…

— Votre oncle est vieux jeu. Mais je m'incline. Je compterai donc les heures en attendant de vos nouvelles, répliqua Paul Jones d'un air taquin.

Puis, il la salua et rejoignit les invités qui s'agglutinaient autour des joueurs de cricket qui entraient triomphalement.

— Dites donc, les hommes d'ici ne perdent pas de temps…

— La chaleur des tropiques réchauffe les sangs, paraît-il… Mais attention, et à celui-là en particulier. C'est un coureur de jupons invétéré !

— Pas de danger ! Mon cœur est déjà pris !

— Pas étonnant… un beau brin de fille comme toi !

— Il me semble avoir vu ce Paul Jones sur une des photos de Michael, une photo sur laquelle vous exhibiez un poisson géant.

— Cette prise exceptionnelle, c'était un arapaïma, le plus grand poisson d'eau douce du monde. Nous l'avons pêché l'an dernier.

— Jones est donc un de vos amis ?

— C'est un partenaire de pêche et un homme populaire parmi les expatriés. Avec l'argent qu'il dilapide en ville, personne ne peut l'ignorer. Il est de toutes les réunions mondaines et des événements sportifs. En fait, on ne peut faire un pas sans le croiser.

— C'est donc une relation à cultiver ?

— C'est une bonne source de renseignements sur tout ce qui bouge et grenouille en ville.

L'orchestre entama les premières mesures d'une valse. Le gouverneur s'approcha et, sous l'œil médusé des invités, offrit son bras à Lydia. Le choix de sa première cavalière marquait invariablement le moment fort de la soirée et le début des ragots de la semaine parmi les expatriés. Le couple se mit à tournoyer autour de la piste, aussitôt imité par les invités.

Une question était sur toutes les lèvres. Qui, du gouverneur ou de Paul Jones, allait conquérir le cœur de la belle étrangère ?

◆

Au même moment, Karl longeait toujours la rivière Saguenay. La route louvoyait dans la nuit claire au ciel parsemé d'étoiles. Ses nouveaux vêtements lui donnaient une couleur locale et l'aidaient à se mêler aux passants. Jusque-là, tout se passait bien et rien ne l'avait ralenti.

À cette allure, il estima avoir franchi un peu moins de la moitié de son parcours. Ses nombreuses années de pratique de l'alpinisme, du ski et du kayak portaient leurs fruits : il était en bonne forme physique. Si la fatigue ne l'accablait pas outre mesure, le froid humide du printemps tout neuf qui s'infiltrait dans ses vêtements le crispait jusqu'aux os.

Son estomac gargouillait. Il trouva un tronc d'arbre pour s'asseoir. Avec enthousiasme, il inspecta le cadeau du capitaine. À la vue du sandwich à la dinde et de la pomme, il saliva de plaisir. Qui plus est, le pain était tartiné de beurre véritable, ce dont il était privé depuis le début de la guerre. Il mastiqua lentement : ce sandwich du bout du monde était béni des dieux !

Le vent du nord se leva. L'immensité de la région nordique lui rappela ses vacances annuelles en Suisse, particulièrement l'odeur du froid mêlée au parfum des conifères. Un curieux sentiment de sécurité l'habita soudain, comme si la nature l'enveloppait d'une armure protectrice. Il se sentait chez lui, sans doute l'héritage génétique de sa mère, en déduisit-il.

Tout à sa dégustation, il ne prêta pas attention au hennissement de chevaux qui freinaient leur trot. En voyant la masse brune des deux bêtes s'arrêter devant lui, il fut vite ramené à la réalité. D'un bond, il fut sur ses pieds et en fit tomber la pomme.

— Vous avez besoin d'aide, mon brave ? lui lança le jeune cocher.

Sur la portière, il lut TAXI.

— Non, pas vraiment, répondit-il.

— C'n'est pas chaud pour pique-niquer. Vous allez loin avec votre barda ?

— À Arvida. Je vais chercher du travail.

— Vous n'êtes pas de par chez nous ?

— Non, je… C'est mon accent qui m'a trahi ? répondit-il en esquissant un sourire forcé.

— Laissez-moi deviner. Vous venez d'Italie ?

— Non, je suis Roumain…

— Réfugié ?

Karl hocha la tête pour confirmer.

— Je peux vous conduire quelque part ? Je rentre justement à Arvida. Ça me ferait plaisir de vous accommoder.

Le Roumain « de circonstance » déchiffra mal le français fortement teinté d'un accent du terroir. Il ne sut que répondre.

Devant son mutisme, le cocher ajouta :

— Vous avez un endroit pour dormir ?

— Pas vraiment.

— Montez !

— Mais… je ne veux pas… vous déranger !

— À cette heure-ci, vous ne trouverez pas une chambre libre dans un rayon de vingt-cinq milles. Je connais un endroit où vous dormirez au chaud.

— Ce n'est pas de refus !

— Ici, l'entraide, c'est notre marque de commerce. Venez, la course sera gratuite !

Karl ramassa sa pomme et, en se donnant un élan, il lança son baluchon sur le siège arrière.

— Vous avez des roches dans votre sac ? Il a l'air bien lourd, commenta le cocher avec un brin d'humour. Je me présente, Joe Lachance, mais tout le monde m'appelle monsieur Taxi, continua-t-il en lui tendant la main pour l'aider à monter. Et vous ?

— Michel… Michel Antonesciu, répondit-il en déposant sur ses genoux le sac contenant l'émetteur radio.

— Comme ça, vous cherchez du travail.

— Oui, on m'a dit qu'on engageait à l'usine.

— Ben sûr que oui, c't'affaire ! Ici, tout est à construire. On a besoin de toute la main-d'œuvre possible. Arvida est devenue une vraie tour de Babel en peu de temps. Vous ne serez pas dépaysé. Il y a déjà des dizaines de Roumains, de Tchèques, d'Italiens et de Yougoslaves… C'est quoi, votre corps de métier ?

— Dans mon pays, je peignais.

— Les peintres en bâtiment sont en demande. Vous n'aurez pas de difficulté à trouver du travail.

— Non, non… pas peintre en bâtiment, je suis artiste peintre !

L'étonnement du cocher se transforma en une moue de déception.

— Tiens donc ! On n'a certainement pas besoin d'artistes par les temps qui courent. Mais si vous n'avez pas peur de vous salir les mains, l'Alcan vous trouvera bien quelque chose d'utile à faire. L'usine fonctionne vingt-quatre heures sur vingt-quatre. Une paire de mains de plus, ça ne se refuse pas, surtout si on veut gagner cette saloperie de guerre contre Hitler.

Il entrelaça les rênes de cuir patiné entre ses doigts charnus et les chevaux répondirent à leur ordre presque imperceptible. Leur galop fougueux révélait leur joie de regagner enfin l'écurie, après dix-huit heures de labeur.

16

La fête chez le gouverneur battait son plein. Le murmure du début de la soirée s'était transformé en un bourdonnement joyeux. Après les discours d'usage et les nombreuses félicitations, la danse avait repris de plus belle sur des airs de salsa et de be-bop, au grand plaisir des femmes de diplomates qui rivalisaient de ruse pour accaparer l'attention des joueurs de cricket, à la carrure athlétique si attirante.

Lydia n'avait rien perdu de la soirée, mémorisant les noms et les visages, détectant les alliances comme les tensions et les conflits. N'en étant pas à sa première soirée diplomatique, elle se retrouvait dans son monde et, tout naturellement, dégageait une sérénité à laquelle son « oncle » ne pourrait jamais atteindre. Celui-ci, qui ignorait tout de ses antécédents, le lui fit d'ailleurs remarquer.

— On dirait que tu as vécu toute ta vie parmi les gens de la haute, lança-t-il, plus comme une interrogation que comme une constatation.

— N'est-ce pas une magnifique soirée, mademoiselle ?

Lydia se retourna. Des jumelles d'un certain âge, aux pommettes trop maquillées, portaient le même modèle de robe en dentelle, l'une en rose et l'autre en blanc, qui rappelait la mode des années vingt.

— Bonsoir, mesdames. Je vous présente Hélène, ma nièce du Canada. Hélène, je te présente mesdemoiselles Pia et Pier Nordstrom… Ce sont les anges de Georgetown, ma *bella*. Sans elles, les garçons et les jeunes filles flâneraient dans les rues… et Dieu sait quoi encore ! Grâce aux activités qu'elles organisent à l'Association des jeunes Guyanais, elles récupèrent par ricochet leurs âmes pour la plus grande gloire de l'Empire britannique.

Les sexagénaires se trémoussèrent de plaisir, flattées des compliments de Black Jack.

— Ma chère Hélène… Vous permettez que nous vous appelions par votre prénom ? Nous serions ravies de vous recevoir dans nos humbles locaux. Et si vous pouviez nous accorder un peu de temps, vous pourriez peut-être participer à quelques-unes de nos activités.

— Avec plaisir.

— Entendu. C'est un rendez-vous ! répondirent presque à l'unisson les vieilles dames.

Lydia n'eut pas le temps d'interroger son oncle sur cette association dont elle avait vu le nom sur la page de garde de la bible trouvée parmi les affaires de Michael Bolton. Le capitaine de l'équipe de cricket, un Chinois de près de six pieds, repoussait maladroitement les dames patronnesses pour l'inviter à danser. Lydia accepta sans regret, laissant Black Jack seul à son double scotch.

La vedette l'accapara le temps d'un tango et d'un mérengué. Même si l'athlète insistait pour continuer, Lydia s'esquiva sous prétexte de se refaire une beauté.

Interpellant un serveur chargé d'un plateau de boissons, elle lui demanda la direction du boudoir des dames. Il le lui indiqua d'un geste vague. Se fourvoyant, elle aboutit dans la bibliothèque, une pièce impressionnante, tapissée de livres, de peintures naïves et de sculptures indigènes. Son attention se porta sur un grand tableau aux couleurs chaudes qui représentait un Amérindien assis sur un cheval cabré. Puis elle se permit de flâner dans la pièce, s'émerveillant devant la collection de livres anciens sur les conquêtes espagnoles. Au hasard, elle choisit une édition de 1800 et feuilleta le livre avec respect. Pour mieux prendre le temps de l'apprécier, elle se glissa dans un fauteuil moelleux.

◆

Au bout de quelques minutes, des bribes d'une discussion lui parvinrent de la pièce adjacente. Curieuse, elle s'approcha des portes laissées entrouvertes. Deux hommes parlaient de poudre blanche. Celui qui lui tournait le dos répliquait :

— … Maintenant que tu as réglé son compte à Bolton, je ne sais plus où m'approvisionner, disait-il d'un ton nerveux teinté d'un accent saccadé.

— C'était la seule solution possible pour nous en tirer. Je suis certain qu'il était sur notre piste, répliqua le second, qui se tenait hors du champ de vision de Lydia.

— C'est toi qui nous as mis dans ce pétrin. Débrouille-toi pour m'en trouver. De la première qualité ! C'est un ordre !

— N'exagère pas, nazi de mes deux ! Tu n'es qu'un invité dans mon pays, ne l'oublie pas ! lança hargneusement l'homme, qui s'avança dans la lumière.

C'était Paul Jones, le jeune millionnaire *playboy*.

— Et toi, tu devras encore prouver ta loyauté à mon gouvernement si tu veux continuer à recevoir notre aide, répliqua le premier… Autre chose… Avant de quitter la maison, j'ai reçu un message de Berlin. Le remplaçant de Bolton est arrivé. Il faut garder les yeux ouverts.

Lydia se sentit défaillir.

— Il faudra l'éliminer, lui aussi.

— Je m'en charge, répliqua Jones.

Lydia s'empressa de remettre le livre à sa place et s'éclipsa sur la pointe des pieds. Son cœur battait à tout rompre. Elle avait réellement besoin d'une halte à la salle des dames – oh ! que oui ! – après ce premier contact avec le danger.

Quinze minutes plus tard, elle avait repris son sang-froid et circulait de nouveau parmi les invités qui, sous l'effet de l'alcool, se révélaient beaucoup plus facilement. Pour tout espion, dans ce genre de réception, c'était le moment propice pour une collecte d'informations.

Près du bar, Black Jack discutait avec un général et un colonel à grand renfort de gestes et d'éclats de rire. Il devait raconter sa dernière histoire de pêche, pensa Lydia, qui décida d'aller prendre l'air sur la terrasse. L'odeur de la mer mariée aux fragrances des magnolias et des roses contribuerait à la remettre de ses émotions. Sur le parterre, le *steel drum band* avait cédé la place à un quatuor à cordes. Lydia réfléchissait à l'échange de propos qu'elle venait d'entendre et n'appréciait pas particulièrement l'ambiance de la soirée. Apprendre qu'on veut vous assassiner n'est certainement pas la nouvelle la plus réjouissante. Toutefois, elle s'encouragea. Elle était sur la bonne voie. Un des ennemis à débusquer avait maintenant un nom et un visage. L'inconnu dont elle avait seulement entendu la voix était peut-être Pluton, un des deux hommes, avec Aigle Blanc, qu'elle devait neutraliser et remettre aux autorités militaires du pays, qui les livreraient aux services de renseignement britanniques.

Forte des indices recueillis, elle pouvait commencer à agencer les pièces du casse-tête. Certains mots de la conversation étaient concluants, notamment « nazi » et « poudre blanche », qui faisait référence à la cocaïne. Le sachet de drogue qu'elle avait trouvé dans les affaires de Bolton confirmait son rôle de revendeur auprès de l'homme sans visage. Comment ce dernier avait-il été mis au courant si rapidement de son arrivée ? Y avait-il une taupe dans le service de Rowland, ou ici, dans le réseau de Bolton ?

La situation tournait à son avantage : elle connaissait son assassin en devenir tandis que celui-ci semblait chercher un homme. Dès maintenant, il lui faudrait jouer d'astuce et de vitesse dans ce petit monde où tout un chacun se connaissait. Le jeu se jouerait dans un court laps de temps et à l'intérieur d'un petit périmètre, pensa-t-elle.

— Du champagne pour la belle Hélène ?

Lydia sursauta. Paul Jones lui tendait une flûte de champagne rosé.

— Vous connaissez mes goûts, monsieur Jones, lui répondit-elle avec un aplomb qui masquait sa peur.

Mettant à profit son éducation bourgeoise, elle tourna le verre de cristal devant ses yeux pour en apprécier le ballet de bulles.

— N'est-ce pas le summum du raffinement ? s'exclama-t-elle avec naturel.

— Pour moi, qu'il soit doré ou rosé, le champagne restera toujours le plaisir des grands !

— Et l'envie des autres…

Dans un même élan, ils choquèrent leurs verres pour trinquer aux plaisirs des riches.

Si Lydia étudiait ses moindres réactions pour mieux le contrer, Jones, lui, anticipait déjà une victoire facile pour l'amener dans son lit.

La conversation s'amorça sur les banalités d'usage. Puis Jones lui vanta son pays à travers ses propres exploits sportifs en abusant des superlatifs. Lydia approuvait ses commentaires en esquissant des sourires polis.

Ce jeu du chat et de la souris fut interrompu par l'arrivée inopinée du gouverneur.

— C'est ici que vous vous cachiez, petite coquine.

Le diplomate se tourna ensuite vers Jones et s'adressa à lui comme s'il était un rival amoureux.

— Laissez donc cette jeune fille s'amuser au lieu de l'ennuyer avec vos faits d'armes et vos belles paroles, mon cher, dit-il tout en passant son bras sous celui de Lydia avant de l'entraîner vers la salle de bal.

◆

Vers deux heures du matin, Lydia envoya un message radio à monsieur X pour partager les informations glanées durant la soirée. Elle ajoutait que l'ennemi était déjà au courant de l'arrivée du remplaçant de Bolton et que ce n'était qu'une question de temps avant qu'elle ne soit démasquée. Elle donnait le nom de Paul Jones, l'homme qui voulait l'assassiner, et affirmait avoir la quasi-certitude d'avoir croisé Pluton.

La réponse fut immédiate. LeSieur devait jouer un rôle actif sur le terrain.

Épuisée mais excitée par son premier plongeon au cœur du monde de l'ombre, elle glissa son revolver sous son oreiller et tira la moustiquaire. Toutefois, le sommeil tarda à venir. Chaque bruit, chaque craquement la maintenait sur le qui-vive. Sans sombrer dans la paranoïa, elle se dit que l'ennemi était partout. Toujours éveillée aux petites heures du matin, elle s'efforça de penser à Rowland. Même ce recours n'eut pas l'effet désiré. Enfin, la fatigue finit par l'emporter sur l'angoisse. Sous l'œil protecteur d'un lézard agrippé au plafond, Lydia tomba dans un demi-sommeil jusqu'au réveil du port.

À l'autre bout de la ville, Pluton décodait le message de l'Abwehr :

AGENT BRITANNIQUE : NOM DE CODE ÉMERAUDE, UTILISE COUVERTURE D'HÉLÈNE LESIEUR. À ÉLIMINER.

17

Karl se réveilla courbaturé.

Il se rappela que la veille Joe avait négocié ferme avec sa mère pour l'héberger. Depuis la mort de son mari, Cécile Lachance avait transformé sa maison en pension de famille. De toutes les chambres, louées à surcapacité, il ne restait plus que le banc du quêteux dans le bas-côté. Accolé au mur mitoyen de la cuisine, le lit de fortune donnait sur la porte arrière. La chaleur dégagée par le poêle à bois avait réchauffé Karl, qui s'était vite endormi. Toutefois, quand des rafales de froid avaient marqué l'arrivée successive des autres chambreurs, il s'était chaque fois réveillé en sursaut, entrevoyant des hommes en salopette de travail, le visage barbouillé de cambouis, qui, à l'entrée, accrochaient leur parka au mur et déposaient leurs bottes boueuses sur du papier journal.

Même si l'aube tardait, les bruits feutrés provenant de la cuisine le tirèrent d'un rêve dans lequel, heureux, il s'amusait sur les pelouses du château avec Lydia.

Depuis quelques semaines, ses cauchemars habituels se métamorphosaient petit à petit en rêves plus normaux. L'odeur du petit déjeuner de la maisonnée lui rappela les dimanches matin de son enfance. Il s'étira longuement pour mieux se repaître de ce plaisir et, au fil de ses pensées, il tenta d'imaginer la vie de la famille de sa mère, qui habitait dans cette ville. Jusque-là, il n'avait nullement éprouvé le besoin de connaître ces gens. Mais l'idée qu'il n'était qu'à un jet de pierre de ceux qui pouvaient lui donner des nouvelles de sa mère et de Lydia le titilla.

Il enfilait son col roulé encore humide quand il entendit discuter à voix basse. Une fin de phrase le mit sur ses gardes.

— … il empeste l'essence. Y a longtemps qu'il ne s'est pas lavé, celui-là…

Pour couper court à la conversation, il entra dans la cuisine avec assurance.

— Bonjour, madame, bonjour, Joe.

— Salut, Michel. Bien dormi ? marmonna le jeune homme, la bouche pleine.

Le ventre collé au fourneau, Cécile brassait des œufs dans le poêlon.

— Le banc du quêteux n'a pas été trop dur pour votre dos ?

— Le banc du quêteux ?

— Oui, le coffre sur lequel vous avez dormi. C'est une tradition par chez nous de l'offrir à ceux qui demandent l'hospitalité pour la nuit. Souvent ce sont des quêteux… des mendiants, si vous comprenez ce que je veux dire. Un bon déjeuner va vous requinquer le canayen. Des œufs, du bacon et des patates, ça vous dirait ? lança Cécile en retournant à son omelette.

— Vous avez un drôle d'accent, dit une adolescente rouquine, en costume de couventine, assise à côté de Joe.

Karl lui donnait environ quinze ans.

— C'est Loulou, ma sœur.

— Mon nom, c'est Louise ! Je déteste les diminutifs, mais ici tout le monde a le sien.

— Fais pas attention, elle n'est pas polie… elle est seulement jolie ! lança son frère d'un air amusé.

— Je viens de Roumanie, mademoiselle.

— On parle le français dans votre pays ?

— Un petit peu.

Louise continua de bombarder Karl de questions sur la guerre, sur sa vie à Bucarest, sur son périple pour arriver au Canada. Fort heureusement, sa couverture de réfugié qui s'était enfui de son pays dans un cargo semblait convaincre.

— Excusez ma fille. Des fois, elle est un peu excessive. Vous comprenez, elle veut devenir journaliste. Vous lui servez de cobaye.

— Maman, on n'est jamais trop prudent, s'insurgea la jeune fille. On nous répète tous les jours à l'école que les étrangers sont des espions potentiels.

Les yeux moqueurs, elle s'arrêta pour juger de son effet. Karl demeura impassible. Avec un sourire espiègle, elle en rajouta :

— Qui sait, vous êtes peut-être un espion, lança-t-elle, à l'affût d'une réaction.

Karl soutint son regard. Il en avait vu d'autres et cette attaque candide le charma.

Le prédateur en lui veillait. « Si je m'y prends bien, cette biche pourra me servir », songea-t-il.

— Laisse-le tranquille, Loulou ! Tu vois bien que c'est un gars correct !

— La réaction de votre sœur est compréhensible. Mais je peux vous assurer que tout ce que je souhaite, c'est de recommencer une vie normale dans votre beau coin de pays.

Cécile lui avait servi une assiettée d'œufs, de saucisses, de fèves au lard, de bacon et de pommes de terre rissolées.

— Un vrai déjeuner de bûcheron ! Tu peux me croire, ça commence bien une journée ! affirma Joe, s'amusant devant sa mine médusée.

Pour ajouter à son étonnement, Louise poussa devant lui une carafe de sirop d'érable. L'abondance de tant de produits en comparaison des restrictions et même de la famine, en Europe, le surprenait. Karl arrosa ses œufs du liquide doré. C'était son premier repas substantiel depuis des mois.

— Après le déjeuner, Michel devra se laver avant de chercher du travail, dit la mère.

— Ce ne serait pas de refus, madame. Je dois sentir l'essence.

La maîtresse de maison se séchait les mains sur son tablier quand son fils s'approcha d'elle. Avec le ton doucereux qui lui était coutumier quand il voulait une faveur, il l'implora :

— Maman, ma p'tite maman… je vous demande… juste une petite place pour Michel.

— Je ne vois pas où je pourrais le loger. Bonne sainte Anne, y a déjà ben du monde à messe !

— Seulement pour quelques jours, le temps qu'il apprenne les airs de la place… Les chambres sont rares. Pis les dortoirs de l'Alcan, c'est pas ben drôle !

— Je sais bien… Mais où veux-tu que je l'installe ? Je ne peux pas faire de miracle ! lui répondit-elle en se sentant encore trop conciliante avec le préféré de ses enfants.

Joe ne s'avoua pas vaincu.

— Y a toujours le divan-lit du solarium. Quand il aura trouvé une job, il vous paiera une pension. Hein, Michel ?

— Je ne veux pas m'imposer, madame. Mais oui, j'ai de l'argent pour vous payer.

Il sortit un billet de vingt dollars de sa poche arrière et le lui tendit.

— Cela suffira-t-il, le temps que je trouve autre chose ?

Déjà plus attentive, Cécile examina le billet flambant neuf qu'elle fit claquer entre ses doigts.

— Évidemment, on pourrait se tasser encore un peu, dit-elle en calculant que la somme couvrirait amplement deux semaines de pension complète.

Elle plia le billet en six et le glissa dans la poche de son tablier; il irait rejoindre ses mille dollars et plus dans sa boîte à biscuits. Ses économies depuis dix ans.

— Affaire conclue! lança Joe en embrassant sa mère. Que je vous aime donc!

— Tu m'as encore eue aux sentiments, p'tit chenapan!

Le téléphone en bois à manivelle sonna et Joe se précipita pour répondre.

— Bonjour... Oui, monsieur Peters, je serai là dans cinq minutes.

Il raccrocha.

— Un client. Tu devras te rendre à l'usine sans moi. C'est facile à trouver.

Avec la pointe d'un couteau, il dessina le trajet sur la nappe.

Louise suivait l'explication par-dessus l'épaule de son frère tout en nouant son foulard orange autour du cou.

— Salut, tout le monde, finit-elle par dire. À ce soir. On vous attend pour souper, Michel?

— À vrai dire, je ne voudrais pas abuser...

— Ne t'inquiète pas, insista Joe. Maman te l'a dit: tu as une place parmi nous. Bon! J'y vais!

Joe quitta la table, laissant Karl à son repas et sa mère à la vaisselle.

— Le repas vous a plu? demanda madame Lachance.

— Et comment! Je n'ai rien vu d'aussi copieux depuis des mois.

— Quand vous aurez terminé, installez-vous au solarium. À mon avis, c'est la plus belle pièce de la maison. C'est un peu mon royaume, avec son jardin d'hiver! Maintenant, je monte vous faire couler un bain.

Resté seul, Karl examina le plan de Joe pour le mémoriser, puis son regard s'immobilisa sur un mince bottin près du téléphone.

Et l'idée s'imposa de nouveau : s'il essayait de trouver les Cyr ? Dans l'annuaire, il répertoria neuf Cyr. Comme il ne se souvenait plus du prénom de son oncle, il allait devoir vérifier les neuf familles.

— Votre bain est prêt ! lui cria de l'étage Cécile Lachance.

La mère de Joe traitait ses chambreurs comme des membres de sa propre famille. Surtout les étrangers.

— J'ai sélectionné des vêtements de feu mon époux. Il avait à peu près votre taille. Ils sont à vous si vous les voulez.

— Vous me choyez. J'accepte volontiers !

Une heure plus tard, vêtu d'un chandail de laine sentant bon le cèdre et d'un pantalon propre, l'espion allemand se sentit revigoré.

◆

Ce midi-là, Lydia et Black Jack dînaient dans une alcôve discrète du restaurant portugais voisin du King's Pub, où son oncle avait été accueilli chaleureusement par les propriétaires.

Comme on le lui avait demandé, Lydia embrigada Black Jack, qui trouva la proposition des plus séduisantes. Enfin, il allait participer directement à la course aux secrets. L'honneur d'entrer dans le monde des espions couronnait bien son travail de collaboration avec les services de renseignement. Sans perdre de temps, Lydia lui brossa un tableau de la situation et l'invita à l'aider à élaborer une stratégie pour neutraliser leurs cibles, Jones, qui était certainement Aigle Blanc, et celui dont elle n'avait entendu que la voix mais qu'elle croyait être Pluton.

Étonné, Black Jack lança :

— Et dire que tout le monde, moi y compris, considérait Jones comme une tête folle… Si un autre m'avait raconté ça, je ne l'aurais pas cru.

— Vous souvenez-vous de quelque chose qui pourrait m'éclairer, me mettre sur une piste ? Par exemple, ce Jones ?

— À part ses extravagances de don Juan riche qui aime provoquer les bien-pensants, ce qui ajoute d'ailleurs du piquant à la monotonie de nos petites vies, sa seule vraie passion, c'est la pêche. Une excursion en mer avec lui vaut bien des voyages dans les Caraïbes… À part ça, je ne vois rien d'autre.

— Voilà une image bien pratique pour cacher autre chose… Affiche-t-il ses idées politiques ?

— Jamais je ne l'ai entendu s'exprimer sur ce sujet. De toute façon, aux yeux des expatriés, ses opinions n'auraient aucune crédibilité.

— Savez-vous si Jones entretient une relation quelconque avec l'Association des jeunes Guyanais ?

— Il participe régulièrement à leurs activités, je crois.

— C'est un Britannique ?

— D'après la rumeur – qui fait foi de tout en ce pays –, il serait le fruit d'une liaison entre un baron du Yorkshire, célèbre pour ses écarts de conduite, et la servante indienne qu'il avait ramenée après un long séjour en Inde. À la naissance de l'enfant, Paul et sa mère auraient été expédiés ici, mais, au cours du voyage, cette dernière aurait succombé à la dysenterie. Le gouverneur de l'époque, un certain Jones, a adopté l'orphelin et lui a donné son nom. Le métissage n'étant pas apparent dans les traits de Paul, il lui a été plus facile de s'intégrer à la colonie anglaise, qui a fermé les yeux sur ses origines, par sentiment de culpabilité, je suppose. Avec le temps et son charme irrésistible, il est devenu l'enfant chéri de la capitale à qui l'on pardonne toutes les frasques.

— Hier, je l'ai entendu parler avec un homme à l'accent saccadé, mais sans voir le visage de cet interlocuteur… Sauriez-vous de qui je veux parler ?

— Ici, c'est un melting-pot d'accents et de métis-
sages divers. Malheureusement, je ne peux pas t'aider
sur ce point.

— Le nom d'Indira vous dit quelque chose ?

— Bien sûr, c'était la petite amie de Michael. Une
magnifique sirène qui l'avait rendu fou d'amour.

— J'aimerais la rencontrer… Elle sait peut-être des
choses qui pourraient m'être utiles…

— Depuis la mort de Michael, Indira n'avait plus le
cœur à l'ouvrage. Mes clients exigent de la joie de vivre
et ne supportent pas les yeux rougis par les larmes. Je
lui ai donc payé des vacances dans sa famille.

— C'est une de vos filles ?

— C'est ma vedette ! Quand elle reviendra, elle sera
encore meilleure.

— Quel bon patron vous faites ! lui lança-t-elle ironiquement.

— Ce sont les affaires… Il faut ce qu'il faut…

— Et les jumelles de l'association ?

— On les surnomme les Pépés Nordstrom… pour
les initiales de leurs prénoms, évidemment ! Pia et Pier.
Ces femmes sont la bonté même, elles ont le cœur sur
la main. Depuis leur arrivée, il y a deux ans, leurs portes
sont toujours ouvertes à tous.

— Maintenant, notre premier objectif est de piéger
Jones et son comparse.

— Dans l'avion pour Cayenne, j'aurai tout le temps
de réfléchir à une stratégie. Je serai de retour dans
deux jours.

Black Jack informa Lydia que Kawa lui servirait
de guide et de chauffeur pendant son absence.

— J'ai une affaire urgente à régler là-bas.

— Vous n'assisterez pas aux funérailles de Bolton ?

— Pour moi, c'est plus important d'aider un ami
en difficulté… Les vivants d'abord !

En se levant pour partir, il ajouta :

— Sois quand même prudente, ma *bella* !

◆

Lydia fut confrontée au rythme plus lent de la vie sous les tropiques régi par la chaleur étouffante et l'humidité à plus de quatre-vingt-dix pour cent. Son corps réagissait et se couvrait d'une sueur dégoulinante aussitôt qu'elle sortait dans la rue. Elle se sentait poisseuse et détestait cela.

En fin d'après-midi, elle explora la ville à pied comme elle en avait l'habitude avec son beau-père. « Ma fille, c'est la meilleure façon de tâter le pouls d'une population », lui rappelait-il toujours dans les rares moments de liberté qu'il s'offrait avec elle.

Trente minutes plus tard, elle repéra un Noir qui la filait. Se fondant dans la foule et bifurquant dans des allées, elle tenta de le semer. Sans succès. L'ennemi était déjà à l'œuvre, pensa-t-elle. Elle devrait s'y habituer. Ce serait certainement son lot tant qu'elle n'aurait pas mis Pluton et ses agents hors circuit. Aussi, elle abrégea son tour de ville pour retrouver la sécurité des murs du King's Pub.

Elle avait déjà trop tenté le diable !

18

Le lendemain, Kawa conduisit Lydia aux locaux de l'Association des jeunes Guyanais. En lui ouvrant la portière, il lui servit un autre proverbe… comme si elle avait pu comprendre :

— *Orange, yellow but yuh nah know if the sweet…*

Amusée, elle répéta en imitant son accent. Il éclata de rire.

— Ce qui veut dire ?

— « On ne peut juger personne de l'extérieur. »

La villa de stuc beige rosé, ornée de poutres de bois d'acajou, trônait, insolite, au cœur d'un quartier populaire délabré, jadis le fief de la petite-bourgeoisie marchande néerlandaise.

Les jumelles Nordstrom lui réservèrent un accueil enthousiaste. Avec l'orgueil du travail accompli, elles lui firent visiter le fruit de leur dévouement, de leurs nombreuses collectes de fonds et, surtout, de leur affection pour leur pays d'adoption.

Grandes et aérées, les pièces se répartissaient sur deux étages et comprenaient un gymnase bien équipé, où avait lieu un cours de karaté pour adultes, une salle de couture et une autre pour la musique, deux salles de réunion et des pièces encore à rénover. Dans la cour, des adolescents en uniforme aux couleurs nationales disputaient une partie de cricket tandis que, sous un ficus géant, des musiciennes à peine sortie de l'enfance jouaient, avec une rare virtuosité, une œuvre de Wagner.

Le trio se faufila dans une roseraie en friche avant d'atteindre un pavillon, la résidence des sœurs. En posant le pied dans le spacieux living-room, Lydia entra dans le monde éclectique des Suédoises. Dans un fouillis indescriptible, les objets s'amoncelaient le long des murs et s'entassaient sur les crédences et les tapis poussiéreux. Toutes leurs possessions témoignaient de leur passé nordique sur fond d'éducation luthé-rienne.

Les jumelles lui offrirent le *five o'clock tea*, qu'elles prirent sur le porche, dans la fraîcheur procurée par les pales d'un ventilateur. Ce jour-là, elles se distinguaient par la couleur de leur robe. Pia portait du turquoise et Pier, du bleu poudre. Cette dernière gardait presque en permanence des gants de dentelle. Une coquetterie d'un autre âge, pensa Lydia.

Pia et Pier s'intéressèrent avec avidité aux antécédents de leur invitée. Curiosité légitime, puisque l'arrivée d'une Blanche allégeait le mal du pays. Lydia s'en tint à sa couverture officielle et, habilement, réorienta la conversation sur ses hôtesses.

Entre une gorgée de thé et un scone à la marmelade, chacune, à tour de rôle, lui décrivit les réalités précaires des Guyanais, un peuple riche en histoire autochtone, mais trop souvent assujetti au joug du dernier de ses conquérants. Selon elles, les jeunes ne pouvaient aspirer qu'à un emploi inhumain dans une mine, souvent perdue au milieu de la jungle, ou dans un champ à couper la canne à sucre ou encore dans une rizière. Ceux qui restaient à la ville vivotaient et, inévitablement, deve-naient des candidats à la petite criminalité. Seuls les Amérindiens qui résistaient à l'attrait de la ville s'en sortaient relativement bien en restant dans leur village.

— Notre association offre aux jeunes une chance d'apprendre et d'aspirer à un avenir meilleur, conclut Pier.

Plus extravertie, Pia aborda le véritable objectif de l'invitation adressée à Lydia.

— Régulièrement nous invitons des personnalités à venir rencontrer nos jeunes pour les entretenir d'un sujet, particulièrement en histoire et en géographie. Il y a quelques mois, le journaliste et écrivain américain Ernest Hemingway s'est prêté à l'exercice.

— Une soirée mémorable ! Et quel homme exceptionnel ! s'exclama Pier, émoustillée comme une midinette.

— Plus près de nous, reprit Pia, un membre d'une des grandes familles guyanaises, Michael Bolton – Dieu ait son âme ! –, nous a confié les secrets de la transformation de la canne à sucre en sucre et de son importance économique pour notre pays.

— Parlez-vous de l'homme qui a été assassiné ? s'enquit Lydia.

— C'est bien lui ! Nous étions très attachées à lui et il nous le rendait bien.

— À chacun de ses séjours dans la capitale, il venait nous rendre visite. Il aimait divertir nos jeunes protégés.

— C'était un homme généreux…

— Notre plus grand mécène…

— Nous l'avons enterré ce matin.

Les jumelles se signèrent d'un même élan.

— Alors, nous avons pensé à vous, continua Pia. Une Canadienne qui vit dans un pays de grands espaces, de neige et de froid. Quel sujet intéressant !

Pier appuya les dires de sa jumelle :

— Entendre parler de la neige serait exotique pour nos jeunes. Personne, ici, n'a vraiment idée de ce que c'est.

Évidemment, Lydia accepta. Toutefois, dès que la conversation commença à s'étioler, elle prit congé.

De retour à sa chambre, elle se doucha en se remémorant sa visite aux jumelles Nordstrom. Elle s'attendrit de l'ambiance surannée qui les entourait. De bien bonnes personnes à l'énergie inépuisable !

◆

Karl n'eut aucune difficulté à repérer l'usine Alcan. Il n'avait eu qu'à suivre le flot d'ouvriers qui convergeaient d'un pas hâtif vers l'imposant complexe.

Devant le guichet d'embauche numéro deux, il attendit deux heures dans une file d'attente qui ne cessait de s'allonger. Il devait suivre à la lettre les instructions qu'il avait reçues avant son départ de Berlin.

Finalement, son tour arriva.

Sur le papillon épinglé sur la veste du préposé à l'accueil et au triage des ouvriers, il lut: Robert Crevier. Dans la vingtaine, les cheveux noirs, les yeux d'un brun automnal et les traits du visage sculptés au couteau, cet homme avait un faciès s'apparentant à celui d'un Amérindien. D'un air indifférent, il demanda les pièces d'identité de Karl. Contrairement à l'habitude des autorités d'ouvrir un passeport à la première page, il commença sa vérification par la dernière. Le coin droit manquait. Il compara la photo à la personne devant lui. Pendant quelques secondes, il garda le silence. Puis, discrètement, il retira un minuscule triangle de papier de son portefeuille et le plaça à l'endroit du coin manquant en un ajustement parfait. Les deux jeunes hommes, l'espion et le collaborateur, se comprirent.

— Mes papiers ont beaucoup voyagé, expliqua Karl assez fort pour être entendu par ses voisins.

Le préposé lui répondit sur le ton le plus naturel du monde:

— Tout comme moi, ils ont beaucoup voyagé.

Le mot de passe était complet.

— Vous semblez costaud et en pleine forme. Rangez-vous dans l'allée « Entretien ».

— Quand pourrai-je commencer ?

— Dès que vous aurez rempli les formulaires. Le service de la sécurité vous remettra votre laissez-passer. Cette formalité est obligatoire pour les étrangers. Nous sommes en guerre et, ici, on a la phobie des espions.

— C'est normal. On ne sait jamais à qui on a affaire.

— À qui le dites-vous !

Sans attendre de réponse, le préposé enchaîna en reprenant la rengaine mille fois débitée aux hommes qui affluaient de Tchécoslovaquie, de Roumanie, de Pologne, de France et d'Italie, ainsi que des villes canadiennes, pour contribuer à l'effort de guerre tout en profitant de salaires supérieurs à la moyenne de ceux des villes. Pour conclure, il demanda :

— Vous avez une chambre ?

— Je loge à la pension de madame Lachance.

— Alors vous avez rencontré la belle Louise ! Tout un beau brin de fille ! Je joue au hockey avec son frère.

— C'est une belle famille. Ici, on ne fait pas que travailler, j'imagine. On doit aussi s'amuser, non ?

— Vous voulez déjà fêter ? Eh bien, à la fin de votre quart de travail, je vous invite à prendre une *draft*, à la taverne, ce soir, à huit heures. Pour vous y rendre, vous prenez la rue Principale, vous passez devant l'église et, à deux pâtés de maisons sur votre gauche, vous ne pourrez pas manquer la grosse enseigne au néon « Taverne ». Au plaisir, Michel.

Le protocole de la rencontre, tel qu'il avait été établi par les services secrets allemands, avait été respecté. Karl décoda la dernière partie du message grâce aux mots employés. Je vous invite signifiait qu'une rencontre était prévue ; le mot *draft*, qu'on lui remettrait un plan de l'usine et d'autres coordonnées ; le mot église désignait le lieu du rendez-vous, le cimetière.

Pour déterminer l'heure, il additionna deux heures à celle qui avait été mentionnée. Ainsi, ils avaient rendez-vous le soir même, à vingt-deux heures, au cimetière.

— Passez derrière moi et prenez un numéro. En attendant votre tour, lisez ce livret d'instructions sur le code de conduite des employés.

Une heure et demie plus tard, Michel Antonesciu entrait dans la grande famille des neuf mille huit cent soixante-trois employés de l'Alcan. Ayant rempli toutes les formalités d'usage exigées par ses employeurs, la police et l'armée, il reçut sa carte d'employé du service de l'entretien et de la manutention. Un document qu'il devait porter en permanence, lui avait-on souligné, puisqu'il permettait l'accès à toutes les sections du complexe.

Robert Clark, son supérieur immédiat, lui fit visiter son quartier général. Dans son bureau, un tiers d'un mur était couvert par un écriteau où l'on pouvait lire : Tout propre en tout temps. C'était la devise de sa petite armée. Il lui dressa un tableau de ses tâches : lavage des planchers et des fenêtres des bureaux et autres aires communes, transbordement de marchandises, entretien des terrains et des salles des cuves, etc.

— Et n'oubliez jamais, jeune homme, que l'Alcan est en activité vingt-quatre heures sur vingt-quatre, toute l'année. Donc, nous devons continuellement être en action. L'efficacité et la propreté exemplaire du complexe, c'est notre grande fierté.

L'initiation de Karl à ce monde d'eau sale, de produits toxiques et de vadrouilles de toutes grandeurs se termina vers dix-neuf heures. Il remercia son patron et lui promit d'être à son poste dès six heures le lendemain matin.

À jeun depuis le déjeuner, la faim le tenaillait. Il décida de s'offrir un repas dans l'une des quatre cafétérias. Pour s'y rendre, il entreprit un tour de reconnaissance en suivant le plan détaillé qu'on lui avait remis. Il emprunta un dédale de rues qui s'étendait sur une grande superficie. Dans cette ville dans la ville, il longea des usines, des ateliers, des dortoirs pouvant accueillir près de quatre mille ouvriers, des appartements pour les cadres, un centre de loisirs, un hôpital, des courts de tennis, une patinoire et un terrain de baseball. Dans la course contre la montre pour produire le maximum d'aluminium, le site était un imposant chantier de construction en constante activité.

À deux reprises, il s'égara. À deux reprises, il dut montrer patte blanche aux agents de sécurité.

Son repas terminé, il erra dans la ville dans l'attente de son rendez-vous. Déjà, il releva des repères utiles pour l'exécution de sa mission.

19

Les traits tendus, Bob Rowland relisait le dernier message d'Intrepid.

> AVONS INTERCEPTÉ MESSAGE DESTINÉ À
> L'ABWEHR ET PROVENANT D'UN SOUS-MARIN
> ALLEMAND DANS LES EAUX DU SAINT-LAURENT
> -STOP- AVONS RAISON DE CROIRE QU'UN
> ESPION SERAIT DÉBARQUÉ DANS LA RÉGION DE
> TADOUSSAC OU DANS LE FJORD DU SAGUENAY
> -STOP- ACTION IMMÉDIATE EXIGÉE.

◆

La lune dodue éclairait le cimetière. Ici et là, des arbres centenaires ombrageaient des rangées de pierres tombales. Une louve, prête à mettre bas, poussa un long gémissement, vite imitée par ses pairs. Karl s'arrêta, sur le qui-vive. « Il y a des loups partout dans ce pays ! » pensa-t-il, agacé par leur proximité.

Comme à son habitude, il était arrivé trente minutes à l'avance pour son rendez-vous. Cela lui permettait d'étudier et de surveiller le terrain et, par la suite, de mieux contrôler la dynamique de la rencontre. À ce moment-là, comme sa vie tenait entre les mains de Crevier, un néophyte, il se devait de tout prévoir et de ne se fier qu'à son instinct.

Il se faufila entre les tombes et trouva refuge derrière un chêne, dans la pénombre. Sa position lui permettait de scruter l'ensemble du lieu. Dix minutes passèrent, puis deux points dorés percèrent la noirceur. Deux autres s'ajoutèrent, puis quatre, puis six qui, lentement, se déplaçaient dans sa direction. Une meute de loups maintenant le toisait.

Des chauves-souris le frôlèrent. Irrité, il se figea. Une brindille craqua. Un silence. Un déplacement d'air. Un frisson. Il pivota sur lui-même. Robert Crevier lui souriait.

— Nous, Montagnais, nous sommes les meilleurs pisteurs du monde… On n'apprend pas ça, dans vos livres ?

— Bien joué, l'Indien.

— Suivez-moi ! J'ai quelqu'un à vous présenter, ajouta le préposé à l'accueil de l'usine.

Karl répliqua sèchement :

— Personne ne devait connaître ma présence ici.

— Les instructions viennent de Berlin.

L'espion lui emboîta le pas.

Son guide dévia vers une allée protégée de la lumière par une voûte d'entrelacs de branches. Au bout se profilaient les lignes épurées d'un mausolée. Le Montagnais ralentit et exigea le silence. Ils s'arrêtèrent par à-coups pour scruter la pénombre. À deux reprises, Robert imita le chant du hibou et, aussitôt, la nature devint encore plus discrète. Finalement, une silhouette athlétique émergea et s'approcha d'eux d'un pas nerveux. Robert fit les présentations :

— Michel Antonesciu, voici le lieutenant SS Ulrick Geyer. Il y a un mois, il s'est évadé du camp de prisonniers allemands de Fredericton, au Nouveau-Brunswick.

— Heil Hitler ! lança l'officier en claquant des talons. Je suis là pour vous seconder. Berlin a averti la filière de nos sympathisants à Boston de faciliter votre passage aux États-Unis. De là, ils assureront votre retour sain et sauf en Allemagne. Quand comptez-vous exécuter la phase finale de votre mission?

— Dès que possible. Avez-vous trouvé le matériel?

— Tout! répondit Crevier. Dynamite, plastic, détonateur et le reste et le reste. Tout est remisé dans un endroit sûr.

— Où exactement?

— Après notre rencontre, je vous y conduirai.

— Vous êtes un p'tit malin!

Fier de son coup, l'Indien ajouta en bombant le torse:

— Tous ces exploiteurs de Blancs qui nous volent nos territoires de chasse sauteront par leurs propres mains, si je puis dire. Je me suis servi à même les stocks du chantier. Ce n'est qu'un juste retour des choses. J'ai aussi le plan du site.

— On va pouvoir ainsi localiser le point le plus vulnérable de l'usine. En Allemagne, nous n'avions rien de concret à analyser. Nous savions seulement que le site n'était pas vraiment protégé. L'armée et l'aviation ne sont ni organisées ni très présentes dans le secteur, n'est-ce pas?

— C'est exact, confirma Crevier. Ici tout est à bâtir: une ville, une usine et tout le bataclan. Ça manque encore d'organisation. Et c'est peu dire quand on parle du gouvernement. King préfère lécher les bottes de Churchill en envoyant de force des Canayens de l'autre bord au lieu d'assurer notre sécurité, à nous autres les p'tites gens.

Le SS intervint:

— Justement, selon un rapport militaire secret dont a pris connaissance l'un de nos informateurs, à Ottawa, le manque de sécurité dans la région et la vulnérabilité des installations électriques de l'Alcan inquiètent le gouvernement et les Alliés en particulier au sujet des transformateurs, dont dépendent les lignes de transport de courant qui alimentent les cuves de l'aluminium en fusion. S'il y avait une interruption de courant, le métal refroidirait et cela paralyserait la production assez longtemps puisqu'il faudrait vider manuellement les cuves.

— Parfait ! Après mon passage, ils en auront pour des mois à s'en remettre. Donc, moins d'avions et moins de bâtiments navals contre nous. La victoire finale sera à portée de main. Cela dit, où se trouvent ces transformateurs ?

Robert s'accroupit en étalant une feuille de papier d'emballage, maintes fois pliée. Les deux Allemands allumèrent leur briquet pour mieux y voir. Le plan de l'usine et des alentours était dessiné au crayon rouge et comprenait plusieurs annotations. Sans hésiter, le jeune Indien posa le doigt sur l'emplacement stratégique.

— Là !

Karl lança, triomphant :

— Du gâteau ! La puissance des charges de dynamite provoquera autant de dommage qu'une bombe.

Il réfléchit un moment et ses acolytes n'osèrent briser sa concentration. En se relevant, il interrogea l'employé de l'Alcan avec la même véhémence qu'il déployait pour arracher la vérité à un prisonnier. Tout y passa. Il lui posa des questions en rafale sur la sécurité du complexe et sur les employés, leurs habitudes de travail et leurs allées et venues, sur les ouvriers du service de l'entretien et le privilège qu'ils avaient de se faufiler partout, particulièrement dans la partie de l'usine qui l'intéressait. À maintes reprises, il lui fit répéter les mêmes réponses pour s'assurer qu'aucun détail ne lui échappe, jusqu'à ce qu'il sente qu'il avait tout retenu.

— Je garde le plan, continua-t-il. D'après nos sources, l'heure idéale pour une explosion serait vingt-trois heures. Exact?

Déstabilisé par le ton trop autoritaire de l'Allemand, Crevier finit par balbutier:

— C'est l'heure de la rotation des équipes. Seuls les deux pions de l'armée qui surveillent le portail de l'entrée ne sont pas en mouvement.

— On peut donc considérer que le champ sera libre, conclut Karl. L'opération se déroulera à cette heure dans trois semaines au plus tard, le temps de me familiariser avec l'environnement. Et il faudra réussir du premier coup. On s'entend?

Personne ne protesta. Karl continua sur sa lancée en continuant de dévisager le jeune homme:

— Quel est le plan de fuite?

Crevier haussa les épaules en lançant la balle au SS.

— La destination demeure Boston. Traverser la frontière des États-Unis sera un jeu d'enfant. Le plus difficile sera de sortir d'Arvida sans attirer l'attention. Nous miserons sur l'effet de surprise. La commotion causée par la déflagration occupera l'armée, la police et tous les hommes de la ville pendant un bon moment.

— Moyen de transport?

Crevier s'empressa de répondre:

— Une Oldsmobile noire. Le soir de l'attentat, elle sera devant l'église dès onze heures moins dix.

— Dans la boîte à gants, enchaîna le SS, vous trouverez une carte routière chiffrée avec les destinations et les coordonnées de vos contacts à Québec, à Montréal et à la douane américaine de Rouses Point. Quand on la glisse au-dessus d'une source lumineuse, des suites de trous microscopiques apparaissent, indiquant les codes. Ces trous sont impossibles à déceler à l'œil nu.

— Mes contacts?

— En cas de coup dur, des membres de la 5e colonne à Montréal nous cacheront et, en temps opportun,
nous conduiront à notre destination.

— Nous ? explosa Karl.

— Je vous servirai de chauffeur. Depuis un mois que
j'arpente les routes de la région, je les connais bien,
de préciser le SS.

— Impossible ! Je travaille toujours seul, lança Karl
en ne desserrant pas les dents.

— Pas pour cette mission. En haut lieu, on considère
qu'il y a trop d'imprévus. On veut vous garder en vie.

— À Berlin, on aime compliquer les choses… ou
est-ce une autre preuve de la paranoïa de nos chefs ?

Le ton du SS monta d'un cran.

— Je ne remets jamais en question les décisions de
mes supérieurs.

— Si je comprends bien, je n'ai pas le choix ?

— Personne n'a le temps ni le droit de jouer à la
prima donna, monsieur le comte, répliqua le SS avec
animosité.

En l'attaquant de front, l'officier voulait démontrer
que ses lettres de noblesse ne l'impressionnaient guère.
Il ajouta :

— Une dernière recommandation : si nous sommes
séparés ou si la mission échoue, vous trouverez des
instructions à l'encre sympathique sur l'enveloppe de
la carte.

Karl devait réagir s'il ne voulait pas perdre la face.

— N'oubliez pas que je garde le contrôle total de
cette opération. Si je le juge nécessaire, j'ai le pouvoir
de la reporter ou de tout annuler. Est-ce bien clair ?

— Il est certain que plus vite nous agirons, meilleures
seront nos chances de réussir, d'ajouter le SS.

— Mettre plus de pression que nécessaire, c'est
ouvrir la porte aux erreurs.

Sans raison apparente, le Montagnais se figea.
Alertés, les deux espions éteignirent leurs briquets et

retinrent leur souffle alors que l'Indien épiait le silence. À proximité, il discerna un ébrouement et un bruissement. Un sourire amusé se dessina sur ses lèvres.

— Des ratons laveurs qui cherchent de la nourriture. Bon, revenons à nos moutons. Comment allons-nous savoir si l'opération va de l'avant ? demanda-t-il, envahi par une soudaine fébrilité.

— À vingt heures, le jour K, je tracerai un trait à la craie blanche sur le côté de la boîte aux lettres, près de la cafétéria. S'il y a un pépin majeur et qu'il faut nous réunir d'urgence, ce sera deux traits, sinon je vous contacterai personnellement. On s'ajustera selon les circonstances. D'ici là, nous ne nous connaissons pas. Maintenant, je veux voir la cache.

Au moment où les trois ombres longeaient les murs de pierres de l'enceinte sacrée, la lune se mirait sur la tôle argentée du clocher crénelé. Pour répondre aux besoins spirituels d'une ville qui ne dormait jamais, la maison de culte restait ouverte en permanence. De chaque côté de la nef, les flammes des dizaines de lampions scintillaient, multicolores, au pied des statues de saints en plâtre polychrome. Avec les effluves de l'encens, l'ambiance sereine mais surréaliste transformait l'église en un havre, hors d'atteinte du monde belliqueux de l'extérieur.

Robert guida les deux espions vers la porte du vestibule, sur laquelle on pouvait lire « Danger, défense d'entrer ». Dans son trousseau de clés, il choisit celle qu'il avait volée à son beau-frère, le bedeau. Les trois hommes escaladèrent les cent marches abruptes de l'escalier en colimaçon et se retrouvèrent face à une imposante cloche, finement ciselée, offerte aux vents par les ouvertures du clocher.

Robert retira la bâche qui dissimulait deux caisses. Jouant du canif, il crocheta sans difficulté les cadenas. Sans attendre d'invitation, Karl examina le contenu des caisses, puis, satisfait, s'adressa à Robert :

— Tout semble en ordre. Donnez-moi la clé ! Le Führer vous remercie de votre travail. Je le répète, nous ne devons plus nous revoir jusqu'au jour K. Partez, maintenant !

Interloqué, le jeune homme fixa à tour de rôle les deux Allemands. Ses yeux de faucon se plissèrent, pleins d'animosité.

— Vous oubliez quelque chose. Vous me devez deux cents dollars.

— Seulement quand je prendrai possession de la voiture, rétorqua Karl.

— C'n'est pas ce qui était convenu ! Je veux mon argent tout de suite !

— Convenu ou pas, votre mission se termine avec la livraison de la voiture. C'est ça ou rien du tout ! La clé, maintenant.

D'apparence calme malgré sa colère, Crevier prit son temps avant d'obtempérer. La pause menaçante enveloppa le trio. Finalement, avec un air faussement résigné, il dégagea la clé du porte-clés et la tendit à Karl. Au moment où celui-ci voulut la prendre, l'Indien la laissa tomber délibérément.

Les deux guerriers se mesurèrent, prêts à se sauter à la gorge. Toutefois, en homme sage, le Montagnais préféra disparaître dans l'obscurité de l'escalier. Le temps de la vengeance viendrait.

Furieux, Karl ramassa la clé.

— Je n'ai aucune confiance en lui. Sa mission terminée, il devra disparaître. Il en sait trop.

— La livraison de la voiture sera son dernier acte d'être vivant ! Notre grand Führer a raison. Il ne faut jamais se fier aux races inférieures.

— Maintenant, vous pouvez disposer. Et n'oubliez pas que notre grand Führer serait agacé d'apprendre que vous avez outrepassé vos pouvoirs. Est-ce compris ? Heil Hitler !

La rencontre était close et l'humiliation, complète pour le militaire de carrière. L'outrecuidance du jeune blanc-bec dépassait les bornes.

Avec une mauvaise humeur à fleur de peau, mais obéissant néanmoins à la discipline militaire qui interdisait de répliquer aux ordres d'un supérieur, le SS lui rendit son salut, en claquant énergiquement des talons. Avec la fierté de son rang et le mépris que lui inspirait l'agent de l'Abwehr, il reprit le chemin de sa cachette, la hargne au cœur. Plus habitué à disposer des gens qu'à subir lui-même ce genre de traitement, il se dit : « Un jour, j'aurai ta peau, l'aristocrate ! »

Karl était de ces hommes dont la confiance en soi asphyxie les scrupules et anesthésie les doutes. Sur son ardoise répertoriant ses ennemis, il pouvait en inscrire deux de plus.

Au cours de sa jeune carrière dans les services secrets, son attitude péremptoire et intransigeante lui avait causé bien des déboires. Son entourage, déjà limité, se composait plus de pourfendeurs que d'alliés. Conscient que son ton cassant dépassait souvent sa pensée, il avait tenté de se radoucir, mais sans grand résultat. Trop enracinée dans sa personnalité, sa violence intérieure mal canalisée, qui lui avait servi d'exutoire jusqu'à sa thérapie, revenait à la surface instinctivement. Il ne maîtrisait pas encore totalement les voies nouvelles de la guérison.

Enfin seul ! pensa-t-il.

Pour se rappeler à son souvenir, les louves hurlèrent à la lune.

Sans perdre de temps et avec une précision comptable, il inventoria le contenu des caisses. Assis à l'indienne, il commença à monter les charges explosives, qui devaient tenir dans le sac de toile trouvé dans une des caisses. Le travail terminé, il cacha le sac, referma les cadenas et recouvrit le tout de la bâche grise.

Il ne lui restait plus qu'une chose à faire : mémoriser les détails du plan de l'usine et de la carte des environs. Au bout d'une heure, il se sentit confiant de pouvoir dessiner tout ce que sa mémoire venait d'enregistrer. Si par malchance il égarait le document, il pourrait facilement fournir toutes les informations à l'état-major.

Il plia la carte plusieurs fois jusqu'à ce qu'elle ne mesure plus qu'environ deux pouces et la glissa dans l'ourlet de la doublure de son parka.

La suite de l'opération K s'annonçait bien. Il avait pensé à tout. Cette mission serait son plus grand succès.

Il était passé une heure du matin quand il reprit le chemin de la pension. Avant de penser à se reposer, il devait rendre compte à ses supérieurs de sa première journée en terre canadienne. La communication par radio était prévue à deux heures du matin. Il accéléra le pas quand il constata qu'il ne lui restait plus que douze minutes avant de communiquer avec Berlin.

À son arrivée, la pension sommeillait. La lumière de la nuit pénétrait dans le solarium à travers les baies vitrées et transformait les plantes en formes fantasmagoriques.

Ayant soulevé la jupe du fauteuil, il tira sa valise contenant l'émetteur, qu'il déposa sur une table près d'une des fenêtres, un endroit idéal pour l'envoi et la réception de messages. En un tour de main, il assembla les pièces du système et fixa un fil à une lampe et un autre au rebord de la fenêtre. La radio était prête. Il était deux heures deux.

Puis il coda son message :

> Arrivé à bon port. Élimination accidentelle du capitaine Tremblay. Rencontre satisfaisante avec les contacts. Mission se présente bien. Qui est le lieutenant SS Ulrick Geyer ? Rendez-vous même heure demain.

Il s'empressa de pianoter le texte chiffré et attendit l'accusé de réception. Après quelques grésillements dans ses écouteurs, il reçut la confirmation et éteignit immédiatement.

Son matériel de communication rangé, il ouvrit le divan-lit et s'y allongea. Karl apprécia l'ambiance de la pièce avec ses nombreuses jardinières et ses murs vitrés qui lui permettaient un contact avec la nature. Il se laissa aller à rêver, à fantasmer sur le bonheur d'éventuelles retrouvailles avec les membres de sa famille maternelle. Puis, s'apaisant, il élabora quelques tactiques d'approche pour les voir sans pour autant se dévoiler. Dès le lendemain, il commencerait ses recherches, se dit-il. Pris d'une soudaine frénésie, il se leva et, sans bruit, traversa la cuisine en direction du téléphone, ouvrit le bottin, repéra la page des Cyr et l'arracha d'un coup sec. En aucun cas il n'était question de s'informer directement auprès de qui que ce soit sur sa parenté. Il savait bien que, dans une petite ville, le téléphone arabe fonctionne toujours avec une efficacité étonnante.

Cette nuit-là, comme l'avait prédit sa logeuse, madame Lachance, le guerrier dormit comme un loir.

20

Dans la noirceur de la fin de nuit, la Rolls-Royce s'arrêta au dernier ponton de la marina. Paul Jones en sortit et s'approcha, alerte et suffisant dans son costume blanc et portant une casquette de capitaine assortie. Quelqu'un le suivait.

Debout sur le pont du bateau avec Black Jack, Lydia s'étonna.

— Ce n'était pas prévu qu'il soit accompagné…

— Il ne m'a pas averti !

— Connaissez-vous cet homme ?

— C'est un de ses amis, Peter Van de Velde. Un diamantaire d'Afrique du Sud qui, depuis quelques mois, a élu domicile dans une de ses villas. Il brasserait des affaires avec le propriétaire d'une mine de diamants du pays.

— Des diamants ?… Bolton en avait un bel assortiment dans ses affaires… Il y a peut-être un lien…

— C'est possible. On ne peut négliger aucune piste.

Jones et Van de Velde montèrent à bord suivis d'un boy qui rangea les paniers de victuailles dans le carré.

Jones s'empressa de les présenter :

— Je me suis permis d'inviter mon ami Peter Van de Velde, pour lui prouver que notre prise de l'arapaïma n'est pas une légende urbaine, s'exclama-t-il en riant.

— Enchanté, Peter ! Si la chance nous sourit, nous répéterons cet exploit. Paul, vous connaissez le bateau… à vous les honneurs !

— Peter, je te présente la belle Hélène, la nièce de Black Jack, dont je t'ai tant parlé ! lança Jones les yeux rivés sur Lydia.

L'homme la salua d'un geste sec de la tête. Ses prunelles d'acier donnèrent la chair de poule à la jeune femme.

Les trois niveaux de *L'équinoxe* étaient gréés de cannes de puissance et de longueur variées pouvant être utilisées pour plusieurs types de pêche. Comme ils allaient s'attaquer à l'arapaïma, qui, à l'âge adulte, mesure plus de trois mètres et pèse deux cents kilos, ils avaient besoin d'un matériel robuste.

Black Jack ordonna au boy, de retour sur le quai, de larguer les amarres, puis il enclencha le levier de vitesse. Lentement, le bateau s'éloigna en direction de l'horizon que l'aube commençait à définir.

Paul et Peter s'engouffrèrent dans le carré, le temps pour le Sud-Africain de s'initier aux aises du palais flottant.

Lydia rejoignit son oncle et chuchota :

— Homme étrange, ce Peter ! Il n'a pas dit un seul mot depuis son arrivée… Quelque chose en lui m'agace… Et son visage… j'ai une impression de déjà-vu. De toute façon, sa présence ne change rien à notre plan initial. Bien compris, Black Jack ?

— Entendu, patron ! S'il est venu en renfort, je lui ferai son affaire.

Deux heures de navigation sur le fleuve Essequibo suffirent pour atteindre un de ses affluents qui serpentait à travers la jungle luxuriante. Ici et là, le long de la rive, surgissaient des villages aux allures différentes, selon les ethnies qui y habitaient.

Depuis le départ, Jones et Black Jack s'étaient relayés à la roue tout en dégustant le festin préparé par le cuisinier du millionnaire. Derrière leur masque d'affabilité, ils se jaugeaient tous, en attendant le moment propice pour agir.

Peter Van de Velde, toujours aussi muet et discret, était devenu la cible des attentions de Lydia. Voyant l'intérêt qu'elle lui portait, Jones tenta de la rassurer :

— Mon ami a des problèmes d'élocution. Il se cantonne dans le silence de crainte d'éloigner les gens.

— Il peut se détendre, nous sommes entre amis. Son secret ne sortira pas de ce bateau. C'est promis ! répondit-elle, l'air de le taquiner.

Black Jack mouilla l'ancre à l'endroit qui leur avait déjà porté chance. Puis, dans un rituel qui les amusait depuis qu'ils pêchaient ensemble, Black Jack et Paul tirèrent leur place à la courte paille. Pour la première fois, le tenancier de bar avait truqué les pailles et Jones et Van de Velde gagnèrent les meilleurs sièges, sur le pont.

— On devra se contenter du deuxième balcon, lança Black Jack, penaud, à sa nièce.

— Qu'importe, je suis certaine qu'à nous deux nous attraperons ce phénomène, mon oncle. On parie, Paul ?

— Ce que vous voulez, belle Hélène !

— Un dîner en tête-à-tête…

— Que le meilleur gagne !

Jones et Van de Velde coincèrent leurs cannes à pêche dans les ancrages et s'installèrent dans les fauteuils pivotants.

L'attente commença. Elle dura deux heures.

Puis, à une centaine de mètres, Lydia repéra des arapaïmas qui montaient à la surface à des intervalles de dix à douze minutes.

— Les voilà ! s'écria-t-elle.

En réalité, c'était le signal qu'attendait Black Jack.

Il se posta près de Jones et Lydia, près de Van de Velde.

En peu de temps, la canne à pêche de Paul se mit à frétiller. Il se leva pour bien ferrer le poisson, qui se démenait avec une telle vigueur qu'il fut obligé de reculer.

— Celui-là semble plus petit que notre prise précédente, c'est un bébé, commenta-t-il, absorbé par les manœuvres qui exigeaient de la force physique et de la dextérité.

Peter se précipita à son aide.

Et alors, plus vite qu'il ne faut pour le dire, Lydia sortait le revolver de son short et le braquait sur le Sud-Africain qui, aussitôt, lâcha prise. Simultanément, Black Jack, avec un des revolvers de Bolton, s'en prenait à Jones, qui laissa filer la canne, tirée par le poisson en fuite.

— Tu ne joues pas fair-play, Black Jack... Juste au moment où je l'attrapais !

— Si c'est un jeu, alors j'ai gagné avec une prise plus importante que la tienne. Qu'est-ce que tu en penses ?

Comme pour les narguer, un arapaïma adulte surgit devant eux, à la recherche d'oxygène. Lydia fut si surprise qu'elle en relâcha son attention. Van de Velde en profita pour la désarmer et lui assener un coup de poing à l'estomac. Elle s'écroula. Il pointa l'arme vers elle.

— Arrêtez ou je tire, cria un Black Jack affolé en pressant le canon de son revolver sur la tempe de Jones.

— Petite Émeraude... croyais-tu vraiment que nous tomberions dans ton piège ? cracha Peter Van de Velde.

Lydia reconnut la voix de l'homme qui parlait avec Jones à la soirée du gouverneur. Se redressant, elle le désarma à son tour d'un coup de pied et chargea.

Malgré l'espace restreint du cockpit, la lutte n'en fut pas moins féroce. Bien qu'elle utilisât les techniques d'autodéfense apprises au Camp X, elle n'arrivait pas à immobiliser son adversaire. Peter Van de Velde était un pro. À un moment, le soleil l'aveugla et elle ne vit pas venir le coup sur sa mâchoire. Sa tête heurta le bastingage. Dans un effort pour se relever, elle glissa dans une flaque d'eau et l'espion en profita pour la rouer de coups.

— Arrête ou je tire, répéta Black Jack en hurlant. Sa menace n'eut pas d'effet.

Lydia essaya de se cramponner aux vêtements de son adversaire, mais ne réussit qu'à s'accrocher à une chaîne qui lui resta dans la main.

Un dernier droit et Lydia perdit connaissance.

Alors, Black Jack tira sur Van de Velde, le blessant à la jambe. L'Allemand s'affaissa. Profitant de son inattention, Jones désarma facilement le Canadien, qui se retrouva avec son propre revolver collé à sa tempe.

— Et la fille ? demanda Jones.

— On obéit aux ordres.

— Et le vieux ?

— À mon avis, il n'est qu'un maillon insignifiant du réseau, mais il a peut-être des choses intéressantes à nous apprendre... C'est à Pluton de décider ! répliqua l'espion allemand qui avait élu domicile en Afrique du Sud.

Jones ligota Black Jack avec le fil d'une canne à pêche et le balança dans la cabine. Ensuite, il s'affaira à soigner Peter, dont la blessure saignait abondamment.

Revenue à elle, Lydia avait tout entendu. Elle demeura immobile, un œil à peine ouvert et la paume refermée sur la chaîne qu'elle avait arrachée au cou de Van de Velde.

Alors que Jones détachait sa ceinture pour l'utiliser comme un garrot, elle se releva tant bien que mal. Avec la force du désespoir, elle le frappa avec la tranche de la main, à l'arrière du cou, puis elle plongea dans la rivière. Il tira plusieurs coups dans sa direction, mais en vain.

— Elle n'ira pas loin, s'exclama-t-il. La rivière est infestée de crocodiles.

— Que dira Pluton de notre performance… ou plutôt de notre incompétence ? demanda Van de Velde.

◆

Karl occupait ses temps libres à observer les familles Cyr de sa liste. Son problème, c'était qu'il ignorait presque tout de sa parenté, outre le fait qu'il avait un cousin de son âge et un oncle bûcheron. Dans ces parages, cela le renseignait peu.

Sa recherche devint malgré lui une véritable obsession et sa mission s'en vit ralentie.

Finalement, une maison au toit rouge retint son attention. Tous les jours, un bambin blond le saluait de la main.

Ce jour-là, le soleil de midi flirtait avec la nature au moment où Karl ralentissait le pas devant la maison. L'enfant lança le ballon à son chien qui, du museau, le projeta dans la rue. Le jouet roula jusqu'aux pieds de Karl qui le ramassa et s'approcha de la clôture.

— C'est un beau ballon.

— Ballon… à moi.

— Le voilà ! Je te le lance ?

— Oh oui ! Oh oui ! répondit l'enfant tout heureux de partager son jeu avec un adulte.

— Je m'appelle Michel. Et toi ?

— Moi, Pierre-Ti-Boutte.

— Recule jusqu'à la galerie et je te l'envoie.

Le bambin courut à toutes jambes vers la maison. Ensuite il se tourna vers l'étranger et se mit en position. Ce n'est qu'au troisième essai qu'il attrapa le ballon.

— Tu as réussi ! s'écria Karl.

La porte de la maison s'ouvrit sur une femme d'âge moyen.

— Que se passe-t-il ?

— Je joue avec mon ami.

— Votre fils a des dispositions pour le foot.

— Ce n'est pas mon fils, c'est mon petit-neveu. Je peux vous aider, monsieur ?

— Cet enfant est attachant. Il me salue tous les jours.

— Vous êtes étranger ?

— Je suis Roumain. Je me présente, Michel Antonesciu.

Il s'approcha et lui tendit la main.

— Moi, c'est madame Roger Cyr.

— Enchanté, madame.

Sur ces entrefaites, un jeune homme sortit de la maison en mastiquant une bouchée de son bout de pain.

Sa mère s'adressa à lui :

— Tu vois, Ti-Pit, ce jeune homme aime bien jouer avec ton cousin. Tu devrais prendre exemple sur lui.

— Vous travaillez dans la région ?

— À l'Alcan.

— Moi aussi. Je suis affecté aux cuves.

— Moi, à l'entretien.

— Il fait froid. Si vous voulez jaser, les jeunes, restez pas sur le perron. Entrez ! Tu viens, Ti-Boutte ?

Pour Karl, l'invitation était trop belle pour être refusée.

◆

Lydia entrouvrit ses paupières enflées. La pièce baignait dans la pénombre. Elle entendit le rire d'un enfant. Voulant bouger la tête, elle fut prise d'élancements aigus. Son corps couvert d'ecchymoses n'était qu'une plaie vive qu'on avait enduit de pommade. Sur son front, une bande de tissu mouillé la rafraîchissait.

Se rappelant à peine les événements des dernières heures, elle chercha à se lever, mais la nausée et le vertige l'en dissuadèrent. À ce moment, le jeune Asiatique qui l'observait sortit de la cabane au pas de course.

Étendue sur une paillasse posée à même la terre battue, Lydia explora la pièce des yeux, sans bouger la tête. C'était un espace dénudé de bonne grandeur, aux murs en planches de bois. Le plafond de chaume en forme de pignon était soutenu par des troncs d'arbres à peine équarris. Autour d'elle, la nature babillait et des odeurs de cuisson, dominées par des effluves de cumin, s'infiltraient par les ouvertures.

Fiévreuse, elle ferma les yeux et se rendormit. Quelques heures plus tard, dans son rêve, elle entendit une femme l'interpeller :

— Il faut boire…

Quelle était cette voix cristalline ? Une voix amie, se dit Lydia, en s'extirpant difficilement du songe. Une jeune femme à la chevelure de jais et enveloppée dans un sari ocre et grenat lui souriait.

La fièvre de Lydia avait été vaincue.

— Vous revoilà parmi nous ! chuchota la femme penchée sur elle.

— Où suis-je ?

— Chez des amis.

— Depuis combien de temps ?

— Deux jours. Mon frère vous a trouvée sur la plage, inconsciente et bien mal en point. Vous avez eu de la chance de ne pas être attaquée par des crocodiles. Les dieux veillent sur vous.

— Vous parlez bien ma langue…

— J'ai travaillé dans une famille de colons anglais à Georgetown. Comme ici on ne parle que des dialectes indiens et javanais, le chef m'a demandé de prendre soin de vous. Qu'une Blanche soit parmi nous impressionne beaucoup les gens, tellement c'est rare.

— Je dois retourner dans la capitale. C'est important, dit Lydia en amorçant un mouvement pour se lever, un élan vite avorté.

— Attention… vous êtes affaiblie !

— Sommes-nous loin de Georgetown ?

— À deux jours de pirogue.

— Il n'y a pas de voiture ?

— Aucune route ne vient jusqu'ici.

— Alors, pouvez-vous me trouver un guide ? Je dois absolument partir…

— Pas dans cet état !

— Il le faut ! Accompagnez-moi. Je vous paierai ce que vous voulez.

— Ce n'est pas une question d'argent.

— Je vous en supplie, implora Lydia.

— Si vous insistez… Mon frère peut nous accompagner. C'est un excellent piroguier.

— Mon oncle, Black Jack LeSieur, saura vous récompenser. C'est le propriétaire du King's Pub.

Rougissant, la jeune Javanaise émit un rire timide en entendant le nom du pub dont la réputation n'était plus à faire.

— Je m'appelle Hélène LeSieur. Et vous ?

— Josada. Cette médaille était près de vous sur la plage, dit-elle en lui remettant le bijou de Van de Velde.

Lydia l'enferma dans sa paume.

Le moindre effort drainait son énergie défaillante. Une grande lassitude l'envahit et elle s'endormit doucement.

21

L'odeur de pain chaud parfumait la maison.

Ti-Pit prit sa place à la table familiale à côté d'une jeune fille bien en chair, au visage ravagé par l'acné.

Ne voulant pas s'imposer, Karl resta près de la porte.

— Enlevez votre manteau, jeune homme. Avez-vous dîné ?

— Pas encore.

— Vous mangerez bien avec nous ? La solitude doit peser quand on arrive dans un nouveau pays, sans amis ni parents ?…

— Les repas en famille me manquent, mentit-il.

— Approche ! Je te présente ma sœur Justine.

L'adolescente le salua à peine avant de retourner à son potage.

Karl enleva sa casquette, retira son parka et s'assit. Pierre, qui le suivait des yeux, se précipita sur la chaise libre, près de la sienne. Le bambin était fasciné par la blondeur de l'homme. Il n'avait jamais rencontré un homme plus blond que lui. Pour capter son attention, il lui dit :

— Moi aussi des… cheveux blonds… Touche !

Karl entra dans son jeu et enroula une mèche dorée autour de son index.

— Tes cheveux sont plus doux que les miens…

Brusquement la porte du côté s'ouvrit. Une femme fit irruption, un chandail jeté à la hâte sur ses épaules. Essoufflée, elle s'exclama :

— Vite, Annie ! Y a un longue distance pour toi. Ça a l'air urgent. J'espère que c'est pas une mauvaise nouvelle.

— J'arrive, j'arrive, répondit-elle en jetant son linge à vaisselle sur le dossier d'une chaise.

— Ti-Pit, tu t'occupes de notre invité !

Annie Cyr saisit le premier manteau accroché à la patère et suivit sa voisine d'un pas énergique, dans le sentier qui séparait les deux maisons.

Pendant qu'il remplissait un bol de potage aux légumes, Ti-Pit avança une hypothèse. Selon lui, on annoncerait à sa mère le décès de son arrière-grand-tante Orise Neveu.

— À l'âge vénérable de cent un ans, elle est rongée par le cancer des os. Tu t'imagines sa souffrance, ajoutée à tous les autres bobos de p'tits vieux ? Rien qu'à y penser, j'en ai la chair de poule.

— C'est tragique ! crut bon de commenter Karl.

— Il faut bien se rendre à l'évidence, continua l'aîné des Cyr. Il était temps que le bon Dieu la délivre de ce maudit calvaire… Que Dieu ait son âme !

Il se signa en vitesse et déposa le bol fumant devant Karl.

— Tu vas vite en affaires, rétorqua Justine. Si ce que tu dis est vrai, maman perdrait les deux femmes qui comptent le plus pour elle, et cela, en peu de temps. Tu t'imagines son chagrin !

Et d'un air détaché, ajouta :

— À propos, pourquoi t'es pas au chevet de tante Claire ? À ce que je sache, c'est ton tour de veille. Moi, je dois retourner à l'école.

Sous le choc d'avoir retrouvé sa mère, Karl avala de travers et sa main trembla. De savoir sa mère, malade, de l'autre côté de la cloison le désarçonna. Il entendit à peine la réplique de Ti-Pit.

— Je ne peux pas être partout à la fois. Mais tu as raison. J'y vais !

Contrarié, Ti-Pit se tourna vers Michel.

— Tu peux garder un œil sur Pierre jusqu'au retour de maman ? Ma tante doit être surveillée continuellement. Ses jours sont comptés, tu sais. On se revoit à l'usine ? Sers-toi du spaghetti… Tu es ici chez toi !

Karl n'était plus là. Il se voyait au chevet de sa mère, implorant son pardon.

— Tu m'as entendu, Michel ?

— Oui. Oui, répondit-il distraitement.

Assis sur une chaise trop profonde pour sa taille, Pierre n'avait que les yeux qui dépassaient de la table. Sans avoir touché à son repas, il gardait les mains sous la table. Le jouet avec lequel il s'amusait tomba. Karl se pencha pour le ramasser, mais l'enfant le prit de vitesse.

— Qu'est-ce que tu caches ?

Après une hésitation, ignorant s'il pouvait avoir confiance en l'inconnu, Pierre finit par ouvrir sa main.

— Qu'il est joli, ton petit singe ! Mon papa en avait un semblable. Qui te l'a donné ?

Justine rentra en coup de vent.

— Qu'est-ce que vous complotez, tous les deux ?

Maladroitement, Karl s'étira le cou.

— C'est un secret entre hommes, n'est-ce pas, Pierre ?

Tenant son trésor à deux mains, l'enfant lui sourit.

— Dis donc ! Vous vous liez facilement aux gens qui vous entourent, dit la jeune fille en s'emparant du livre qu'elle avait oublié sur le comptoir avant de s'élancer vers la sortie, sans autres salutations.

Quand la porte fut refermée, l'espion et le bambin s'assirent côte à côte.

— Tu permets que j'y touche ? demanda Karl.

Avec fierté, l'enfant lui offrit son singe.

— À qui appartient-il ?

— Grand-ma…

— Elle est malade, ta grand-mère ?

Le bambin opina de la tête. Situation troublante de vérité.

— Je rêve tout éveillé ! marmonna Karl pour lui-même.

Une dernière confirmation s'imposait. Même si la réponse l'effrayait, il s'aventura à la poser :

— Et ta maman… s'appelle-t-elle Lydia ?

— Oui… Maman partie loin, loin…

Il avait retrouvé son fils et sa mère. Le bonheur se mêlait au désarroi. Ému, il se força à continuer la conversation.

— Quel âge as-tu ?

L'enfant leva deux doigts dans sa direction.

— Pierre… deux fois un an…

— Moi aussi, j'ai un petit garçon de ton âge.

Troublé, Karl encadra son visage dans ses mains pour mieux examiner ses traits. Ses yeux aqua, son nez et son front saillant tenaient des von Ems. Pierre était son portrait tout craché au même âge. Si un sentiment presque euphorique l'envahit, ses épanchements de tendresse le déroutèrent tout autant.

— C'est incroyable ! marmonna-t-il.

— Qu'est-ce qui est incroyable, jeune homme ? demanda sa tante qui se débarrassait de son manteau.

Il s'empressa de se justifier.

— Oh ! Je réfléchissais tout haut… Et votre appel téléphonique ? Pas de mauvaises nouvelles, j'espère ? Votre fils s'inquiétait.

Ti-Pit avait eu raison. La vieille dame centenaire n'était plus. Sans extérioriser sa peine, Annie reprit son rôle d'hôtesse.

— Mon fils vous a laissé tout seul avec le p'tit ? Il manque de civilité, celui-là. J'espère que vous avez bien mangé.

— C'était plus important qu'il s'occupe de sa tante que de moi. Tout ce temps, j'étais en bonne compagnie, lança-t-il en ébouriffant les cheveux de son fils. Je n'abuserai pas plus longtemps de votre hospitalité. Toutefois, j'aurais une faveur à vous demander. Si vous le permettez, j'aimerais revenir. Pierre me rappelle mon fils que je n'ai pas vu depuis bien longtemps.

— Pauvre vous ! Ça doit vous mortifier.

— La guerre m'a éloigné de ceux que j'aime. Dieu seul sait si je les reverrai !

— Ti-Boutte vous a adopté. Vous êtes le bienvenu.

— Je l'apprécie !

Il s'approcha de Pierre et le serra contre lui sous l'œil peiné de sa tante Annie. Sur le seuil, il la regarda avec des yeux incrédules, saisi d'une grande nostalgie. Annie Cyr ressemblait tellement à sa mère.

— Quelque chose ne va pas, jeune homme ? lui demanda-t-elle.

— Non, non… Vous ressemblez à une de mes connaissances… À bientôt et merci pour le repas.

Dehors, il remonta le collet de son parka et avala une gorgée d'air frais. Que le ciel était lumineux en cette journée bénie des dieux !

Dans la cour arrière, Tempête aboya.

Quand il referma la clôture blanche, Karl savait qu'un nouveau chapitre de sa vie s'ouvrait aux antipodes de son passé tortueux. Il se dirigea lentement vers la pension Lachance en essayant d'analyser la situation. Il pouvait enfin associer un nom et un visage à son fils. Jusque-là, il s'était contenté de l'image floue d'un nouveau-né qu'il désignait froidement comme « le bébé »… Mais où était Lydia ?

Il prit conscience que cette nouvelle réalité l'obligerait, tôt ou tard, à affronter les conséquences de ses écarts de conduite. Pris à son propre piège, il ne pourrait s'y dérober. Sa facilité à nier ses émotions au profit de l'action constituait sa force dans l'armée mais le rendait vulnérable dans sa vie intime. Une blessure par balle se cicatrise avec le temps, mais celle du cœur stigmatise à jamais, se disait-il.

Toutefois, le guerrier en lui veillait et il se secoua. Malgré l'importante charge émotive de cet intermède, il décida de ne plus repousser l'exécution de sa mission. Il avait déjà trop tardé.

Garder son sang-froid, rester vigilant et déguerpir au plus vite, telles étaient les règles à ne pas contourner pour s'en sortir vivant. Tant de chemin parcouru pour se voir ralenti par un grain de sable dans l'engrenage ? C'était inacceptable ! Néanmoins, ce qu'il venait de vivre n'était évoqué dans aucun manuel de psychologie militaire. Il improviserait. L'absurdité du moment et ce qui se dessinait à l'horizon ne le pousseraient pas à trahir son allégeance au Führer, ni ne l'empêcherait de se débarrasser de quiconque s'interposerait entre lui et sa mission, si cela s'avérait nécessaire.

Dans sa confusion, une image de sa mère amoindrie se superposa sur le visage enjoué de Pierre. Entre la raison et l'émoi, il y avait un monde de folie et de chaos, et, comme soldat, il n'avait qu'une solution : agir.

22

Le couchant annonça la fin de la première journée de navigation sur les eaux calmes de l'Essequibo. Grâce aux feuilles de coca que Josada lui donnait à mâcher, Lydia n'éprouvait plus de douleurs et elle récupérait bien malgré le soleil de plomb et la voracité des insectes.

Le frère de la Javanaise échoua la pirogue sur un rivage enclavé dans une jungle inhospitalière. En peu de temps, le campement était opérationnel et les feuilles de thé infusaient. Lydia se réfugia sous la tente. Les vêtements et les cheveux trempés de sueur, elle s'allongea péniblement. Pour l'apaiser, la nature environnante lui offrit un concert baroque.

Ses plaies se cicatrisaient plus vite qu'en temps ordinaire. Sans doute était-ce l'effet des onguents concoctés par le guérisseur du village.

Josada souleva la bâche de la tente.

— Un peu de thé ?

— C'est étrange, j'ai l'impression que mon corps reprend vie.

— C'est la magie de la coca !

— Je vous suis reconnaissante pour tout.

— Dans ce pays, il est normal de s'entraider…

Josada versa le thé dans des gobelets et lui en offrit un avec des galettes de pain de lait.

— J'aurais besoin de vêtements plus appropriés, si je veux survivre une journée de plus à ces bestioles carnivores…

— Je vais vous prêter un sari.

Assises en tailleur sur le sol, elles dégustèrent en silence le thé vert cultivé au village. Dans cette ambiance intemporelle, Lydia se surprit à fixer la jeune Javanaise, dont le regard était un mélange d'intensité et de joie de vivre. Sa fascination s'expliquait peut-être par l'exotisme de ses traits et de son corps félin, peu communs dans cet hémisphère.

Vingt-quatre heures plus tard, dans le port de Georgetown, alors que le soleil déclinait, le piroguier amarra derrière une dizaine de cargos en plein chargement. Josada sauta sur le quai et offrit son aide à Lydia. Pas habituée à se mouvoir dans un sari, celle-ci s'emmêla dans les voiles et rata le ponton. Se reprenant, elle réussit à atteindre le quai grâce à une poussée du frère de Josada. Sans autre bagage que ses vêtements et le médaillon de Van de Velde, Lydia fit ses adieux à ses nouveaux amis.

Elle se mêla aux passants, mais éprouva le besoin de se retourner afin de vérifier si on la suivait. D'où lui venait cette impression d'être suivie ? Arrivée à la cour arrière du King's Pub, elle monta à sa chambre sans avoir croisé d'habitués.

En poussant la porte, Lydia étouffa un cri de stupéfaction. La pièce avait été fouillée de fond en comble. Jones et Van de Velde étaient visiblement passés par là.

Pour éviter de trahir sa présence, elle ferma les portes persiennes et tira les rideaux avant d'allumer. Puis elle s'empressa de vérifier l'état de la cache. Intacte ! Elle en sortit son émetteur et, avec l'aide de son livre de codes, rédigea un message pour rassurer ses supérieurs, qui devaient s'inquiéter de son silence. Vingt minutes plus tard, le centre des communications britanniques aux Bermudes le décodait :

> De retour. Pas de blessures majeures.
> Ne connais pas le sort de LeSieur. Pars
> à sa recherche. Émeraude

De nouveau, elle inspecta la valise de Bolton. Un détail lui avait peut-être échappé. Avec soin, elle examina les objets, scruta les photos, puis secoua la bible. Toutes les pages, aussi minces que celles d'un missel, défilèrent avec facilité entre ses mains. Rien n'attira son attention. Après réflexion, elle se dit que si les services de renseignement utilisaient son roman préféré comme base de codes, pourquoi cette bible n'aurait-elle pas été utilisée par Bolton pour encoder ou laisser un message ? Elle entreprit de la feuilleter en vérifiant la pagination et la typographie de chaque ligne. Un travail fastidieux !

Arrivée au Nouveau Testament, après plus de deux heures de lecture, elle se leva pour boire un verre d'eau, le temps de reposer ses yeux. Sa chambre sens dessus dessous la désola. Sans grand enthousiasme, elle reprit sa tâche. En tournant la page 1011, elle s'aperçut que la suivante indiquait 1014. Les pages 1012 et 1013 étaient collées aux extrémités. Délicatement, elle les sépara, et remarqua des mots rayés au crayon. Comme Bolton utilisait les mêmes codes qu'elle, il lui fut facile de traduire le message :

> Paul Jones est Aigle Blanc. Son quartier
> général : l'Association des jeunes Guyanais.

Eurêka ! Enfin quelque chose de concret ! Les jumelles Nordstrom n'étaient donc pas aussi vertueuses qu'elles le paraissaient, conclut-elle.

Quelqu'un gratta légèrement à sa porte. Elle referma la bible sur ses notes manuscrites et s'empara d'un revolver dans la valise. Doucement, elle s'approcha. On gratta de nouveau et une voix de femme chuchota :

— Mademoiselle, ouvrez-moi !

Lydia entrouvrit et reconnut la petite amie de Bolton. Elle ouvrit plus largement.

— Vite, entrez.

— Je suis Indira.

— Je sais.

— Tout le monde vous a cherchés, vous et Black Jack. La police, Kawa et même les habitués du pub. Depuis qu'on vous a déclarés morts, plusieurs ont baissé les bras. Mais pas moi !

— Pourquoi ?

— Parce que je sais que Black Jack a plus d'un tour dans son sac… Je le connais bien !

Lydia se cala dans le fauteuil et la détailla.

— Depuis mon retour de vacances, j'ai souvent observé vos fenêtres, et en voyant vos rideaux tirés, j'ai compris que vous étiez de retour… Oh, quel désordre, ici ! Ces malfrats voulaient découvrir vos secrets… Où est Black Jack ?

— Je l'ignore.

— Que s'est-il passé ?

— On a voulu nous assassiner… Quant à mon oncle… eh bien, je dois le retrouver…

Tout en rongeant ses ongles, Indira se mit à tourner autour de la table.

— Arrêtez ! Le plancher craque. On pourrait vous entendre…

Indira s'immobilisa devant la valise ouverte. Elle eut un tressaillement d'émotion quand elle vit une des deux photos.

— C'est Michael et moi… aux chutes de Kaieteur…

— Vous sembliez heureux à cette époque.

— Il venait tout juste de me demander en mariage… C'était mon homme à moi !

Elle détourna ses yeux embués. Lydia en profita pour se forger une opinion sur l'utilité de se rapprocher d'elle et se l'allier. Les circonstances et l'urgence de compléter sa mission semblaient l'y obliger, mais pouvait-elle accorder sa confiance à cette prostituée ?

Lydia joua le tout pour le tout.

Enrobant la vérité d'une mince couche de fiction, elle résuma les événements du bateau. En lui suggérant que le meurtre de Michael était certainement l'œuvre de Jones et de Van de Velde, elle tabla sur son amour pour lui insuffler l'idée de vengeance.

Sans sourciller, Indira lui demanda tout de go :

— Vous travaillez aussi pour les Britanniques… comme Michael ?

Interdite, Lydia chercha ses mots.

— Il vous a parlé de son travail ?

— Oui. J'étais même une de ses informatrices. Je lui racontais tout ce qui se passait d'inusité au pub et l'informais de l'arrivée de nouveaux clients.

— Black Jack m'a dit qu'avant sa mort Michael semblait au-dessus de ses affaires.

— C'est peu dire ! Dans un de ses rares moments de confidences, il m'a avoué avoir identifié le chef du réseau allemand et ses acolytes.

— Il vous a donné des noms ?

— Il ne partageait pas avec moi les secrets qu'il jugeait stratégiques… et puis, le lendemain… on l'a tué.

— Michael se droguait-il ?

— Jamais.

— J'ai pourtant trouvé un sachet de cocaïne dans ses affaires.

— La coke et les diamants ont acheté bien des informateurs. Chez les privilégiés, c'est plus monnayable que l'argent liquide, disait-il. J'ai cru comprendre qu'un diamantaire était un de ses clients importants et que, depuis quelque temps, il lui posait des problèmes.

— Quel genre de problèmes ?

— Je l'ignore.

— Vous savez quelque chose sur l'or qu'il possé-dait ?

— Michael était un homme avisé. Un jour, il a rapporté ces lingots, qu'il considérait comme notre passeport en cas d'un départ précipité. Il me répétait sans cesse qu'il ne partirait jamais sans moi.

— Que vous a-t-il dit sur Paul Jones ?

— Rien, mais il savait qu'il était un de mes clients réguliers. Il était jaloux. D'ailleurs, j'y pense, Jones me posait souvent toutes sortes de questions sur lui.

Elle soupira.

— Black Jack… ils ont dû le jeter par-dessus bord, lui aussi…

— J'espère que non, dit Lydia en tentant de se con-vaincre.

— Il faut le retrouver… Je lui dois tellement. Il a sauvé la vie de ma mère en lui envoyant des médica-ments contre la malaria.

Lydia jugea alors qu'elle pouvait aller plus loin avec Indira.

— Paul Jones est Aigle Blanc et l'Association des jeunes Guyanais semble impliquée…

La nouvelle stupéfia Indira, au point de la rendre fébrile.

— Je me rends justement chez les jumelles Nord-strom, lui annonça Lydia avec détermination.

— J'y vais aussi.

— Non, cela risque de vous mettre en danger. Moi, j'ai été entraînée pour ce genre d'intervention. Vous m'attendrez sagement ici. Si je ne suis pas revenue au bout d'une heure, vous irez avertir le gouverneur.

— Il ne me recevra pas !

— Oui, si vous lui expliquez que je suis en danger. Je vais tout de même vous écrire un billet pour le convaincre de dépêcher des militaires.

23

Karl s'enferma dans le solarium pour étudier les options qui s'offraient à lui en vue du jour K. Depuis son arrivée au Saguenay, sa vie s'était construite autour du travail et de la reconnaissance des lieux, de ses visites chez les Cyr, où il ne vit jamais sa mère, et des communications avec Berlin qui s'impatientait. Tous ces éléments de son quotidien s'imbriquaient dans une étonnante harmonie.

Comme son travail l'appelait à nettoyer divers recoins du complexe, il maîtrisait maintenant une bonne partie de sa configuration. Et pour raffiner sa connaissance des salles des cuves, il s'était porté volontaire pour remplacer des ouvriers malades. Il devint rapidement un familier parmi les trois cents ouvriers qui se relayaient toutes les huit heures. Quotidiennement, il s'en trouvait toujours un ou plusieurs incommodés par la chaleur suffocante, la fumée, l'insuffisance de ventilation ou les émanations de gaz. Et comme la main-d'œuvre était difficile à recruter pour ce travail qui en rebutait plus d'un, Karl n'avait pas eu de problèmes à s'imposer pour ces corvées.

Le Montagnais, Robert Crevier, l'avait bien guidé, mais il commençait à s'impatienter. Un jour où Karl sortait de chez sa tante, le Montagnais l'avait abordé :

— Michel…

Karl s'était retourné et l'Indien était venu à sa hauteur.

— Qu'est-ce qui se passe ? On ne devait pas se revoir avant le jour K.

— Ulrick s'impatiente. Les trois semaines sont déjà écoulées…

— Je vous ferai signe. Dégagez, maintenant.

— Il ne peut plus attendre. La RCMP le traque. Depuis que de la fausse monnaie a été trouvée près du cadavre du capitaine Tremblay, toutes les mesures de sécurité ont été renforcées dans la région. Les étrangers sont les premiers suspects. Il faut agir vite ! Nous exécuterons la mission avec ou sans vous ! Secouez-vous !

Au grand dam de Karl, le Montagnais avait disparu aussi vite qu'il était apparu. Karl avait continué à son rythme. Depuis, il avait eu tout le loisir de déterminer les endroits propices à l'installation discrète des charges de dynamite dans quelques-unes des vingt-cinq salles des cuves. Aussi grandes que trois terrains de football, ces salles contenaient cent trente-quatre cuves alignées sur deux rangées, chacune reliée à des lignes électriques et aux transformateurs principaux. Stratégiquement installées, les charges pouvaient provoquer un effet domino important d'une salle à l'autre et arrêter la production d'aluminium.

Karl annota le plan de l'aluminerie sur le va-et-vient des ouvriers, les distances et le minutage entre chaque point stratégique à dynamiter. Il s'ingénia à trouver à ses deux complices des rôles mineurs qui allégeraient sa tâche. Quelque chose clochait chez eux qu'il n'arrivait pas à décoder. Par prudence, il se dit qu'il n'était pas question de leur laisser le champ libre, et encore moins de laisser sa vie entre leurs mains. Toutefois, en réfléchissant à son comportement, il admit qu'il était peut-être lui-même la cause de ce malaise qui frôlait la paranoïa. Son esprit ramollissait-il au contact de sa famille ?

En une volte-face imprévue, son âme de guerrier se glissa dans celle de l'artiste, et le peintre qu'il était laissa errer ses pensées. Machinalement, il se mit à dessiner le visage de son fils sur des feuilles de travail et des sacs de papier. Pas seulement une fois, mais à plusieurs reprises, sous des angles différents, avec toujours autant de minutie. Chaque fois, les traits de la mine noire insufflaient la vie avec une précision étonnante. Il s'appliquait comme la première fois où il avait dessiné, de mémoire, le portrait de son père.

Karl replia le plan, qu'il replaça dans la doublure de son parka. Délicatement, il déchira le contour de son croquis préféré et l'inséra dans une pochette secrète de son portefeuille avant de se débarrasser des autres dessins.

Il était temps d'agir et de convoquer ses acolytes à une rencontre.

24

Vêtue d'un ensemble safari bleu marine – pour mieux se fondre dans la nuit –, Lydia sortit par les portes persiennes de sa chambre. Frôlant le mur latéral du balcon, elle vérifia l'état des lieux, puis enjamba la balustrade pour sauter sur la terrasse voisine. À cette heure, le port était calme et les clients qui entraient au pub ne pouvaient l'apercevoir. Atteindre la rue s'avérait cependant une entreprise plus ardue, la hauteur à franchir étant importante. Elle s'élança vers un ficus géant mais, ne pouvant s'agripper à son tronc, elle glissa entre les branches, s'écorchant les mains au sang. Atterrissant abruptement dans la rue peu éclairée, elle en eut le souffle coupé, tant la douleur était aiguë. Elle envoya un petit signe à Indira, postée à la fenêtre, question de la rassurer.

Dix minutes plus tard, Lydia arriva en vue de la maison de l'Association des jeunes Guyanais. Elle étudia la situation à travers les lunettes d'approche de Bolton. Toutes les pièces du rez-de-chaussée étaient illuminées et une musique africaine s'échappait des fenêtres ouvertes. Devant le porche, deux adolescents discutaient en fumant. Pia et Pier Nordstrom les abordèrent, puis elles rentrèrent. Les adolescents enfourchèrent leur bicyclette et disparurent dans la rue.

Nerveuse, Lydia toucha le revolver de Bolton qu'elle avait pris et s'assura que son poignard à lame rétractable était toujours glissé dans la manche de sa veste. Son manque d'expérience sur le terrain lui apparut flagrant, mais la mince possibilité de retrouver vivant son ami Black Jack lui donnait du courage.

Soudain il y eut un craquement derrière elle et elle se retourna, pour découvrir Kawa qui la fixait d'un air volontaire.

— Kawa! Que fais-tu ici?

— *Qui ne risque rien n'a rien*! lui dit-il.

Malgré l'intensité du moment, Lydia ne put réprimer son étonnement. D'un ton amusé, elle lui lança:

— Tu parles notre langue…

— Je vous expliquerai, lui répondit-il, sans afficher un quelconque sentiment de culpabilité de l'avoir bernée.

— C'est Black Jack qui va être étonné… Mais comment savais-tu que j'étais revenue?

— C'est pas sorcier! À voir l'état d'excitation d'Indira, j'en ai déduit qu'il se passait quelque chose de pas ordinaire. Alors je l'ai suivie.

— Et tu m'as trouvée…

— Je veux vous aider. Black Jack est mon bienfaiteur. Ceux qui sont impliqués dans sa disparition doivent payer.

Lydia n'hésita pas longtemps. Elle avait besoin de toute l'aide possible.

— Bon, d'accord. Chaque minute qui passe est précieuse. Tu dois m'obéir sans poser de questions. Entendu?

— J'ai compris.

— Est-ce que tu sais à qui appartient la voiture garée en retrait de la maison?

— Oui, c'est une de celles que possède Paul Jones.

— Connais-tu Peter Van de Velde?

— Son visage m'est familier. Partout où Jones passe, Van de Velde suit.

— Je crois qu'ils retiennent Black Jack dans cette maison. Il faut le sortir de là et le mettre en sécurité. Quoi qu'il arrive, c'est toi qui t'en chargeras. Mais il ne faut tuer ni Jones ni ses complices. Je les veux vivants.

— Très bien, mademoiselle. Je sauverai Black Jack.

— Tu as une arme ?

— Dans ce pays, tout le monde en a une.

— Tu es prêt ? Pas de questions ?... Alors allons-y !

◆

Cette nuit-là, Karl remplaça un ouvrier malade à la salle des cuves et se retrouva à travailler en tandem avec Ti-Pit. L'espion se dit que, grâce à ses deux quarts consécutifs, il parcourrait pour une énième fois le trajet à emprunter le jour K. Satisfait du déroulement des événements, il se félicita de s'être bien intégré à la routine de l'usine et de pouvoir circuler sans attirer l'attention des agents de sécurité.

Vers trois heures du matin, une importante détonation secoua le complexe. Même si on sonna l'alerte, et avec le brouhaha qui s'ensuivit, les ouvriers continuèrent leur travail. Ils connaissaient l'importance de maintenir le rythme de la production du précieux métal. De leur travail dépendait la réussite des grandes entreprises militaires des Alliés. Toutefois, les hommes n'hésitèrent pas à qualifier l'accident d'attentat. Certains en profitèrent pour se vider le cœur sur le manque de mesures de sécurité, la surcharge de travail, la présence possible d'espions parmi eux...

Pour sa part, Karl éprouva un vif déplaisir. Ses complices avaient agi sans attendre ses ordres ! Malgré la chaleur extrême émanant de l'aluminium en fusion, il libéra sa rage en redoublant d'ardeur.

Quand il termina, à huit heures du matin, il se dirigea vers les vestiaires en compagnie de Ti-Pit. Autour d'eux, l'inquiétude se lisait sur le visage des hommes. La rumeur ayant le plus circulé se révéla exacte. Le préposé à l'accueil Robert Crevier, dit le Montagnais, avait été retrouvé sous un amoncellement de pierres non loin de l'entrée principale, le corps en lambeaux et la moitié du visage déchiqueté.

À qui voulait l'entendre, Ti-Pit résuma les propos de deux policiers qu'il avait saisis au passage, à savoir que Robert Crevier était mort sur le coup en transportant des bâtons de dynamite, que personne d'autre n'avait été blessé, et que les dommages matériels se limitaient à quelques trouées dans un mur secondaire.

Mais une question revenait sur toutes les lèvres : pourquoi le Montagnais était-il en possession de bâtons de dynamite ?

Karl jouait l'indifférent en se préparant à son second quart de travail. Quand il enfila son bleu de travail marqué dans le dos par le mot *Entretien*, son ami l'interpella.

— On dirait que l'accident ne te touche pas. Ce n'est pas tous les jours qu'on perd un des nôtres. Surtout dans une explosion…

— Excuse-moi, je suis pressé. On se voit plus tard. Je passerai voir le petit Pierre.

Karl s'empressa de filer et se dirigea vers la boîte aux lettres, sur laquelle il fit, sur le côté, deux légers traits de craie.

25

Lydia et Kawa se faufilèrent entre les rosiers desséchés du jardin. En atteignant la maison, ils glissèrent d'une fenêtre à l'autre. Le rez-de-chaussée semblait vide, à part la salle de musique où une dizaine de dames à la tête blanche tricotaient en échangeant des banalités. Ils firent le tour de la maison et repérèrent une porte de service. D'un coup d'épaule, le Noir l'enfonça, même si elle était verrouillée de l'intérieur. Lydia se félicita d'avoir accepté son aide.

Ils descendirent quelques marches et se retrouvèrent dans un sous-sol moderne qui contrastait avec l'état de délabrement du reste de la maison. Des rires les alertèrent. Ils sortirent leurs armes et avancèrent avec prudence. Dans le cellier, un homme affalé sur un banc de pierre, une bouteille d'un grand vin français à la main, fredonnait une chansonnette populaire.

— C'est le cuisinier. Je l'ai croisé à ma première visite ici. Mademoiselle Hélène… il a un trousseau de clés.

Sans attendre l'ordre, Kawa se rua sur l'ivrogne et le saisit par le cou pour le relever. Lydia en profita pour détacher le trousseau de clés.

— Où est le prisonnier ? Où est Black Jack ? demanda le Noir d'un ton agressif.

L'ivrogne se figea, ne sachant s'il rêvait ou s'il avait frappé le dur mur de la réalité.

Lydia plaqua le canon de son arme sur sa tempe pour le convaincre de collaborer.

— Tu nous dis ce que tu sais, sinon ce sera la dernière gorgée de vin de ta misérable vie.

L'employé finit par acquiescer des yeux.

— On te suit, *amigo*.

Il les mena jusqu'à une porte blindée.

— J'ai besoin des clés, dit-il, affolé.

Lydia lui présenta le trousseau. Il chercha la clé, mais ses tremblements ralentissaient ce simple geste. Finalement, il réussit à ouvrir.

Recroquevillé dans un coin, Black Jack gardait les yeux bien fermés, comme s'il espérait pouvoir ainsi éloigner le spectre d'une autre visite de ses tortionnaires. Lydia s'avança vers lui et lui toucha doucement l'épaule. Il sursauta en criant.

— N'ayez pas peur, c'est votre *bella*, cher oncle… C'est Hélène.

Il releva la tête et de ses yeux contusionnés s'échappèrent des larmes.

Il était dans un état lamentable. Son visage était déformé par des meurtrissures et le sang à peine séché collait à sa peau et tachait son costume blanc maintenant en lambeaux.

Pendant que Kawa gardait le cuisinier en joue, Lydia serra tendrement Black Jack dans ses bras.

— Hélène, c'est un miracle que tu sois encore vivante. Et… tu es là… Je n'en espérais pas tant ! Et toi, mon ami, tu es là aussi.

— On va vous sortir d'ici, patron.

— Mais, Kawa… ai-je bien entendu ?

Gêné, le Noir répondit par un signe de la tête.

— Je crois que nous avons des choses à nous dire…

— Ce n'est pas le temps. Vous vous expliquerez plus tard, intervint Lydia.

— Tu sais, ma *bella*, je n'ai rien dit même s'ils ont pris les grands moyens pour que je crache le morceau.

À ce moment, Kawa assena un vigoureux coup de poing au cuisinier, puis le traîna au fond de la pièce. Avec Lydia, il aida le tenancier à se relever. Très vite, ils se rendirent compte que Black Jack pouvait à peine marcher.

— Ils se sont acharnés à me brûler la plante des pieds avec des cigarettes.

— Kawa, tu le mets en sécurité et tu trouves quelqu'un pour le soigner ! Ne perds pas de temps. Je reste ici comme c'était convenu, d'accord ?

Le colosse acquiesça. Il chargea son patron sur ses épaules et disparut dans le couloir menant à la porte de service. Lydia verrouilla la porte blindée de la cellule. Adossée à un mur dans la pénombre, elle se mit à étudier les bruits de la maison. Elle ne remarqua rien de particulier mis à part le bercement uniforme des tricoteuses. Jones et les jumelles devaient être à l'étage, en conclut-elle.

Elle résuma sa situation : il lui fallait les surprendre, les neutraliser et attendre les renforts. Elle soupira. Facile à dire ! pensa-t-elle.

Elle s'aventura vers l'escalier mais dut vite reculer quand elle entendit le couinement d'une porte coulissante. Prête à réagir, elle retint son souffle, revolver au poing. Elle risqua un œil. Un milicien s'étirait. Sa nuque craqua. Elle nota qu'il avait une arme à son ceinturon.

— Fredo, je t'en rapporte un aussi... un cola ?

— Si, si, répondit une voix masculine.

Lydia rangea son arme à l'intérieur de sa veste pendant que le milicien montait au rez-de-chaussée d'un pas nonchalant. Elle s'approcha de la pièce qu'il venait de quitter. Avec stupéfaction, elle découvrit un poste de communication ultra-sophistiqué avec trois radios émettrices ; le dénommé Fredo était assis devant un des appareils. Il lui fallait agir rapidement !

L'opérateur quitta son poste pour saisir un cahier noir. Son livre de codes, pensa-t-elle. Avec agilité, sur la pointe des pieds, elle pénétra dans la pièce. Il se retourna et, surpris de la voir devant lui, resta sidéré quelques secondes, soit assez de temps pour que Lydia lui enfonce, d'un coup sec, le pouce et l'index dans la gorge. Il s'écroula, inanimé. « L'entraînement suivi au Camp X me sert », se dit-elle comme pour se rassurer quant à la nécessité de cette mise à mort. Des pas dans l'escalier se rapprochaient ! Elle se hâta de cacher le corps derrière un bureau, glissa le cahier noir dans une de ses poches et éteignit.

◆

Pendant ce temps, dans le boisé environnant, Kawa, à bout de souffle tant Black Jack était lourd, décida de s'arrêter près d'un ruisseau. Il déposa le blessé sur la berge. Réalisant que son patron avait une forte fièvre, il déchira un pan de sa chemise qu'il plongea dans l'eau bouillonnante. Au moment où il s'apprêtait à l'appliquer sur son visage, Black Jack repoussa gentiment sa main et dit :

— Tu m'as toujours intrigué, mon ami, mais là tu m'impressionnes… Depuis quand parles-tu si bien notre langue, mon Kawa ?

Embarrassé, celui-ci répondit :

— Depuis que je trouve important d'utiliser vos mots pour vous aider.

◆

Tapie dans la noirceur de la salle des communications, Lydia attendait le retour du premier milicien. Le silence fut brisé par un sifflement, puis retomba. Ayant constaté du couloir que son camarade n'était plus à son poste, le jeune homme déposa les deux

colas et dégaina. Avec circonspection, il s'avança dans
la pièce, à l'aveuglette, cherchant l'interrupteur.

— Fredo… T'es là ?

Lydia s'élança et d'un solide coup de pied le
désarma. Ils s'engagèrent ensuite dans un combat
féroce. Le milicien, qui connaissait aussi les arts martiaux, lui administra une série de coups aussi sournois
que douloureux. Secouée et se sentant perdre du terrain,
elle tenta de sortir son revolver de sa veste. Mais son
adversaire la saisit fermement et lui plaqua le bras
contre le mur en la rouant de coups. Mal en point,
mais non vaincue, elle rassembla les forces qui lui
restaient en les concentrant sur sa main libre et lui
broya les testicules. En gémissant, il lâcha prise et se
plia en deux pour mieux encaisser la douleur. Enragé,
il se redressa tant bien que mal et tenta de se ruer sur
elle. Elle tira et la balle se logea dans l'abdomen, ter-
minant ainsi le combat.

Dans le petit salon, à l'étage, le coup de feu fit
sursauter les jumelles, et Jones dégaina en indiquant
à son garde du corps de le suivre.

Du haut de l'escalier, ils entrevirent la silhouette
de Lydia se dirigeant vers la salle de musique. Les
tricoteuses paniquèrent en voyant cette femme, une
arme à la main, traverser la pièce, puis disparaître de
leur champ de vision par une porte latérale. Jones
surgit à son tour et leur ordonna de quitter les lieux,
en précisant qu'il s'agissait d'une dangereuse voleuse.
Il n'en fallait pas plus pour affoler ces vieilles dames.
Et c'est en se bousculant qu'elles s'enfuirent dans les
sentiers des alentours.

Dans la pièce où elle avait abouti, Lydia tenta d'ouvrir une fenêtre, puis une autre. En vain, elles étaient
condamnées. Entendant des pas, elle se précipita vers
une porte pour se retrouver dans un débarras sombre,
pourvu d'une minuscule fenêtre qui, elle, s'ouvrait,

mais qu'elle jugea trop petite pour sa carrure. Les pas se rapprochaient et il n'y avait plus aucune issue. Elle eut tout juste le temps de se cacher derrière des malles empilées les unes sur les autres.

À l'entrée de Jones, Lydia pria pour qu'il croie qu'elle avait réussi à s'échapper. Remarquant la fenêtre ouverte, il sembla en effet conclure que sa proie avait filé.

À ce moment-là, deux miliciens vinrent informer Jones de la mort de deux des leurs et de la disparition du prisonnier. Ulcéré, il s'exclama :

— Dites plutôt qu'il s'est sauvé, bande d'idiots ! Trouvez-le. Je le veux mort ou vif. Nous, on s'occupe de la fille, dit-il en s'adressant à son garde du corps en lui lançant un regard entendu.

Ils s'éloignèrent tous au pas de course.

Lydia se releva et évalua la situation. Dans quelques minutes, Indira serait chez le gouverneur. Quinze minutes plus tard, les soldats investiraient la maison. Donc, il restait tout au plus une vingtaine de minutes avant l'arrivée des renforts. Quant à Kawa, il avait certainement réussi à se rendre jusqu'à la Buick, bien camouflée dans la forêt, et Black Jack et lui devaient être en route vers la clinique.

◆

Pendant ce temps, Kawa réalisa que deux miliciens étaient à leur poursuite. Les faisceaux de leurs torches électriques lui permettaient de juger de la distance qui les séparait d'eux. Des chiens sauvages aboyèrent dans le concert des grillons.

— Kawa, si ces hommes nous cherchent, c'est qu'Hélène est leur prisonnière. Elle ne pourra pas s'en sortir toute seule. Ce sont des fanatiques. Ils vont la torturer.

— J'ai promis à mademoiselle Hélène de vous mettre à l'abri avant tout.

— Laisse-moi ici, je saurai bien me débrouiller.

Voyant l'hésitation de son chauffeur, Black Jack ajouta d'un ton autoritaire :

— Obéis, je suis encore ton patron !

◆

Lydia jeta un œil à la fenêtre. Tout semblait calme. Trop calme ! Le bruit d'une voiture qui approchait à toute vitesse l'intrigua. Une Ford cabriolet surgit et rapidement Van de Velde en sortit tout en bousculant Indira, terrorisée.

Lydia faiblit. Les renforts qu'elle espérait n'arriveraient jamais ! Elle était seule et devait secourir Indira.

◆

Dissimulé derrière un gigantesque arbre déraciné, Kawa ajusta le silencieux de son pistolet en fixant les faisceaux des miliciens qui approchaient.

◆

Rasant les murs, Lydia se déplaça jusqu'au boudoir pour mieux suivre Van de Velde qui entraînait la jeune Indienne vers la salle de musique. Après un décompte rapide des hommes, Lydia réalisa que les deux miliciens étaient partis à la recherche de Black Jack. Il n'y avait plus que Jones, son garde du corps et Van de Velde. Quant aux sœurs Nordstrom, il lui serait facile de les mettre hors d'état de nuire.

Lydia s'avança de quelques pas, mais s'immobilisa aussitôt, le canon froid d'une arme sur sa nuque.

— À ce que je vois, les crocodiles n'ont pas voulu de toi, petite Émeraude !

Aigle Blanc ricana.

— Croyais-tu vraiment que ta ruse simpliste pouvait marcher ? Tu oublies que tu joues avec des experts. Tu m'amuses beaucoup. C'est pour ça que j'ai fait durer le plaisir de ce jeu de cache-cache.

Il ordonna à son garde du corps de la fouiller et de la conduire à la salle de musique, où elle était attendue pour le thé, précisa-t-il, narquois.

◆

Bien embusqué, Kawa tira, sans aucune hésitation, sur le premier milicien qui s'était avancé à découvert et fit mouche. Le deuxième faisceau lumineux s'éteignit. Il eut à peine le temps de s'habituer à l'obscurité que l'autre milicien surgissait derrière lui. Kawa se retourna aussitôt et déchargea son revolver dans la poitrine de l'adolescent.

◆

Le garde du corps poussa Lydia devant Pia et Pier, qui savouraient leur thé. Devant la desserte servant de bar, Jones servit un vieux cognac à son complice Van de Velde. Dans un coin, Indira, ligotée et bâillonnée, adressa un regard contrit à Lydia.

— De la belle visite ! On vous attendait, chère Hélène, dit Pia en se levant pour l'accueillir avec la même chaleur qu'à sa première visite. Croyiez-vous vraiment que vous pouviez revenir dans notre ville sans que nous en soyons informées ?

— C'est une bien petite colonie, ajouta sa sœur.

Lydia les fixa d'un air insolent, mais au fond d'elle-même elle se demandait comment elle allait se sortir de ce pétrin. Elle maudissait le jour où elle avait accepté le pacte avec monsieur X.

— Messieurs, elle est à vous ! Vous l'interrogez, et qu'on en finisse. Berlin voit rouge ! À cause de vous, ma réputation est en jeu, lança Pia du ton autoritaire d'un chef qui ne supporte pas l'incompétence de ses subordonnés.

Alors, Lydia comprit. Depuis leur première rencontre et au hasard de conversations ou de réactions qui se précisaient dans sa mémoire, elle avait glané des indices, insignifiants sur le moment mais qui, maintenant rassemblés, prenaient tout leur sens. Pia n'était nulle autre que Pluton !

Le garde du corps s'affaira à ligoter tant bien que mal Lydia à une vieille chaise bancale. En bougeant, elle réalisa que certains barreaux se déboîtaient facilement. Sans perdre de temps, Van de Velde commença un interrogatoire serré, sous le regard vitriolique de Pia qui avait abandonné son amabilité. Pour sa part, Pier brodait, apparemment indifférente à ce qui se passait.

Sans ménagement, on questionna Lydia sur sa mission, ses contacts en Guyane, le rôle de Black Jack et les informations qu'elle détenait sur le réseau. Elle restait cependant de marbre et répétait toujours la même chose :

— Je suis Hélène LeSieur. Je suis en vacances chez mon oncle Ernest.

Pia perdit patience. Devant la fureur de sa sœur, Pier annonça d'une voix fluette qu'elle avait sommeil et qu'elle allait se coucher.

— Cela vaut mieux pour toi. La suite sera plus sanglante, lui dit Pia. Il faut qu'elle parle, tu comprends, ma petite sœur chérie ?

— Je comprends. Bonne nuit.

Et les deux sœurs s'embrassèrent avant que Pier disparaisse dans le couloir.

Jones prit la relève de l'interrogatoire par une retentissante paire de gifles. Ses premières questions portèrent sur sa relation avec un certain Bob Rowland, ce qui confirma la théorie de Lydia qu'il y avait bel et bien une taupe dans le service. Malgré les menaces et les coups, la jeune femme se ferma comme une huître en pensant à son fils. À chaque question, elle continuait de répéter la même réponse.

— Je suis Hélène LeSieur. Je suis en vacances chez mon oncle Ernest.

Excédé, Jones la frappa d'un violent coup de poing à l'abdomen. Lydia gémit sourdement.

— Votre obstination rendra pénibles vos derniers moments, intervint Pia. Votre mission est terminée et c'est un échec. Nos U-Boots gagnent sur tous les fronts. Par contre, si vous collaborez, votre mort pourrait être plus douce. Quant à cette prostituée, eh bien, on lui évitera… la torture.

Lydia se sentit faiblir. À sa première mission, elle allait bêtement mourir sans revoir son fils et sa mère. Et voilà qu'on menaçait Indira du même sort. Elle s'en sentait responsable puisqu'elle l'avait entraînée dans cette aventure.

Sur ces entrefaites, Kawa entra. Pistolet au poing, il se dirigea d'un pas volontaire vers Pia et le lui braqua sur la tempe. Sous le coup de la surprise, elle n'eut pas le temps de réagir.

— Toutes vos armes sur le sol, sinon je lui fais exploser la cervelle.

Pia vacilla. Jones et Van de Velde se consultèrent du regard sans broncher.

— Je ne blague pas. N'attendez pas le secours de vos miliciens, ils sont déjà rendus aux portes du paradis.

Jones et Van de Velde dégainèrent, mais Pluton s'interposa avec autorité.

— On pourrait peut-être négocier…

— Vos armes sur le sol. Je compte jusqu'à cinq…

Pia se tourna lentement vers ses deux subordonnés et leur signifia d'obtempérer. Ils obéirent, non sans réticence.

Lydia réussit à se débarrasser de ses liens et fit valser leurs deux revolvers et leurs armes blanches. Puis elle s'empressa de libérer Indira. À un moment, contre toute attente, Van de Velde bouscula Jones et fonça vers la terrasse. Kawa tira, mais le fuyard réussit à sauter la balustrade sans encombre.

— Les militaires finiront bien par le rattraper, occupons-nous de ceux-là, ordonna Lydia.

Pendant que Kawa ligotait Pluton, Lydia attachait sans ménagement Jones à un tuyau d'un diamètre important qui longeait le mur. Ensuite, elle s'empara des revolvers pendant qu'Indira choisissait un des couteaux à cran d'arrêt.

— La putain est contente de jouer à autre chose, lui lança Jones.

Elle vrilla ses yeux menaçants dans les siens et s'avança vers lui.

— Tu as tué Michael !

— Non, Indira, il nous les faut vivants ! lui cria Lydia.

— Il a torturé et assassiné mon homme ! On devait s'épouser.

— T'épouser ! Quelle idée ! On n'épouse pas une traînée comme toi ! lui cracha Jones.

Indira posa la pointe du couteau sur sa jugulaire.

— Je vais te saigner comme un cochon, salaud !

— Non, Indira. Il nous les faut vivants.

Tout en douceur, Lydia posa sa main sur son épaule.

— Il le mérite, rétorqua la jeune Indienne que le désir de vengeance étreignait, et elle enfonça la lame plus profondément.

Le sang gicla.

— Arrête. Tu n'es pas une meurtrière. Si tu le tues, tu le regretteras toute ta vie et tu ne sauras jamais la vérité sur la mort de ton homme…

Après une hésitation, Indira baissa le bras et se mit à sangloter. Lydia l'enlaça en silence et l'entraîna sur la terrasse.

Dans l'heure qui suivit, remise de ses émotions, Indira surveilla les prisonniers pendant que Kawa allait chercher son patron et se rendait avec lui chez le gouverneur pour obtenir des renforts.

Quant à Lydia, elle s'occupa de Pier, qui brodait encore, assise au creux de son lit. Apeurée par l'irruption de la jeune femme dans sa chambre, celle-ci cria : « Ne me faites pas de mal ! Je suis innocente… Je suis innocente. » Après l'avoir maîtrisée, Lydia la ligota à un poteau de son lit à baldaquin.

Sa fouille de la maison commença par la salle des communications, où c'est avec un extrême plaisir qu'elle tira à bout portant sur les trois radios. Elle récupéra le cahier noir qu'on lui avait enlevé quand on l'avait fouillée et toutes les instructions, écrites en allemand.

En peu de temps, la maison fut envahie par les militaires, et les prisonniers nazis prirent le chemin de la prison centrale de Georgetown avant l'arrivée des spécialistes des interrogatoires des services de renseignement anglais.

Ce soir-là, Émeraude éprouva la satisfaction du devoir accompli. Le message qu'elle transmit à ses supérieurs se lisait comme suit :

MISSION ACCOMPLIE -STOP- ARRESTATION PAUL
JONES, ALIAS AIGLE BLANC -STOP- ET PIA
NORDSTROM, ALIAS PLUTON -STOP- PIER
NORDSTROM ET PETER VAN DE VELDE, AGENTS
NAZIS -STOP- VAN DE VELDE EN FUITE -STOP-
ERNEST LESIEUR VIVANT -STOP- AVONS
RÉCUPÉRÉ LIVRES DE CODES ET DOCUMENTS
SECRETS -STOP- ATTENDS DIRECTIVES -STOP-
ÉMERAUDE.

26

À la fin des seize heures de travail continu et des trente-six heures au cours desquelles il n'avait pas dormi, Karl ressentait une profonde fatigue.

Le temps s'était réchauffé. Malgré les semaines passées en terre canadienne, il s'étonnait encore des écarts de la température qui, en peu de temps, pouvait passer de quinze degrés Celsius au-dessous de zéro à cinq au-dessus.

Il avait décidé de rendre une visite éclair à Pierre pour lui faire ses adieux, car il craignait de devoir s'enfuir rapidement. S'il n'avait pas voulu bousculer le destin en provoquant une rencontre avec sa mère, il n'en espérait pas moins l'entrevoir. Peut-être aujourd'hui ! Quelle chance il aurait, si c'était le cas, avait-il pensé.

La maison au toit rouge se profila au coin de la rue. Sur la galerie, une personne était allongée sur une chaise longue, bien emmitouflée dans une courtepointe. Dans la cour, Pierre s'amusait avec un camion de bois de la grosseur d'une brouette. Quand l'enfant aperçut Karl, il sautilla de joie.

— Michel vient jouer avec moi !

Le cœur de Karl se mit à tambouriner à la vue de son fils, qu'il trouvait magnifique.

Il passa la clôture et Pierre lui sauta dans les bras.

— Viens !

— Ne crie pas, quelqu'un se repose. Chut !

— Grand-ma !

La fatigue aidant, des larmes mouillèrent les yeux de Karl.

— Tu pleures ? Toi, bobo ?…

— Tu me présentes… ta grand-maman ?

— Grand-ma… malade. Elle dort.

La main de Pierre s'ancra dans celle de son père et celui-ci le suivit docilement.

Caché en partie du soleil par la couverture, le visage blême de sa mère restait sans expression.

— Mère !… Petite mère !

Karl enleva sa mitaine et toucha la joue cireuse de sa mère. En entendant la porte d'entrée s'ouvrir, il eut un mouvement de recul.

— Bonjour, jeune homme ! À ce que je vois, vous avez déjà fait connaissance avec ma sœur Claire.

— Elle semble bien paisible.

— C'est la paralysie. Son cas est irréversible, comme dit le doc. Mais si sa fille venait la voir, je suis certaine qu'elle prendrait du mieux.

— Elle a une fille ? s'enquit Karl, curieux de la réponse.

— Oui, Lydia, elle travaille à New York. Mais on ne l'espère pas de sitôt… Et puis, il faut pas espérer son fils non plus, il vit dans les vieux pays. Nous sommes sa seule famille.

— Vous avez bien du mérite de vous en occuper.

— Restez-vous à souper ? Ti-Boutte aimerait ça !

— C'est tentant, j'aime tellement vos petits plats…

— Pouvez-vous garder mon neveu, le temps d'aller à l'épicerie ?

— Sans problème. On ne s'ennuie jamais ensemble, hein, Pierre !

En guise de réponse, le bambin se pendit à son parka.

— Je m'habille et j'y vais ! Si vous voulez entrer, ne vous gênez pas !

La tante Annie disparut à l'intérieur. Cinq minutes plus tard, elle ressortait avec un grand sac de jute et posait un regard scrutateur sur sa sœur tout en réajustant la couverture. Puis elle les quitta en marchant d'un pas alerte.

Entouré de sa mère et de son fils, Karl était au comble du bonheur. Les événements commençaient à le dépasser. S'il avait accumulé plusieurs vies sous sa carapace de soldat, l'expérience de la vraie vie lui manquait lamentablement. Plus que jamais vulnérable, il s'engouffrait dans les dédales d'un labyrinthe de mensonges encore plus risqués.

— Viens jouer au pompier…

— Je dois parler à ta grand-maman avant. Oh, j'oubliais…

Karl sortit le dessin de son portefeuille.

— Un petit cadeau pour toi !

Intrigué, l'enfant examina le bout de papier.

— C'est Pierre ! dit-il en s'esclaffant.

C'était la première fois qu'il voyait un tel dessin.

— Quand je serai parti, tu pourras penser à moi.

— Toi pas partir !

Karl effleura affectueusement la joue fraîche de son fils.

— Maintenant, va jouer avec Tempête.

Déçu, Pierre s'assit dans les marches et se colla au chien en admirant son portrait. Puis, maladroitement, il le plia avant de le glisser dans la poche de sa canadienne.

Karl tira un banc et s'assit face à sa mère. La réaction de celle-ci fut immédiate. Son œil mobile se mit à cligner. Elle le reconnaissait ! Elle pouvait sans doute l'entendre ! Il avait tellement de choses à lui dire. Le comprendrait-elle ? Il prit ses mains glacées dans les siennes. Ce contact charnel lui faciliterait peut-être sa demande de pardon, son *mea culpa*…

Par esprit de survie, comme s'il voulait se dissocier de ses actes et de ses pensées, il entama un récit, dont le héros de l'histoire, lui, s'appelait Il.

Tout y passa, depuis sa séparation d'avec sa famille à l'âge de cinq ans, en passant par ses apprentissages d'adolescent dans un monde d'hommes sans pitié, jusqu'à son ressentiment envers sa famille et les femmes en général qui s'était manifesté par son sentiment d'abandon, ses tendances perverses, ses douleurs profondes liées au rejet. Heureusement, sa thérapie avait réglé bien des problèmes mais ne l'avait pas totalement guéri.

Consciemment, il n'avait pas abordé la mort de son père ni la vérité sur la grossesse de sa sœur.

Le ballon le frappa légèrement à l'épaule et le déconcentra.

— Viens jouer ! Viens !

Karl renvoya son fils avec un brin d'impatience.

— Pas tout de suite.

Pierre repartit bouder un peu plus loin.

Devant le retour imminent de sa tante, Karl se devait d'accélérer sa confession. Il s'attaqua d'abord à l'envers du décor qui l'avait mené à sa délation, s'attardant à décrire ses sentiments lors du procès de son père et au moment de son exécution. Il lui était ardu de se justifier. Comment faire comprendre à sa mère que son devoir de soldat et de patriote avait eu raison de l'attachement qu'il portait à son père et que, de surcroît, il ne regrettait rien ?

Claire laissa échapper des larmes qui l'encouragèrent à s'expliquer davantage.

— Pourquoi vous avouer tout cela ?… J'ai besoin de votre pardon. Je sais combien vous l'aimiez.

Pierre revint à la charge en se lovant dans ses bras.

— Grand-ma… Michel, mon ami… l'aime beaucoup… comme Tempête.

— Moi aussi, mon fils, ne put-il s'empêcher de répondre en l'entourant de ses bras protecteurs.

Le regard de sa mère se brouilla et, s'en rendant
compte, il précisa :

— Eh oui, mère, ce petit bout de chou, c'est mon
fils, mon fils… Dans un de mes moments de folie, j'ai
agressé Lydia sans qu'elle me provoque. Je suis un
parfait salaud. Et puis, j'ai menacé de la tuer si elle
parlait. Dans l'état d'esprit dans lequel j'étais, c'était
aussi simple que ça ! Je comprends aujourd'hui le mal
que je lui ai causé. Je vous supplie de me pardonner…

Sa mère fut soudainement secouée de spasmes. Son
visage hâve se couvrit de sueurs. Sans hésiter, il la
souleva et la transporta au salon. Avec délicatesse, il la
reposa dans son lit.

Sur ces entrefaites Ti-Pit arriva, suivi de sa sœur.

— Madame Claire vient d'avoir une attaque ! Appelez le médecin !

Sa cousine courut aussitôt chez la voisine.

— Que s'est-il passé ? demanda le jeune homme.

— Rien de particulier… Je lui parlais de ma vie en
Europe.

— Je vais la déshabiller. Tu dois partir, maintenant.
Ce genre de chose doit rester dans la famille.

Bouleversé, Karl sortit, se sentant coupable d'avoir
peut-être trop parlé. Pierre jouait avec son ballon et, en
le voyant, il le lui lança. Karl l'attrapa, puis s'avança
vers lui.

— Je dois partir, maintenant.

Il l'embrassa sur les joues et, rapidement, l'écarta
tant l'émotion l'étranglait. En s'éloignant, il se retourna plusieurs fois vers l'enfant qui, esseulé, l'observait d'un œil attristé.

◆

L'arrestation de Jones et de Pluton engendra une certaine frénésie chez les autorités militaires de la Guyane. Dans les jours qui suivirent, avec les deux spécialistes des interrogatoires des services de renseignement de Sa Majesté, Lydia passa au crible toutes les informations recueillies au cours de sa mission et des interrogatoires de Jones et des jumelles Nordstrom. Un travail intense.

Et maintenant, dans le désordre de sa chambre et de ses vêtements éparpillés, elle préparait sa valise en vue de son départ. Même si le seul vol hebdomadaire ne partait que dans quatre jours, l'idée de s'offrir un congé auprès des siens l'excitait. Évidemment, l'espoir d'une prochaine rencontre avec Rowland n'était pas non plus pour lui déplaire.

Lydia posa un regard nostalgique sur le sari de Josada. Elle commença à le plier lorsque le médaillon de Van de Velde s'accrocha au tissu. Dans l'excitation, elle en avait oublié l'existence.

Elle l'examina, puis passa l'index sur le motif en relief représentant le signe du Sagittaire. Soudain, une chose la frappa : la flèche de l'archer pointait vers le bas, contrairement au symbole astrologique. Une fantaisie de Van de Velde ou un code ? Elle opta pour la seconde hypothèse.

Plaçant le bijou sous la lampe, elle remarqua que la flèche visait un trou minuscule percé dans l'épaisseur du médaillon. Elle s'empressa d'y enfoncer son épingle à chapeau. Un déclic à peine perceptible, et la pièce s'ouvrit sur un microfilm. Avec une pince à épiler, elle le retira pour mieux l'examiner au-dessus de la lampe. Le code était indéchiffrable.

Sans attendre, elle se rendit au hangar situé derrière le poste de police central où ses confrères britanniques avaient établi leurs bureaux temporaires. Le lendemain, elle fut félicitée par eux. Le microfilm contenait une liste d'agents allemands, avec leur nom de code, ainsi que les noms des sympathisants opérant dans les Guyanes, au Venezuela et au Brésil. Évidemment, on y retrouvait les Jones, Van de Velde et Nordstrom, et une dizaine d'autres personnes.

Même s'il avait été ébranlé par son aventure d'espion sur le terrain, Black Jack avait bien récupéré. Il s'était remis au travail avec une rare énergie. Pour lui, c'était la meilleure thérapie. Ce soir-là, il ferma son pub plus tôt qu'à l'habitude. Dans la grande salle enfumée, il avait réuni la belle Indira et ses filles pour fêter le départ de Lydia. C'est avec un pincement au cœur qu'il envisageait son départ, comme si son personnage d'oncle était réel. Il l'aimait bien, sa *bella* !

Assis autour d'une table bien garnie de victuailles, tous riaient, chantaient et buvaient le meilleur champagne de sa cave personnelle. Vers vingt-trois heures, on frappa à la porte.

— C'est fermé, cria-t-il. Revenez demain.

On insista.

— C'est fermé, j'vous dis !

On persista.

En jurant comme seul un Québécois peut le faire, Black Jack se leva d'un bond. Le visage en colère, il ouvrit. Il allait invectiver l'importun, mais en apercevant le gouverneur il se mordit la langue.

— Excusez mon intrusion, mais j'ai un message urgent pour mademoiselle Hélène, lança d'une traite le gouverneur, dont le ton n'annonçait rien qui vaille.

Intriguée, Lydia les rejoignit sous le regard curieux des filles.

— J'ai reçu un message de monsieur Smith me demandant de vous remettre cette note en main propre.

Inquiète, Lydia ouvrit l'enveloppe et lut. Son visage blêmit.

D'un ton officiel, le gouverneur continua :

— J'ai négocié avec l'armée américaine une place pour vous sur leur prochain vol pour Miami. Le départ est à trois heures cette nuit. Je regrette d'être le messager de mauvaises nouvelles. Mon chauffeur vous conduira à la base militaire.

◆

Vers vingt-trois heures, ce soir-là, la pluie déjà violente s'accompagnait de rafales qui ondulaient en vagues cinglantes sur les parois du clocher. Karl s'approcha de la bâche. Recroquevillé sous elle, le SS frissonnait.

— La police s'agite partout, même dans le cimetière. Ici, c'est le meilleur refuge que j'ai trouvé.

— Je l'espère pour nous deux.

Karl s'avança vers lui en évitant de piétiner les bâtons de dynamite épars, les rouleaux d'amorce défaits et les boîtes d'allumettes qui baignaient dans trois pouces d'eau.

— Quelle pagaille ! Qu'est-ce qui s'est passé ici ?

— Dans son empressement, l'Indien a laissé traîner le matériel qu'il ne pouvait emporter.

— Quel écervelé ! Pourquoi n'a-t-il pas attendu mes ordres ?

— Parce qu'il n'avait plus confiance en vous, monsieur le comte. Il m'a dit vouloir faire un coup d'éclat pour prouver qu'il n'avait pas besoin de nous. Je crois qu'il n'a pas apprécié vos manières.

— Vous ne l'avez pas arrêté ? Il a compromis la mission et mis nos vies en danger !

— J'ai essayé de le raisonner et ça s'est terminé par une altercation, ici même. Je n'ai pas pu éviter un de ses crochets. Il m'a envoyé valser dans l'escalier avec le résultat que j'ai une jambe cassée et une bonne fièvre.

— Bon, il ne manquait plus que ça ! Montrez-moi !

Pendant que l'Allemand grimaçait de douleur, Karl lui retira sa botte pour examiner la plaie enflée, d'un bleu mauve. Fendu au centre, le tibia déformait la jambe.

— Vous avez quelque chose à boire ?

— C'est la seule chose qui me garde au chaud ! Ici, on appelle ça du gros gin. C'est assez fort pour assommer un ours, à ce qu'on dit.

— Bon. Ce sera parfait. Prenez-en une bonne rasade.

— Qu'allez-vous faire ?

— Redresser l'os.

— Non, non…

Il ne put terminer sa phrase. Karl lui assena un coup de poing au visage aussi soudain que puissant, et l'Allemand s'affaissa, sans connaissance. Karl l'étendit sur le sol mouillé et manœuvra comme il l'avait appris dans des cours de secourisme pour alpinistes. D'un coup sec et bien ciblé, il replaça l'os. Rapidement, il déchira des bandelettes dans l'autre bâche et les serra autour de la jambe. Une giclée de pluie le frappa en plein visage. Il jura contre les éléments de ce maudit pays tout en retirant sa ceinture. Puis il lacéra la botte imbibée d'eau pour l'ouvrir. Tant bien que mal, il enfourna le pied à l'intérieur et le sécurisa avec sa ceinture.

Les nerfs à vif, il avala une longue gorgée d'alcool qui lui arracha une grimace. Tout allait de travers dans cette mission ! Fallait-il continuer ? Cette simple pensée effraya le soldat en lui, mais comme il avait juré obéissance et loyauté envers son Führer… il irait jusqu'au bout, même si les chances de réussir s'amenuisaient d'heure en heure. Dans les circonstances, il agirait donc seul. Il inventoria les éléments encore utilisables. L'Indien avait presque tout détruit. Il ne restait plus qu'un tube de nitroglycérine et une vingtaine de bâtons de dynamite dans un des sacs de toile qui avait échappé à l'eau. Même si les bâtons semblaient secs, Karl ne pouvait en mesurer le taux d'humidité.

Réfléchissant à sa stratégie initiale qui visait à faire sauter simultanément plusieurs points spécifiques de la structure et du réseau électrique de l'aluminerie, il dut se rendre à l'évidence qu'il ne lui restait du matériel que pour une seule explosion. Il ne s'avoua pas vaincu pour autant.

La salle des transformateurs devenait sa dernière cible possible.

Pour le moment, il n'était pas question de s'éterniser. Quant à son complice, il saurait certainement se débrouiller pour survivre aux prochaines heures avant qu'ils n'entament leur fuite.

27

Après des arrêts à Miami, Charleston, Washington et New York, l'avion militaire américain qui rapatriait Lydia se posa à la base de Plattsburgh, près de la frontière entre l'État de New York et la province de Québec. Pour la troisième fois, encore émue, Lydia relisait le message qui précipitait son retour auprès des siens.

> Claire von Ems au plus mal. État critique.
> Urgent avertir Lydia von Ems. Annie Cyr.

Il était dix-huit heures trente quand elle entra dans la salle d'attente réservée aux officiers, où elle s'empressa de demander une communication téléphonique avec Arvida. Pour plus d'intimité, une auxiliaire l'invita à entrer dans un bureau. Contre toute attente, dix minutes plus tard elle était en ligne avec sa tante.

— Ah, que je suis contente de te parler. Chère Lydia... la vie de ta mère ne tient plus qu'à un fil. Quand arrives-tu? lui demanda sa tante, qui ne voulait pas perdre une seconde.

— Parlez-moi d'elle...

— D'après le doc, c'est une question de jours. Les deux dernières crises ont été foudroyantes et ont eu raison du peu d'énergie qui lui restait. Ni lui ni l'hôpital ne peuvent plus rien pour elle. C'est pourquoi il a insisté pour qu'elle reste avec nous.

— Comment est-ce arrivé ?

— Tu sais, ces choses-là sont imprévisibles. Elle se reposait dehors et Michel, un ami de Ti-Pit, lui parlait de sa vie en Europe. C'est un Roumain très, très gentil. Rien pour la bouleverser !

Elle hoqueta, comme si elle ravalait un sanglot.

— Vers trois heures ce matin, elle a eu une rechute. Le curé lui a donné les derniers sacrements.

— J'arriverai demain soir ou le matin suivant, au plus tard. Comment Pierre réagit-il ?

— Il ne comprend pas le brouhaha qui règne à la maison. Attends, je te le passe…

Lydia l'entendit appeler son fils Ti-Boutte, un surnom qui l'horripila.

— Maman !

— Oh, mon bébé chéri. Maman est tellement contente de te parler.

— Je m'ennuie de toi !

— Je serai là bientôt. Je te serre très, très fort dans mes bras. Je te donne un gros bisou.

La porte du bureau s'ouvrit et l'auxiliaire lui signifia avec regret que la communication devait être interrompue. Le baiser sonore de son fils claqua merveilleusement dans ses oreilles.

— Je t'embrasse aussi, mon p'tit rayon de soleil.

La ligne fut coupée.

◆

Vers trois heures du matin, Lydia foula enfin le sol de l'aéroport militaire de Saint-Hubert, en banlieue sud de Montréal. Prévenues de son arrivée, les autorités abrégèrent les formalités d'usage.

Cette course effrénée de plus de cinq mille kilomètres contre la mort l'épuisait. Mais la volonté d'arriver à temps primait tout.

Allongée sur un banc de la salle d'attente, elle dormit jusqu'à cinq heures et demie. Son départ à destination du nouvel aéroport militaire de Bagotville, non loin de Chicoutimi, était prévu trente minutes plus tard. Le temps de faire une toilette rapide, d'avaler un sandwich et une moitié de café, Lydia se retrouva à bord d'un petit appareil pouvant accueillir quatre passagers. Pendant que le personnel finissait de charger du matériel militaire, un homme de forte carrure, au visage jovial, prit place dans un des sièges.

Vu le mauvais temps qui s'était mis de la partie, le départ fut retardé de deux heures. À peine trente minutes après le décollage, des vents violents provoquant turbulences et chutes d'altitude les secouèrent.

Malgré celles-ci, le bruit infernal du moteur et le claquement métallique des parois, Lydia se permit quand même de rêver d'un après-guerre paisible.

Depuis son départ de Georgetown, chaque instant avait été imprégné de l'image déchirante de sa mère agonisante. L'idée du vide que causerait son décès lui apparut soudain insoutenable. Elle ferma les yeux, et le sourire de Rowland vint à sa rescousse. « Ah ! s'il était là pour m'étreindre ! » pensa-t-elle.

Mais il fallait bien revenir à la réalité. Elle se plongea alors dans la lecture des grands titres du journal *Le Soleil* de Québec que l'autre passager avait délaissé.

À la une, on rapportait la victoire morale des Canadiens français qui avaient voté contre la conscription à plus de soixante et onze pour cent. Toutefois, leur vote avait été noyé par l'ensemble de l'électorat anglophone des autres provinces. Il y avait également des articles traitant des victoires alliées, des ravages des armées de l'Axe en Europe et des U-Boots sur la côte atlantique de l'Amérique, de trois agents ennemis qui seraient peut-être débarqués dans des anses isolées le long du fleuve Saint-Laurent, de la percée de la 5e colonne à Montréal et de l'arrestation d'officiers allemands échappés d'un camp d'internement dans la région de Chicoutimi.

Dans les pages culturelles, on annonçait avec fierté l'arrivée imminente à Montréal de l'aviateur écrivain Antoine de Saint-Exupéry, en voyage de promotion au Québec, sur l'initiative de son éditeur québécois, Bernard Valiquette.

Un entrefilet dans les faits divers capta son attention. Il relatait la découverte, dans un bois de Saint-Fulgence, du cadavre de Louis Tremblay, capitaine du *Bourlingueur*. Connu depuis des décennies pour ses activités illégales, il avait réussi, jusque-là, à échapper à la vigilance policière. On mentionnait également la présence de fausse monnaie près du cadavre. La police s'interrogeait sur les motifs de l'homicide : s'agissait-il d'un règlement de compte au sein de la petite pègre de Québec ou simplement d'un accident causé par un braconnier maladroit ? Une chose était certaine, un meurtre dans une région aussi paisible choquait. On promettait de résoudre rapidement ce crime barbare.

Et c'est sur cette nouvelle que le journal lui glissa des mains, le sommeil la rattrapant pendant qu'une pluie torrentielle s'abattait sur la carapace de l'oiseau métallique.

Vingt minutes plus tard, une série de secousses causées par une dépression atmosphérique la réveilla brutalement. Le cœur dans les talons, elle s'agrippa fortement à son fauteuil.

— Pas facile de voyager par mauvais temps, n'est-ce pas, mademoiselle ? dit le passager qui, jusque-là, avait eu le nez plongé dans des rapports comptables.

— Pourvu qu'on arrive à bon port !

— Je me présente, Jean Guertin. Je vends des *novelties* de Québec à Rivière-au-Renard, de Chibougamau à Val-d'Or.

— Un bien grand territoire.

— À l'occasion, je profite des passe-droits de mon cousin qui est caporal dans l'armée. Il est affecté au *dispatching* des vols à l'intérieur de la province.

— Vous en avez de la chance !

— Ce métier me permet de voir du pays et de gagner de l'argent. Qui peut demander mieux ? Vu mon âge, je n'ai pas été obligé d'aller me battre pour les chiens d'Anglais.

Lydia se tourna vers le hublot voilé par la pluie battante tandis que le passager continuait sa conversation à sens unique.

— Je sais pas ce que vous pensez de cette maudite guerre, mais moi, je vous assure qu'on va la perdre. J'arrive de la Caroline du Nord et je peux vous dire que le long des côtes j'ai vu, de mes propres yeux, des explosions de nos bateaux, torpillés par des sous-marins allemands. Ils se faufilent partout comme des colonies de ménés.

— Ah oui !

— Mes frères qui vivent à Halifax m'ont écrit qu'il ne se passe pas une journée que le bon Dieu fait sans que les U-Boots coulent un cargo ou un pétrolier même sur nos côtes et dans le fleuve.

— Ah bon !

— Avez-vous vu, dans le journal, l'annonce du débarquement de saboteurs allemands ? Bon sang de bonsoir ! qu'est-ce que Roosevelt et Mackenzie King attendent pour répliquer ? Que des villes comme Montréal, Toronto ou New York soient bombardées ? Des vraies autruches ! Ces maudits politiciens se cachent derrière leurs beaux discours en espérant que le diable disparaîtra comme par enchantement.

Lydia coupa court à cette invasion en feignant de somnoler. C'est encore Rowland qui prit possession de ses pensées pour la transporter dans mille et un fantasmes nettement plus sensuels que militaires.

28

Le pilote annonça l'arrivée à Bagotville. Maintenant le soleil perçait à travers les nuages effilochés.

Prise d'un frisson heureux accompagné d'une pointe d'anxiété, Lydia ferma les yeux pour jouir du moment. Enfin, elle allait être réunie avec sa famille. Arriverait-elle à temps pour faire ses adieux à sa mère ? Trouverait-elle les mots pour l'apaiser ? Saurait-elle revivifier leur lien privilégié ?

Et son fils, la reconnaîtrait-il après plus de cinq mois d'absence ? Comment lui annoncer qu'elle devrait repartir ? Comment lui parler de la maladie, de la mort ? Comment… ? Elle ne cessait de se poser de telles questions, sans trouver de réponses.

Du coup, les derniers mois lui apparurent comme un hiatus, un détournement de sa vie qui l'éloignait de ce qu'elle voulait vraiment être : une femme, une mère, une amante et une épouse. C'était loin du robot bien huilé créé par les services de renseignement.

En descendant de l'avion, vers dix-sept heures, elle croisa le regard inquisiteur du commis voyageur, qui la salua du couvre-chef. D'un léger signe de tête, elle lui rendit son salut avant qu'il ne disparaisse dans le hangar en construction. Il lui fallait avertir sa tante de son arrivée et elle demanda une communication avec Arvida.

Une heure plus tard, parmi tous les étudiants pilotes venus des quatre coins du Commonwealth pour parfaire leur entraînement, elle reconnut son cousin, Ti-Pit, le seul civil parmi eux.

Elle le vit s'approcher, hésitant.

— Lili ? C'est bien toi ?

— Bien oui ! Ta cousine Lydia.

— Ce que tu as changé… Tu es tellement… plus grande… plus fem…

— Plus femme ?

— Oui, c'est ça !

— Mon cousin préféré, dit-elle en lui bécotant la joue.

Le jeune homme se rengorgea comme un paon et exhiba fièrement sa canine de quatorze carats.

Lydia empoigna ses valises, mais il s'interposa aussitôt.

— C'n'est pas la job d'une belle fille comme toi, ma Lili.

— Tu es devenu galant ! J'ai tellement hâte de retrouver maman et de serrer mon petit Pierre.

En se dirigeant vers le taxi à chevaux de Joe « monsieur Taxi » Lachance, elle huma l'air nordique, prête à affronter l'inéluctable. Assise aux côtés de Ti-Pit, elle revit pêle-mêle les instants magiques de ses deux étés d'enfance passés en compagnie de son cher cousin. Leurs nombreuses bagarres suivies d'aussi nombreuses réconciliations lui revenaient en mémoire comme du bon miel. Seul son cousin, Ti-Pit, l'appelait Lili.

Au cours du trajet cahoteux qui reliait la base militaire à Chicoutimi, son cousin n'hésita pas à lui brosser un portrait précis de l'état de santé de sa mère.

— Dans les dernières heures, elle a repris conscience à deux reprises, le temps de marmonner ton nom et celui de Karl, pour retomber aussitôt dans le coma. J'ai l'impression qu'elle t'attend pour nous faire ses adieux. Elle sent le sapin…

— Qu'est-ce que tu veux dire ?

— Elle est au bout du rouleau…

S'agitant sur la banquette, elle lança d'un ton désespéré à Lachance :

— S'il vous plaît, monsieur, accélérez !

Joe, qui avait écouté leur échange d'une oreille, claqua les rênes et les chevaux répondirent immédiatement à son ordre.

— Je ne veux pas t'alarmer, poursuivit Ti-Pit, mais n'espère pas retrouver celle que tu connais. Elle est amaigrie et ses cheveux ont blanchi presque tout d'un coup.

Lydia l'écoutait avec consternation. Pour détendre l'ambiance, il changea de sujet.

— À la maison, rien n'a changé. Justine est toujours aussi fatigante. Elle veut devenir maîtresse d'école. Si elle arrive à *runner* ses élèves comme elle nous *runne*, elle sera aux petits oiseaux. Quant à papa, il préfère le bois. Y a six mois qu'on l'a pas vu. En tout cas, ma mère est une sainte femme de l'endurer.

Lydia aperçut la maison au toit de tôle rouge et sa clôture blanche. Son cœur palpitait à cent à l'heure. La demeure lui apparut toujours aussi solide et accueillante que dans ses souvenirs. Il était dix-huit heures.

La porte d'entrée s'ouvrit et Pierre s'élança vers le taxi. Elle eut à peine le temps d'en descendre qu'il sautait dans ses bras, la couvrant de baisers mouillés.

— Si tu savais comme je me suis ennuyée !

Son fils lui souffla à l'oreille :

— Plus partir, hein, maman ?

Ti-Pit les interrompit, évitant ainsi à Lydia de répondre. Sur la galerie les attendait Annie, tout sourire.

— Enfin tu es là, mon enfant !

Annie s'approcha pour l'embrasser, mais Pierre la repoussa d'un geste possessif.

— Non, non, c'est ma maman à moi.

Ils éclatèrent tous de rire. Du coup, la fatigue de Lydia s'évapora.

À l'intérieur, les effluves de pain chaud la replongèrent dans un bonheur oublié. Montée pour les grands jours, la table prenait des airs de fête.

À peine débarrassée de son manteau, Lydia n'eut pas à poser la question qui lui brûlait les lèvres puisque sa tante lui indiquait la porte du salon.

— On se relaie tous à son chevet. Justine termine son heure.

— J'apprécie votre dévouement, ma tante.

Toujours ancré à son cou, Pierre gloussait au moindre geste de Lydia. Luttant contre la peur de retrouver sa mère à l'agonie, elle poussa la porte de la chambre d'une main indécise. Mouvement suspendu dans le temps. La lumière d'une torchère, tamisée par un carré de soie marine qui la recouvrait, enveloppait le lit d'un nuage bleuté. Le haut dossier d'une bergère mastoc, placée dos à la porte, cachait la malade. Un bras s'étira à l'extérieur du fauteuil et Justine la salua avec un brin d'ironie :

— Bien le bonsoir, la cousine allemande…

— Salut, la cousine canadienne. Toujours le mot gentil au bon moment. Je suis bien contente de te voir.

— Tu me connais, je dois faire honneur à ma réputation. Mais ne perdons pas de temps à nous crêper le chignon. On se reprendra plus tard, c'est promis !

Lydia déposa son fils dans les bras de sa cousine et l'embrassa affectueusement.

— Comment va maman ? lui demanda-t-elle en s'avançant vers le lit.

— Son état est stable mais sa respiration, irrégulière.

Justine empoigna la main de Pierre.

— Viens, Ti-Boutte. Il est temps d'enfiler ton pyjama pour la nuit.

— Veux pas ! Veux pas !

— Va, mon bébé. Maman doit parler à grand-mère.

— Non ! Non ! Non ! Veux rester avec vous…

Attendrie, Lydia l'embrassa.

— Je te rejoins bientôt, mon trésor.

Instinctivement, l'enfant comprit que le moment n'était pas aux caprices.

La porte refermée, Lydia plongea au cœur de l'inévitable. Immobile au pied du lit, elle détailla sa mère devenue squelettique. Petite chose perdue au milieu d'épais édredons d'un lit disproportionné, sa mère n'était plus que l'ombre de l'amie, de la consolatrice, de la tendre et dévouée génitrice qu'elle avait été. Sur sa poitrine, les grains d'ébène d'un chapelet s'enchevêtraient entre ses doigts d'une blancheur cadavérique. Le cœur de Lydia se serra et une larme s'échappa sur sa joue.

Sans s'annoncer, une force nouvelle altéra sa peine. Un ange gardien la prenait en charge. Lydia reconnut là l'œuvre de sa mère. L'amour les soudait encore l'une à l'autre. La souffrance s'atténua. Pour l'aider à traverser vers la lumière, Lydia enferma ses mains dans les siennes.

Le pouls restait faible, mais la vie s'accrochait encore avec opiniâtreté. Pénétrée du désir impérieux de la prendre dans ses bras, Lydia se retint cependant, de crainte de l'incommoder.

— Merci de m'avoir attendue… Maman… je n'ai pas toujours été à la hauteur de vos attentes. À cause de moi, le déshonneur a souillé notre famille. Cette tache m'a marquée au fer rouge et gruge ma vie. Je voudrais tant retrouver la paix avant votre grand départ.

Des larmes inondaient son visage. Le poids de son secret la minait. En endossant la responsabilité de l'acte sauvage de son frère, elle était devenue victime d'elle-même et de sa générosité de cœur. Devait-elle révéler à sa mère que Pierre était en fait le fils de Karl ? Elle soupira. Non, c'était au-dessus de ses forces. D'autres pensées la tourmentaient. Peut-être avait-elle aguiché son frère à son insu… Qui sait ? Combien de fois s'était-elle posé cette question ?

— Maman, si vous m'entendez, faites-moi un petit signe… juste un petit signe.

Évidemment, aucun miracle ne se manifesta.

Lydia délaissa les mains de sa mère et replaça avec affection quelques boucles de ses cheveux sur sa tempe.

— Vous serez toujours dans mon cœur… Toujours…

Lydia se laissa choir dans l'autre fauteuil. Elle ressentit le besoin de prier. Mais prier en espérant quoi exactement ? Elle n'en savait trop rien. Un réflexe de catholique, pensa-t-elle.

— Tu veux du consommé ?

Lydia sursauta, tant la voix de sa tante semblait lointaine. En ouvrant les yeux, elle l'aperçut, penchée vers elle, une tasse fumante à la main.

— Ce n'est pas de refus !

— C'est un bon remontant…

Du bout des lèvres, Lydia but une gorgée du liquide réconfortant.

— C'est un délice.

Lydia ne quitta pas sa mère des yeux, même si elle sentait que sa tante aurait aimé amorcer la conversation. Partager cette dernière communion avec sa mère risquait de briser le fil ténu qui les reliait l'une à l'autre.

Annie inspecta les médicaments sur la table de chevet et déposa le crucifix ancestral sur le lit. Avec son œil de maîtresse de maison accomplie, elle jeta un regard circulaire à la pièce. Au milieu du mouvement, son front se plissa et elle s'arrêta net sur la table de chevet.

— Doux Jésus !

— Qu'y a-t-il ?

— Il en manque un ! dit-elle, affolée.

— Un quoi ?

— Il manque un petit singe ! Pourtant je l'ai épousseté y a pas longtemps.

— Il est peut-être tombé.

Elles s'agenouillèrent et glissèrent leurs mains sous le lit. Rien.

— J'y pense… À moins que ce soit notre petite fouine nationale.

— C'est possible. Il les a si souvent admirés quand nous étions en détention. Ce n'est pas grave, on va le retrouver…

Annie posa un regard attendri sur sa sœur.

— Si tu savais comme elle t'aimait.

— Ne parlez pas d'elle au passé.

— Je la sens déjà si loin…

Dans l'encadrement de la porte, Annie ajouta :

— Ton couvert est sur la table. Nous, on a mangé. Tu n'as qu'à te servir.

Et elle s'éclipsa alors que Pierre réapparaissait, guettant un signe de sa mère. Lydia lui ouvrit les bras.

La soirée s'annonçait longue et froide. Bien calée dans le fauteuil, Lydia tira une couverture sur elle et son fils maintenant endormi.

Son attention se porta sur sa mère, puis revint à son fils. Tous les deux dormaient de façon comparable. L'un, d'un sommeil empreint de vie et l'autre, d'un sommeil teinté d'une lueur d'éternité. Elle finit par réaliser qu'elle était en proie à des sentiments diamétralement opposés. Autant l'agonie de sa mère l'anéantissait, autant la chaleur du corps de son fils la stimulait. La mort apostrophait la vie ! La vie appelait la vie !

Elle s'étonna de se sentir aussi alerte en dépit de sa fatigue extrême.

Les yeux rivés sur le visage angélique de Pierre, elle lui fredonna la berceuse que lui chantait sa mère.

29

Assise depuis des heures, son fils calé dans ses bras, Lydia éprouva le besoin de bouger. Après avoir allongé Pierre dans le fauteuil, elle prit le pouls de sa mère ; il était à peine perceptible. Le contact avec sa peau la glaça. L'agonie se prolongeait, insidieuse.

Lydia posa ses lèvres sur son front parcheminé et lui chuchota :

— Maman, c'est le temps de plier bagage ! Le voyage est fini. Si vous vous accrochez à cause de moi, soyez sans crainte, j'accepte votre départ.

Elle la serra contre elle dans l'espoir de contenir le filet de vie.

— Je vous aime !

Lydia s'arracha difficilement à l'étreinte. Replaçant sa mère au centre du lit, elle lissa le retour des draps comme pour en chasser les imperfections et assouplit les oreillers. Ces marques d'amour n'étaient qu'un rituel pour remplir le vide du moment.

Lydia la contempla et bientôt se surimposa la femme superbe et souriante qu'elle avait été en des temps plus heureux. La vie, cette prêteuse sur gages qui extorque, manipule et impose ses lois, l'entraînait dans son cercle infernal. La vie se jouait de la mort et la mort, de la vie. Impitoyable destin !

Qu'y pouvait-elle ? Rien, sinon tenter de repousser de quelques minutes le kidnappeur invisible dont elle ressentait la présence de plus en plus menaçante.

Lydia s'allongea contre elle comme du temps des siestes de son enfance. Elle prit le train imaginaire qui, si souvent, l'avait endormie par des après-midi pluvieux d'été. Elle finit par s'assoupir.

◆

Au même moment, Karl demandait au superviseur de la salle des cuves d'être remplacé.

— Je suffoque. J'ai besoin d'air.

Son supérieur, qui le considérait comme un excellent ouvrier, lui accorda la permission de faire une pause.

L'espion se pressa vers le vestiaire vide, décadenassa sa case, enfila son parka et posa un sac de toile en bandoulière. Rapidement, il se retrouva dehors et prit la direction de la salle des transformateurs, située à plusieurs centaines de mètres de là. Pour éviter d'être repéré par des sentinelles ou des ouvriers, il longea les bâtiments. Jusque-là, tout se déroulait bien. Il lui restait à peine vingt-cinq mètres à parcourir quand il entendit les premiers aboiements. Il s'arrêta net. Parce qu'ils se perdaient dans l'écho, il lui fut impossible d'en déterminer la provenance. Les sens aux aguets, il poursuivit sa marche. Le jappement des chiens reprit de plus belle. Que se passait-il ? Depuis l'attentat, la sécurité de l'usine avait été renforcée, certes, il y avait plus de soldats et de policiers, mais il n'avait jamais remarqué de brigades canines sur le site.

Plus que dix mètres. Il atteindrait l'ouverture de la ventilation, pratiquée dans un mur à deux mètres du sol, là où il avait l'intention de poser la charge meurtrière. Encore quelques pas avant de tourner le dernier coin… Deux pas plus loin, un berger allemand, tous crocs sortis, s'élançait dans sa direction.

— Arrêtez ! C'est un ordre ! cria un militaire qui courait dans sa direction, tout en essayant de mettre son fusil en joue.

Prenant ses jambes à son cou, Karl reprit le chemin de la salle des cuves. Mais il se rappela la présence de nitroglycérine dans son sac. Même si elle était bien protégée de plusieurs épaisseurs de bandelettes, un choc et c'était l'impact fatal. Heureusement, il connaissait bien le site. Il s'engouffra dans un bâtiment en construction, le traversa sans encombre et ressortit par une porte dérobée, à quelque cinq mètres de la salle des cuves. Regard inquisiteur autour de lui. Rien. Le chien ne l'avait pas encore rattrapé. En trois enjambées, il se retrouva en sécurité à l'intérieur.

Sans perdre de temps, il replaça le sac dans son casier, retira son parka et referma à clé. Direction toilettes pour se rafraîchir le visage et reprendre ses esprits. Dix minutes après son départ, il était de retour à son poste, sous l'œil satisfait du superviseur et de ses deux coéquipiers, dont l'un était Ti-Pit.

Un échec cuisant à cause d'un sale cabot ! « Je remettrai ça la nuit prochaine », se dit-il, toujours déterminé à réaliser une mission qui, pourtant, semblait de plus en plus vouée à l'échec.

Jusqu'à la fin de son quart de travail, à huit heures du matin, Karl n'eut pas le cœur à l'ouvrage comme à son habitude. Son manque de concentration étonna Ti-Pit, qui l'imputa à une trop grande fatigue.

◆

— Lydia… ma petite Lydia, souffla sa tante en lui caressant le bras. Va dormir dans le lit de Justine.

Émergeant lentement du sommeil, Lydia s'étonna de se retrouver dans le lit de sa mère.

— Quelle heure est-il ?

— Huit heures du matin.

— Où est mon Pierre ?

— Je l'ai couché dans son lit. Repose-toi un peu, je vais faire la toilette de ta mère.

— Une douche et je reviens vous aider.

Située à l'étage, la chambre de Justine respirait la fraîcheur de la jeunesse avec ses tons de rose, ses motifs fleuris et ses rayures blanches. Les couleurs s'harmonisaient avec celles des couvre-lits des lits jumeaux. La commode coiffée d'un grand miroir reflétait l'ombre des sapins, solidement enracinés devant la maison.

Recroquevillé, Pierre dormait dans un des lits alors que, sur l'autre, Ti-Pit avait déposé les valises de Lydia.

Celle-ci sourit devant la décoration remplie des petits riens essentiels à une jeune fille, épars sur le chiffonnier : peignes, broches à cheveux, poudre, boîtes de bracelets et de breloques. Découpées dans des revues, des photos de stars de cinéma habillaient le contour du miroir. Nostalgique, Lydia se revoyait, adolescente, assise à sa coiffeuse du château.

Un bout de papier brun chiffonné attira son attention. C'était un dessin du visage de Pierre. Il lui suffit de quelques secondes pour reconnaître le style de l'artiste. Un dessin de Karl ! Ici ? Pour confirmer son appréhension, elle chercha la signature, que Karl plaçait toujours en haut à gauche. Minuscule et intégrée aux lignes du dessin, elle avait été en partie effacée par une tache d'eau. Du KVE habituel, il ne restait que VE. Son sang ne fit qu'un tour. Elle examina le verso de la feuille et reconnut des éléments d'une carte géographique et d'un plan d'usine, accompagné d'une liste tronquée de chiffres.

Elle dévala l'escalier et s'enquit de la provenance du dessin auprès de sa tante, qui changeait la taie d'oreiller de sa sœur.

Annie lui expliqua les circonstances de leur rencontre avec le jeune Roumain du nom de Michel Antonesciu et la relation qu'il entretenait avec la famille.

— Pourquoi t'intéresses-tu à lui?

— C'est Karl… mon demi-frère.

— Quoi? Ton demi-frère! Impossible. Tu te trompes! Comment serait-il arrivé jusqu'ici? s'exclama sa tante, totalement décontenancée.

— J'en suis persuadée! Et sa présence ici n'est certes pas un hasard.

— C'est incroyable! dit Annie en secouant la tête.

— Ma tante, écoutez-moi bien. Il faut absolument que ça reste entre nous. C'est un nazi et peut-être un espion. Il faut que je découvre pourquoi il se trouve ici. Vous comprenez ce que je veux dire? lança-t-elle en fixant sa tante d'un regard autoritaire.

— Oui, oui… comme tu veux. Et la police?

— Pas maintenant! D'abord, j'appelle la RCMP.

Sa tante se laissa choir dans un fauteuil tant ses jambes tremblaient.

— Si c'est bien ton frère Karl, il est responsable de l'aggravation de l'état de santé de ta mère… Il était tout seul avec elle depuis une bonne heure le jour où elle a eu ses attaques. J'en déduis qu'elle l'aura reconnu et qu'elle n'a pu le supporter. D'après ce qu'il a dit, il lui aurait parlé des vieux pays… Puis, il y a son attention démesurée pour Pierre. D'ailleurs, il m'a émue en m'avouant avoir un fils du même âge.

— A-t-il dit autre chose à propos de son fils?

— Non, rien du tout.

Lydia réfléchissait. Devait-elle tout révéler à sa tante, qui continuait à se creuser les méninges?

— Il travaille à l'Alcan! Y faut pas être un génie pour additionner deux et deux. Et dire que je lui ai ouvert ma maison comme s'il était mon propre fils! J'ai accueilli chez moi un espion! conclut Annie en appuyant sur chaque mot.

— Vous comprenez alors l'importance de le trouver au plus vite.

— Tous les jours, il nous rend une petite visite pour prendre des nouvelles de… sa mère. Hier, il lui a même offert le bouquet de roses blanches.

— Les fleurs préférées de Karl…

À cet instant, Ti-Pit entra dans la maison et cria :

— Salut tout le monde, je suis là !

Quand il vit les deux femmes, il ajouta :

— Vous avez des faces d'enterrement. Que se passe-t-il ?

— Oh, ce n'est rien, s'empressa de répondre Lydia. Un peu de fatigue, je crois. J'ai un coup de fil à donner. Je peux me servir du téléphone des voisins ?

— Y a pas de problème. Tu vas croiser Justine, elle a dormi chez eux. Moi, je vais me coucher. À tantôt, mes belles dames.

Réplique de la maison des Cyr, celle des Hamel n'était toutefois pas aussi bien entretenue. Et quand Lydia frappa à la porte, des fragments de peinture bleue adhérèrent à ses jointures. Une jeune fille ouvrit.

— Je suis la nièce de madame Cyr. J'aimerais téléphoner.

— Vous êtes Lydia ? Entrez donc !

Justine apparut, toute souriante.

— Lydia, je te présente Jocelyne, ma meilleure amie.

Lydia lui tendit la main.

— Justine m'a beaucoup parlé de vous.

Lydia esquissa un vague sourire. Pour elle, le moment n'était pas à la conversation.

Jocelyne la guida jusqu'au salon où l'appareil noir trônait sur un guéridon victorien.

Voyant que les deux jeunes filles s'incrustaient, Lydia les invita gentiment à refermer derrière elles.

Offusquée, Justine répliqua :

— Tu as des secrets ?

Elle sortit aussitôt en ricanant.

Lydia composa un numéro spécial mémorisé pendant son entraînement dont la ligne était sécurisée et qui ne laissait aucune trace sur les relevés mensuels d'appels interurbains.

— Canadian Electric Company, répondit la réceptionniste. Veuillez donner votre identité.

Par crainte que la curiosité des deux jeunes filles ne l'emporte sur la bienséance, Lydia alluma la radio, plaça sa main autour du récepteur et baissa la voix avant de répondre :

— M534.

— Un moment, s'il vous plaît.

Après quelques minutes d'attente, la jeune fille lui demanda :

— Votre nom de code ?

— Émeraude.

— À qui voulez-vous parler ?

— À monsieur Smith.

Rowland répondit presque immédiatement.

En cinq phrases chuchotées, Lydia lui résuma la situation, puis attendit les directives.

— Si tu le trouves, gagne sa confiance et neutralise-le jusqu'à l'arrivée de Rubis. Elle va l'interroger sur place. Après, je verrai à envoyer d'autres agents pour son transfert à Montréal. Lydia, il est préférable qu'ensuite tu restes en dehors de l'opération. Il s'agit de ton frère après tout. Dépêche-toi avant que la police locale ne s'immisce dans l'affaire. C'est un cas de sécurité nationale qui doit être géré par la RCMP. Je préviendrai l'armée et la direction de l'Alcan en temps voulu.

— Quand Rubis arrivera-t-elle ?

— Dans quatre heures environ, à Bagotville. Excellente initiative, Émeraude chérie.

30

Karl se fondit dans le flot des centaines d'ouvriers qui terminaient comme lui leur nuit de travail. Son échec l'avait ébranlé. Regardant sans cesse derrière lui et évitant de passer trop près des policiers, dont le nombre s'était accru depuis la veille, il se pressa de sortir du périmètre de l'usine.

L'espion n'avait pas pris le risque d'emporter son sac de toile, qu'il considérait plus en sécurité dans son casier verrouillé. D'autant plus qu'il en aurait besoin au cours des vingt-quatre heures à venir.

Depuis sa course folle, son taux d'adrénaline n'avait pas baissé. Il décida de prendre une bière à la taverne avant de rentrer à la pension. En route, il passa devant l'église et eut une pensée pour le SS. Il n'était pas question de tenter le diable en s'aventurant dans le clocher pour vérifier son état. Cet officier en avait vu d'autres, il saurait certainement se débrouiller.

Assis dans la pénombre de l'établissement pour hommes seulement, Karl but d'une traite quatre bocks de bière en fût. L'anxiété tomba. Dans les vapeurs d'alcool et la fumée de cigarettes, il s'endormit, la tête sur la table. Il était dix heures.

Une demi-heure plus tard, le tenancier le brassa.

— C'est pas un dortoir ici ! Si vous ne buvez pas, sortez.

Dépaysé, Karl releva péniblement la tête.

— Vous avez quelque chose à manger ?

— Des langues de porc marinées, des œufs dans le vinaigre pis des biscuits soda.

— Donnez-moi une assiettée de tout… avec un café bien fort.

Son repas terminé, plus d'aplomb qu'à son arrivée, il reprit son trajet de retour habituel, non sans une hésitation. Il jouait avec le feu. Mais le plaisir de prendre son fils dans ses bras et d'entrevoir sa mère une dernière fois valait le risque, vu l'ampleur du bonheur que cela lui procurerait.

◆

La queue frétillante, Tempête aboya et s'élança vers la clôture. Pierre aperçut Karl et laissa tomber son camion pour venir à sa rencontre.

— Michel, Michel… lui dit-il en se jetant dans ses bras. Tu joues avec moi ?

L'enfant lui prit la main et le tira vers la porte d'entrée. Karl sonna. Annie lui ouvrit, le visage grave et visiblement mal à l'aise, ce que l'Allemand attribua à de la tristesse. Elle l'invita à entrer.

— Comment se porte votre sœur ? lui demanda-t-il.

— Disons que son état est stable. Vous voulez la voir ?

— Vous croyez que c'est… convenable ?

— Je le crois… dans les circonstances. Vous savez où est le salon…

— Je ne resterai que quelques minutes. Merci.

— Enlevez quand même votre parka.

Entraînant Pierre dans la cuisine, elle lui dit :

— On va essayer ton pantalon neuf. Viens, Ti-Boutte !

Karl poussa lentement la porte du salon. La lumière bleutée léchait les murs de la pièce aux rideaux fermés. La malade dormait en laissant échapper des râles en apnée. Il referma doucement derrière lui.

Plongé dans un état plus fébrile que dans ses rêves les plus audacieux, Karl se laissa envahir par sa soif d'amour maternel. Il lui semblait renaître.

— *Mutter, mutter*, s'écria-t-il.

Il l'arracha aux draps et l'étreignit avec force. Pour la première fois de son existence, il l'avait enfin pour lui seul.

Au bout d'un moment, avec la délicatesse maladroite d'un soldat, il la replaça et la recouvrit.

— Je croyais ne plus jamais te revoir, Karl.

La voix de Lydia le glaça. Avec lenteur, il pivota dans sa direction. Le frère et la sœur se toisèrent longuement. Lydia baissa les yeux. Les images violentes du viol remontaient à la surface, réveillant sa haine qu'elle avait réussi à faire taire depuis son entraînement au Camp X. Malgré la vengeance qui la rongeait, elle devait se ressaisir. N'avait-elle pas un travail à exécuter avant l'arrivée de Rubis? Le neutraliser nécessiterait du doigté et une grande force de caractère pour passer outre ses sentiments.

D'un ton qui se voulait neutre, elle brisa le silence hostile qui les séparait.

— Que fais-tu ici?

— Toi, tu n'es pas à New York?

— Et dire que j'ai cru un moment que tu étais mort au front…

— Peut-être voulais-tu t'en persuader.

— Alors, comment est mort notre père?

— Comme il le méritait.

— Que veux-tu dire?

— C'était un traître.

— Il a toujours été loyal à l'Allemagne.

— Loyal à l'Allemagne de l'aristocratie, mais pas à celle de notre grand Führer ! Rappelle-toi, il n'a jamais caché son mépris pour notre chef avec ses fréquentes allusions au petit bonhomme, ignare et sans manières, qui conduirait notre grand pays au désastre. Eh bien, il n'en est pas resté aux paroles. Il s'est acoquiné avec des généraux pour fomenter son assassinat.

— C'est impossible !

— Tout est possible dans les coulisses du pouvoir.

— Que lui est-il arrivé ?

— Il a été exécuté.

Stupéfaction. Gorge sèche… Pause macabre.

Le filet de voix arrivait à peine à se faire entendre.

— Exécuté ?… Exécuté comment ?

Karl ferma les yeux, espérant se sortir de l'impasse. Pouvait-il, en toute conscience, lui décrire la mort atroce de leur père ? Finalement, les yeux mi-clos, le bon soldat nazi qui avait accompli son devoir répondit en chuchotant :

— Les traîtres sont pendus puis suspendus à un crochet de boucher jusqu'à ce qu'ils meurent…

Lydia hoqueta d'horreur. Toutefois, en réalisant son état de vulnérabilité, elle s'obligea à maintenir un masque impassible.

— As-tu participé à cette monstruosité ?

— Pas à l'exécution.

— Alors, qu'as-tu ?

Karl, le frère, le fils, dut lutter pour maîtriser son émotion.

— Il a bien fallu que je le dénonce.

Tremblant de dégoût, Lydia chercha ses mots :

— Tu as dénoncé… tu as dénoncé ton propre père !

— Je suis d'abord un soldat du IIIe Reich. Toute ma vie, on m'a appris à faire taire mes sentiments.

— Michel… ami à Pierre ! lança son fils, qui se faufila dans la pièce pour s'accrocher aux jambes de sa mère.

— Comment nous as-tu retrouvés ? Et cette identité roumaine ? Dois-je conclure que…

— Disons que j'avais à faire dans les parages…

— Tu travailles pour l'Abwehr ?

— Que veux-tu dire ?

— Ne me prends pas pour une idiote. Tu t'infiltres sous une fausse identité dans une usine importante et insidieusement chez tes cousins. Tu fais copain-copain avec mon fils et…

— C'est mon fils aussi, ne l'oublie pas !

Le ton montait. Pierre posait sur eux des yeux effrayés. Instinctivement, Lydia s'empara de lui puis, de nouveau, affronta Karl.

— Quelle est ta mission ?

— Pierre, on va jouer avec les petits singes… Tu veux ? répondit plutôt Karl.

L'enfant s'enthousiasma, mais sa mère l'empêcha d'avancer. Pierre se débattit et Karl en profita pour saisir Lydia. Nullement impressionnée, elle lui planta un vigoureux coup de genou dans l'entrejambe. Il lâcha prise et tomba à genoux.

— Tu ne m'effraies plus, sale traître ! lança Lydia en reculant avec son fils, qui se mit à pleurnicher.

Karl se redressa à demi et, plus vite qu'un prestidigitateur, braqua son revolver vers elle.

— Ne t'avise pas de toucher à un cheveu de Pierre ! lui cria-t-elle.

Malgré son ton ferme, ses tremblements affichaient sa peur.

— Ne bouge pas ou je tire !

— Karl… Parlons calmement. Laisse sortir Pierre. Il n'a rien à voir dans tout cela. C'est ton fils ! Va rejoindre tante Annie, dit-elle doucement à l'enfant pour le rassurer.

— Petite sœur chérie, n'essaie pas de m'avoir… Gardant l'arme pointée vers elle, il s'accroupit à la hauteur de son fils et lui tendit sa main libre.

— J'ai une surprise pour toi. J'ai fait un beau dessin des trois petits singes. Tu veux le voir ?

— Oh oui ! s'exclama l'enfant, qui réussit à se dégager de la poigne de sa mère pour courir joyeusement vers son père, qui l'attrapa tout en gardant son revolver en joue.

La tension exacerbée entre le frère et la sœur nourrissait leur énergie guerrière réciproque. Une diversion s'imposait, pensa Lydia.

— Si tu es ici, ce n'est pas pour moi mais parce que tu es en mission, n'est-ce pas ?

— Ça ne te regarde pas.

— Oh si ! Je suis Allemande et tu es mon frère. Cela me donne deux fois plus de raisons de m'intéresser à tes activités. Je peux peut-être t'aider…

— Je travaille toujours seul.

Claire émit un long râle guttural. Karl se tourna et Lydia en profita pour donner un coup de pied sur l'arme, qui virevolta avant d'atterrir sur le plancher. Il se rua vers elle, croyant en finir aisément. À sa grande surprise, un combat musclé s'engagea. Apeuré, Pierre se réfugia près du lit en reluquant le revolver et il finit par s'en emparer.

Alerté par le bruit, Annie entra et se figea net en voyant le frère et la sœur se battre. Elle chercha des yeux son neveu et poussa un cri.

— Pierre, lâche ça tout de suite ! Lâche !

Maladroitement, Pierre agrippa le canon et le tourna vers lui en examinant l'orifice. Trois de ses doigts se coincèrent sur la détente.

Déconcentrée, Lydia se retrouva plaquée au mur, le cou enserré dans l'étau de mains meurtrières. Le visage empourpré, elle tenta vainement de s'extraire de sa mauvaise posture. Mais ses forces décuplèrent lorsqu'elle aperçut son fils. Dans une suite de mouvements rapides et précis, elle déséquilibra Karl.

Projeté vers l'arrière, il culbuta sur son fils. Le coup partit. Cri d'horreur. L'instant glissa dans l'irréel, décortiqué en mille et une particules volatiles.

Karl s'affaissa sur le bambin.

— Pierre! Pierre! cria Lydia en se précipitant pour dégager son fils.

Ti-Pit accourait et la scène le paralysa.

— Oh, sainte mère de Dieu! lança Annie en s'agenouillant près d'eux.

— Aide-moi à soulever Karl, demanda Lydia à son cousin.

— Tu veux dire Michel, répondit son cousin en l'aidant à retourner le corps inanimé pour dégager le bambin.

— Merci mon Dieu, il est vivant! s'écria Lydia.

Le visage couvert de sang, Pierre se réveilla en criant à s'en fendre l'âme. Par chance, il y avait eu plus de peur que de mal.

— C'est fini, mon bébé, lui dit-elle pendant qu'il s'agrippait à son cou.

De son côté, Annie prit le pouls de Karl. Il battait. Par le trou du chandail dans le dos, elle constata la blessure causée par la balle, d'où giclait le sang.

— J'appelle le docteur… et monsieur le curé? lança Ti-Pit.

— Je ne connais pas sa religion, mais ce serait mieux, confirma Annie.

— Il est catholique, mais le curé peut attendre, intervint Lydia sèchement.

— Comment sais-tu ça? Tu connais pas mon ami, répliqua Ti-Pit.

Lydia jeta un regard à son cousin, dont le visage trahissait son indignation.

— Ce prétendu Roumain est mon frère et c'est un espion allemand. Voilà! Occupe-toi de Pierre, veux-tu?

— Mais… Quoi ? C'est impossible. Il est si gentil.

— Ti-Pit, fais confiance à ta cousine, lui dit sa mère sur un ton qui n'admettait pas de réplique.

Calme, Lydia lui demanda de rester discret sur ce qui s'était passé jusqu'à l'arrivée d'une de ses amies.

— Au téléphone, tu diras au médecin qu'il s'est blessé avec un pic à glace. Tu ne donnes aucune explication à personne. Tu m'entends ? C'est très important ! C'est une question de sécurité nationale.

— Mais quand il va l'examiner, le docteur va bien se rendre compte qu'il a une balle dans le corps ! rétorqua-t-il.

— Ne t'inquiète pas, je m'occupe de ça, conclut Annie en le pressant de quitter la pièce avec Pierre.

Lydia reprit les signes vitaux de Karl en ajoutant un toucher à la jugulaire.

— Il devrait s'en sortir… si le médecin ne tarde pas trop.

Avec l'aide de sa tante, elle lui retira son chandail.

— Je dois lui faire un garrot pour arrêter l'hémorragie.

Ti-Pit, déjà de retour dans la pièce, retira sa ceinture de cuir et la lui offrit.

Annie courut à la commode et revint avec des draps et des taies d'oreiller qu'elle transforma en bandages épais. Avec une pression, Lydia les appliqua sur la plaie sanglante.

Se tournant vers sa mère, elle ne put que constater que son décès. Un dernier effleurement des lèvres. Un dernier *Je vous aime* !

Après avoir lu dans ses yeux bleu de mer toute la félicité de la délivrance des maux de la terre, Lydia abaissa ses paupières.

— Bon voyage, maman, dit-elle dans un souffle étranglé de sanglots.

Sa tante entama un « Je vous salue, Marie » accompagné, entre deux pleurs, du marmonnement de sa nièce.

Quand il fut de retour, Ti-Pit précisa :

— Le médecin fait un accouchement à Dolbeau. Sa femme va l'aviser dès son retour.

31

À genoux sur le plancher, Annie sanglotait en lavant la mare de sang. Refoulant sa peine, Lydia s'approcha pour la réconforter.

— Quoi qu'il advienne, ma tante, vous pourrez toujours compter sur moi.

Les yeux rougis, Lydia l'enlaça.

— Merci, ma petite. De mon côté, je ne remplacerai jamais ta mère, mais je serai toujours là pour toi et ton fils.

— C'est réconfortant de savoir qu'il y a encore quelqu'un qui m'aime et me soutient…

— Sois forte ! La vie continue. (Elle hoqueta.) D'ailleurs, elle nous rattrape déjà. Il y a les arrangements funéraires à régler.

— Que proposez-vous ?

— Si tu le permets, je m'occupe de tout.

— Vous avez carte blanche.

— Comment se porte ton frère ?

— Il perd beaucoup de sang.

Reprenant la garde auprès de Karl, qui avait été transporté dans la chambre sous les combles, Lydia passa de l'apitoiement à la rage, de la crainte au sentiment de culpabilité, et réalisa que la solution à son tourment se résumait en un seul mot : pardonner.

Perdue dans ses pensées, elle entendit un vague murmure. Il l'appelait. Elle se pencha près de ses lèvres pour mieux l'entendre. De nouveau, il gémit son nom.

— Je suis là…

Elle lui prit la main. Ce n'était plus son frère violent mais un homme gravement blessé, un homme totalement démuni.

— Karl, parle-moi, insista-t-elle. J'ai besoin de comprendre.

Son frère entrouvrit les yeux. Il la fixa avec une douceur nouvelle qu'elle interpréta comme un appel au secours. Elle avait l'étrange impression qu'il réclamait son pardon. Le poids de son ressentiment s'effrita. Sa main dans celle de son frère, elle vit défiler ses bons et ses mauvais souvenirs. Dans des mots qui la meurtrissaient encore, elle lui expliqua tout le mal qu'il lui avait causé.

En guise de réponse, Karl lui pressa la main et lui sourit.

Elle éclata en sanglots.

◆

À treize heures, Rubis sonnait à la porte des Cyr. Elle se présenta sous le nom de Luce Lemelin, un agent de la RCMP. Annie se sentit rassurée. Le gouvernement canadien allait prendre en main la situation.

Pour discuter en toute quiétude, Lydia et Luce décidèrent de sortir à l'extérieur.

— A-t-il parlé de sa mission avec toi ?

— Non.

— Il faut lui faire cracher le morceau.

— Il est très faible. Le médecin devrait arriver sous peu.

— Non, pas de médecin !

Devant l'air ahuri de Lydia, elle crut bon d'ajouter, en adoucissant le ton :

— Je vais d'abord l'interroger. Il nous faut les noms de ses complices si on veut contrecarrer les plans des Allemands.

— C'est mon frère après tout. Quand le docteur arrivera…

— Tu es trop émotive, Lydia. Je te rappelle que Rowland t'a ordonné de me laisser toute la responsabilité de l'opération.

En rentrant, Luce s'arrêta devant la dépouille de Claire et se recueillit quelques instants. Ensuite, Lydia la conduisit à la chambre sous les combles.

— Ferme la porte. Je t'appellerai si j'ai besoin de toi.

Lydia s'exécuta. Un ordre était un ordre. Ayant décelé chez sa collègue une nervosité inhabituelle, elle décida d'arpenter le corridor. Peut-être aurait-elle besoin d'elle plus vite qu'elle ne le croyait.

Mais la curiosité l'emporta. Collant son oreille à la porte, elle entendit des bribes de phrases en allemand. Rubis s'exprimait dans une langue sans accent !

— Karl von Ems, tu as lamentablement échoué. Mes ordres sont malheureusement d'en finir avec toi. Désolée…

Lydia pâlit de stupéfaction.

Lentement, elle ouvrit la porte au moment même où Rubis posait un oreiller sur le visage de Karl. Lydia sortit son revolver de la poche de sa veste.

— Arrête ou je tire, lança-t-elle en la mettant en joue. Retire tes sales pattes de mon frère. Tu ne vaux pas mieux que lui !

— Lydia, on peut faire équipe pour la gloire de notre grande Allemagne. Pense au pays qui t'a vue grandir et que tu aimes.

— Si tu es un agent nazi, pourquoi m'as-tu laissée travailler pour les Alliés ?

— Pour consolider ma position auprès des services de renseignement de Sa Majesté. Malheureusement, ni la mort de ta mère ni ta rencontre avec ton frère n'étaient prévues.

— Tu le connaissais ?

— Je suis son supérieur immédiat pour cette mission.

— Tout était planifié depuis longtemps, à ce que je vois.

— C'est ce que l'on appelle de la stratégie, Émeraude !

— Les apparences sont souvent trompeuses, nous a-t-on appris au Camp X. On répétait qu'il fallait être constamment aux aguets. Qu'une taupe s'était peut-être infiltrée parmi nous. C'était donc toi, le ver dans la pomme !

Rubis avança vers celle qui avait été son élève.

— N'approche pas ou je tire. Je suis sérieuse, lança fermement Lydia.

— Tu n'oseras pas, je le sais.

Elle rit.

L'espionne continua à avancer. Froidement, Lydia tira. La balle se logea dans la cuisse gauche de Rubis. D'abord chancelante, celle-ci riposta assez vite en tirant avec son revolver, qui était caché dans sa botte. Touchée à l'épaule, Lydia bascula. Rubis se jeta sur elle et réussit à la désarmer. S'engagea alors une vraie lutte à finir entre le maître et l'élève.

Karl ouvrit péniblement les yeux.

Rubis était certainement la plus aguerrie. Lydia se vit immobiliser au sol. Elle repéra un des revolvers près de la porte. Il fallait qu'elle puisse l'attraper, sinon… Rubis jubilait à la pensée de gagner ce combat qui tirait à sa fin.

À cheval sur le corps de son adversaire, elle encerclait le cou de Lydia de ses mains expertes. Lydia se débattait, impuissante. Pour l'achever, Rubis enfonça ses pouces dans sa gorge. Lydia suffoqua.

Soudain, la prise se desserra lentement et Rubis, les yeux révulsés, roula sur son flanc, un poignard entre les omoplates. Interloquée, Lydia aperçut Karl qui vacillait, avant de s'écrouler à son tour.

Son frère venait de lui sauver la vie !

Elle rampa jusqu'à lui et eut le temps d'entendre ses derniers mots.

— Dis à Pierre que son père l'a aimé… Je l'ai beaucoup aimé…

◆

L'enquête interne des services de renseignement alliés détermina que Rubis, la taupe, avait plusieurs noms, selon les maîtres qu'elle servait. Seule l'Abwehr connaissait son vrai nom de baptême, Nicky Kreiger. Agent triple, elle avait œuvré pour l'Allemagne, l'Angleterre et la Russie. Recrutée à l'époque de ses études universitaires, à Berlin, elle avait eu pour mission d'infiltrer les services d'espionnage britanniques.

Mutée au Canada, depuis un an, par le MI6 pour seconder la RCMP, elle avait été la cause de bien des fuites dans les services où elle avait opéré. On ne put établir précisément la somme d'informations qui avaient bifurqué vers des pays ennemis en provenance du Canada, des États-Unis et de l'Angleterre. La stupéfaction passée, les anciens collègues de l'espionne reconnurent la qualité de son expertise et des renseignements qu'elle avait subtilisés. Blessée gravement, elle fut quand même jugée en cour martiale, puis exécutée pour haute trahison par les Britanniques.

Jamais on ne retrouva le SS Ulrick Geyer. Diverses rumeurs coururent, aussi farfelues les unes que les autres, notamment que des officiers allemands évadés de camps de prisonniers de la région s'étaient réfugiés dans les grottes du trou de la Fée, à Desbiens, au Lac-Saint-Jean. Après la victoire alliée, ils se seraient fondus dans la population canadienne.

Van de Velde fut intercepté à la frontière du Venezuela et mis aux arrêts par les autorités anglaises. Il était déguisé en missionnaire catholique. Après un procès rapide, il fut condamné à purger une peine de trente ans dans la prison de Georgetown pour espionnage.

On enterra côte à côte la comtesse Claire von Ems et son fils, le comte Karl von Ems, au cimetière catholique d'Arvida. Dans la tombe de Claire, on avait placé son trésor d'amour, le coffret contenant les trois petits singes, et sa photo de noces.

En vidant le casier de l'espion allemand, à l'usine d'Arvida, la police trouva le sac de toile contenant la nitro et s'empressa de faire évacuer les lieux, le temps de transporter le liquide mortel en lieu sûr.

Lydia récupéra les biens de son frère à la pension Lachance et prit possession de la radio émettrice, des codes et des plans qu'elle avait pour mission de remettre à monsieur X. À sa grande surprise, elle trouva aussi un cahier de dessins.

Après les funérailles, Lydia décida de continuer à travailler pour les Alliés.

Ce jour-là, en quittant la maison des Cyr, Lydia embrassa son Pierre une dernière fois. Son bras en écharpe l'obligea à modérer la fougue de son fils, à son grand regret.

— Je reviendrai bientôt, mon bébé. Maman te le promet. Après, nous serons toujours ensemble.

Confiante en l'avenir et remplie d'une paix retrouvée, elle monta dans le taxi de Joe Lachance qui allait la conduire à l'aéroport militaire de Bagotville.

Dans l'avion à destination de New York où elle avait rendez-vous avec Intrepid et son amant, Lydia se remémora la conversation téléphonique de la veille avec Rowland. Avant de raccrocher, il lui avait chuchoté :

— Arrive vite, mon amour. Tu me manques… J'ai soif de toi, de ta peau, de ta voix… Je t'aime.

Spontanément, la femme de Berlin avait répliqué :

— Moi aussi, je t'aime…

PAULINE VINCENT...

... est une figure importante du monde culturel québécois. Écrivaine, conférencière et journaliste, elle est reconnue pour sa carrière dans le domaine du journalisme et des communications et pour son implication dans la promotion et la défense des écrivains et de la littérature québécoise. Pauline Vincent a fondé plusieurs regroupements d'écrivains en Montérégie et dans les Laurentides et elle a laissé sa marque en fondant l'Interrégionale des associations régionales d'auteurs du Québec, en participant à la création de la nouvelle Coalition québécoise de la littérature et du conte et en s'impliquant très étroitement, depuis sa fondation, dans les activités de l'Union des écrivaines et des écrivains du Québec. Active dans les médias depuis le milieu des années soixante, elle fut successivement journaliste, scripteur, animatrice, reporter, chroniqueur et recherchiste à la radio et à la télévision, après un séjour en Europe en tant que correspondante à Paris et à Rome.

EXTRAIT DU CATALOGUE

Collection « GF »

033	*Le Secret du 16 V*	Natasha Beaulieu
034	*Le Fleuve des étoiles*	Guy Gavriel Kay
035	*Les Marches de la Lune morte*	Yves Meynard
036	*La Vieille Fille et la mort*	Catherine Sylvestre
037	*La Misère des laissés-pour-compte*	Maxime Houde
038	*Cartel*	Camille Bouchard
039	*Ysabel*	Guy Gavriel Kay
040	*La Noirceur*	François Lévesque
041	*L'Affaire Céline*	Jean Louis Fleury
042	*Le Jeu du Démiurge*	Philippe-Aubert Côté
043	*La Grande Mort de mononc' Morbide*	Éric Gauthier
044	*Faims*	Patrick Senécal
045	*Dernière Heure* (Jason Wade -1)	Rick Mofina
046	*Le Sang de Mirial*	Marie Bilodeau
047	*Le Blues des sacrifiés*	Richard Ste-Marie
048	*Et Dieu perd son temps*	Camille Bouchard
049	*Toutes les peurs* (Jason Wade -2)	Rick Mofina
050	*La Chute de Mirial*	Marie Bilodeau
051	*Les Monstres intérieurs*	Héloïse Côté
052	*L'Autre Reflet*	Patrick Senécal
053	*Les Cendres de Sedna*	Ariane Gélinas
054	*La Guerre de Mirial*	Marie Bilodeau
055	*Une tombe parfaite* (Jason Wade -3)	Rick Mofina
056	*Où le soleil s'éteint*	Jacques Côté

Collection « Romans » / Collection « Nouvelles »

112	*Le Poids des illusions*	Maxime Houde
113	*Le Chemin des brumes*	Jacques Côté
114	*Lame* (Les Chroniques infernales)	Esther Rochon
115	*Les Écueils du temps* (La Suite du temps -3)	Daniel Sernine
116	*Les Exilés*	Héloïse Côté
117	*Une fêlure au flanc du monde*	Éric Gauthier
118	*La Belle au gant noir*	Robert Malacci
119	*Les Filles du juge*	Robert Malacci
120	*Mort à l'italienne*	Eric Wright
121	*Une mort collégiale*	Eric Wright
122	*Un automne écarlate* (Les Carnets de Francis -1)	François Lévesque
123	*La Dragonne de l'aurore*	Esther Rochon
124	*Les Voyageurs malgré eux*	Élisabeth Vonarburg
125	*Un tour en Arkadie*	Francine Pelletier
126	(N) *L'Enfant des Mondes Assoupis*	Yves Meynard
127	(N) *Les Leçons de la cruauté*	Laurent McAllister
128	(N) *Sang de pierre*	Élisabeth Vonarburg
129	*Le Mystère des Sylvaneaux*	Joël Champetier
130	*La Faim de la Terre -1* (Les Gestionnaires de l'apocalypse -4)	Jean-Jacques Pelletier
131	*La Faim de la Terre -2* (Les Gestionnaires de l'apocalypse -4)	Jean-Jacques Pelletier

132	*La Dernière Main*	Eric Wright
133	*Les Visages de la vengeance* (Les Carnets de Francis -2)	François Lévesque
134	*La Tueuse de dragons*	Héloïse Côté
135	(N) *Les Prix Arthur-Ellis -2*	Peter Sellers (dir.)
136	*Hell.com*	Patrick Senécal
137	*L'Esprit de la meute*	François Lévesque
138	*L'Assassiné de l'intérieur*	Jean-Jacques Pelletier
139	*RESET – Le Voile de lumière*	Joël Champetier
140	(N) *Odyssées chimériques*	Claude Lalumière
141	*L'Infortune des bien nantis*	Maxime Houde
142	*La Saga d'Illyge*	Sylvie Bérard
143	*Montréel*	Éric Gauthier
144	*Le Deuxième Gant*	Natasha Beaulieu
145	*Une mort comme rivière* (Les Carnets de Francis -3)	François Lévesque
146	*L'Inaveu*	Richard Ste-Marie
147	*Un choc soudain* (Jane Yeats -1)	Liz Brady
148	*Un ménage rouge*	Richard Ste-Marie
149	*Mauvaise Rencontre* (Jane Yeats -2)	Liz Brady
150	*L'Ensorceleuse de Pointe-Lévy* (Le Crépuscule des arcanes -1)	Sébastien Chartrand
151	*Projet Sao Tomé*	Michel Jobin
152	*La Course de Jane* (Jane Yeats -3)	Liz Brady
153	*Une maison de fumée*	François Lévesque
154	*Le Frère de Lumière* (Les Voyageurs -1)	Héloïse Côté
155	(N) *La Musique du soleil*	Élisabeth Vonarburg
156	*Le Garçon qui savait lire* (Les Voyageurs -2)	Héloïse Côté
157	*Hôtel Olympia*	Élisabeth Vonarburg
158	*Dans le quartier des agités* (Les Cahiers noirs de l'aliéniste -1)	Jacques Côté
159	*Les Visages de l'humanité*	Jean-Jacques Pelletier
160	*Regarde-moi*	Natasha Beaulieu
161	*Sous le ciel*	Guy Gavriel Kay
162	*La Voix de la Lumière* (Les Voyageurs -3)	Héloïse Côté
163	*La Voyante des Trois-Rivières* (Le Crépuscule des arcanes -2)	Sébastien Chartrand
164	*Le Sang des prairies* (Les Cahiers noirs de l'aliéniste -2)	Jacques Côté
165	*Et à l'heure de votre mort* (Les Cahiers noirs de l'aliéniste -3)	Jacques Côté
166	*Derniers Pas vers l'enfer*	Maxime Houde
167	*L'Oiseau de feu -1. Les Années d'apprentissage*	Jacques Brossard
168	*L'Oiseau de feu -2A. Le Recyclage d'Adakhan*	Jacques Brossard
169	*L'Oiseau de feu -2B. Le Grand Projet*	Jacques Brossard
170	*L'Oiseau de feu -2C. Le Sauve-qui-peut*	Jacques Brossard
171	*L'Oiseau de feu -3. Les Années d'errance*	Jacques Brossard
172	*Repentir(s)*	Richard Ste-Marie
173	*Le Sorcier de l'île d'Orléans* (Le Crépuscule des arcanes -3)	Sébastien Chartrand
174	*Le Cas des casiers carnassiers* (Malphas -1)	Patrick Senécal
175	*Torture, luxure et lecture* (Malphas -2)	Patrick Senécal
176	*La Dérive des anges* (Reed & Sydowski -1)	Rick Mofina
177	*La Peur au corps* (Reed & Sydowski -2)	Rick Mofina
178	*Le Sang des autres* (Reed & Sydowski -3)	Rick Mofina
179	*Sans retour* (Reed & Sydowski -4)	Rick Mofina
180	*Tu seras mienne* (Reed & Sydowski -5)	Rick Mofina
181	*Le Fleuve des étoiles*	Guy Gavriel Kay

LA FEMME DE BERLIN
est le deux cent soixante-quatrième titre publié
par Les Éditions Alire inc.

Il a été achevé d'imprimer
en avril 2017 sur les presses de

MARQUIS
Imprimé au Canada